LILA, LILA

David Kern est serveur dans un bar branché. N'ayant pas de gros moyens financiers, il a l'habitude d'acheter ses meubles à bas prix chez un brocanteur. Un jour, il trouve dans le tiroir d'une vieille table le manuscrit d'un roman qu'un auteur aurait oublié là avant de se suicider. Peu après, David rencontre Marie, cliente du bar où il travaille et passionnée de littérature. Il en tombe follement amoureux et, dans l'espoir de l'émouvoir, il lui donne à lire le manuscrit qu'il a trouvé en se faisant passer pour son auteur. Marie est bouleversée par cette lecture. Elle trouve le livre si formidable qu'elle le fait parvenir à une maison d'édition qui décide de le publier. Le roman devient un best-seller...

David devrait être comblé, Marie n'a d'yeux que pour lui, et pourtant... Il va non seulement lui falloir endosser le costume de l'écrivain célèbre, se pliant aux séances de signature et aux dîners mondains, mais aussi vivre avec l'angoisse permanente d'être démasqué. Quant à Marie, l'aime-t-elle véritablement pour ce qu'il est ou pour ce qu'il représente ? Comment vit-on dans la peau d'un imposteur ?

Né en Suisse en 1948, publicitaire de formation, Martin Suter vit aujourd'hui à Ibiza. Il est l'auteur de plusieurs scénarios et tient deux chroniques hebdomadaires dans les journaux Weltwoche *et* Neue Zürcher Zeitung. *Il est l'auteur de quatre romans, dont* Small World, La Face cachée de la lune *et* Un ami parfait.

Small World
Christian Bourgois éditeur, 1998
« Points », n° P703

La Face cachée de la lune
Christian Bourgois éditeur, 2000
« Points », n° P960

Un ami parfait
Christian Bourgois éditeur, 2002
« Points », n° P1118

Martin Suter

LILA, LILA

ROMAN

*Traduit de l'allemand
par Olivier Mannoni*

Christian Bourgois éditeur

TEXTE INTÉGRAL

TITRE ORIGINAL
Lila, Lila

ÉDITEUR ORIGINAL
Diogenes Verlag AG, Zürich

© original : 2004 by Diogenes Verlag AG, Zurich

ISBN 2-02-066683-9
(ISBN 2-267-01725-3, 1ʳᵉ publication)

www.seuil.com

À Gretli.

1

Et ce Peter Landwei, c'était moi.

Il fit tourner le cylindre de l'Underwood noire jusqu'à ce que la dernière phrase apparaisse, s'alluma une cigarette et lut la page aux lignes serrées.

La pluie sourde tambourinait toujours sur les tuiles. Il ouvrit la fenêtre de la mansarde. Le crépitement se fit plus bruyant et plus aigu. Deux mètres en dessous de la corniche, l'eau de la gouttière disparaissait en gargouillant dans le tuyau d'évacuation. La rue trempée reflétait la faible lueur de l'unique réverbère de l'impasse. Devant l'immeuble d'en face était garée la fourgonnette à l'enseigne de la « Sellerie-tapisserie Maurer ». Derrière une vitrine portant la même enseigne, la lumière brillait comme chaque soir depuis que la femme de Maurer était morte. Et comme chaque soir, dans une chambre, au premier étage de la même maison, un homme chauve lisait, assis dans le faisceau lumineux d'un lampadaire. Aussi immobile qu'une poupée de cire. Les autres fenêtres étaient obscures, mis à part une lucarne près de la cheminée. Parfois, jadis,

Peter s'était demandé qui habitait là-bas. Aujourd'hui, ça lui était égal. Autant que tout ce qui n'avait pas de rapport avec Sophie. Sophie que lui aussi désormais laissait de marbre.

Il ferma la fenêtre et prit une photographie encadrée sur le bureau. Sophie en maillot de bain. Elle avait tendu derrière elle une serviette-éponge des deux bras, comme si elle s'apprêtait à la poser sur ses épaules. Ses cheveux étaient trempés et brillants. Elle souriait.

C'était la seule photographie que Peter détenait de Sophie. Elle la lui avait offerte. Autrefois, la regarder lui donnait un pincement au cœur, parce qu'elle ne voulait pas lui dire qui l'avait prise. À présent, la photo lui serrait le cœur parce qu'il ne reverrait plus jamais Sophie.

Il sortit la photo du cadre et la glissa dans la poche intérieure de son lourd blouson de motard. Puis il éteignit la lumière et ferma la chambre. Il laissa la clef dans la serrure.

Dans l'escalier flottaient les odeurs d'oignons cuits à l'étuvée et de la cire que quelqu'un venait d'étaler sur le linoléum recouvrant les marches usées.

Une demi-heure plus tard, il avait atteint Rieten. La pluie n'avait pas diminué. L'écho des sombres façades déformait le bruit de moteur de sa Ducati.

À la sortie de la petite ville commençait la route nationale qui, un kilomètre de ligne droite plus loin, disparaissait dans le tunnel du Rotwand.

Peter passa la vitesse la plus élevée et fonça

à pleins gaz vers l'entrée du tunnel. Il avait été creusé à la dynamite dans une paroi rocheuse qui se dressait à la perpendiculaire au-dessus de la vallée, comme un mur. Le jour, quand la visibilité était bonne, on le distinguait à cinq cents mètres de distance, semblable à un trou de souris. En l'apercevant, les automobilistes levaient le pied malgré eux, comme s'ils craignaient de ne pas bien viser ce petit orifice.

Pourtant on ne pouvait pas manquer l'entrée du tunnel du Rotwand. Même la nuit.

Sauf si on le faisait exprès, comme Peter Landwei.

Et ce Peter Landwei, c'était moi.

Il tapa le chiffre *84* en bas de page, sortit la feuille de la machine et la déposa, page écrite retournée, sur les autres feuilles. Il rajusta la pile et la reposa sur son bureau, première page vers le haut.

On y lisait en grosses lettres : SOPHIE, SOPHIE. Et en dessous : *roman*. Et en dessous encore : *par Alfred Duster.*

Il ouvrit la fenêtre de la mansarde, écouta le roulement monotone de la pluie sur le toit de tuiles et observa l'homme immobile dans le faisceau lumineux de son réverbère.

Il ferma la fenêtre, prit son lourd blouson de motard dans l'armoire, le passa, éteignit la lumière et referma la porte de la chambre. Il laissa la clef dans la serrure.

Devant la maison, il démarra sa Ducati au kick, essuya de la main les gouttes sur la selle et s'y installa.

Lorsque le moteur mugit dans l'impasse, l'homme immobile leva un bref instant les yeux de son livre.

2

En temps normal, David était réveillé par l'odeur du déjeuner que préparait Mme Haag dans l'appartement voisin.

Mais ce jour-là, ce fut une brûlure à l'oreille droite qui l'arracha au sommeil. C'était tout lui : la moitié de sa génération portait des piercings, mais il suffisait que lui se fasse poser une minuscule boucle au lobe de l'oreille pour qu'il attrape une infection.

Il alla repêcher son bracelet-montre dans la caisse de vin vide qui lui servait de table de nuit. Il n'était même pas dix heures ; il avait dormi à peine cinq heures.

David s'assit sur le bord de son lit. Le jour, que l'on distinguait derrière les rideaux trop courts, plongeait la chambre dans une lumière blafarde qui donnait aux meubles de seconde main – une table, des chaises, un fauteuil, des portemanteaux, une étagère – l'aspect d'une photo noir et blanc en trois dimensions. Les seules touches de couleur étaient les petites lampes rouges et vertes indiquant que sa chaîne hi-fi, son imprimante et son ordinateur étaient en veille.

Il passa un peignoir bleu clair délavé frappé des mots « Sauna Happy », ouvrit la porte de son appartement et sortit.

Les toilettes se trouvaient sur le palier. C'était désagréable, surtout en ce moment, à la saison froide, car elles n'étaient pas chauffées. Mais au moins, David était le seul à les utiliser. Pour des motifs insondables, le logement de Mme Haag avait des toilettes particulières.

Dans le miroir au-dessus du lavabo, il inspecta son oreille. Le point où elle était percée avait rougi et enflé. Il fut tenté d'enlever le bijou qui lui traversait le lobe. Mais dans ce cas, à ce qu'il avait entendu dire, le trou se refermerait.

Il rentra dans son appartement, remplit la cafetière et la posa sur le gaz. Puis il se doucha dans la cabine en aluminium et plexiglas opaque qu'un précédent locataire avait installée dans la cuisine, des années plus tôt.

Lorsqu'il sortit de la douche, la soupape de la cafetière crachait de l'eau, teintant la flamme de jaune. Il coupa le gaz, se sécha et remit son peignoir. Il prit une tasse dans l'évier, la lava et y versa du café. Dans le réfrigérateur se trouvait un pack de lait entamé. Il le renifla, en renversa un peu dans la tasse, la porta dans la chambre, la posa sur la table de chevet, alluma sa chaîne et se glissa de nouveau sous la couverture. Prendre son café au lit était un luxe auquel David Kern n'aimait pas renoncer.

La radio était calée sur une station qui diffusait toute la journée de la musique des Tropiques. Un sacré contraste avec le climat local : températures autour de zéro, une épaisse couche de nuages qui retombait tantôt en bruine, tantôt en neige. Les jours commençaient lorsque David dormait encore profondément, et s'étaient le plus souvent déjà achevés lorsqu'il quittait l'immeuble.

Il but son café à petites gorgées et se fit du souci pour son oreille. Peut-être devrait-il retourner à la boutique où il s'était fait faire le piercing. Eux devaient avoir l'expérience des infections.

Il entendit dans la cage d'escalier le pas pesant de Mme Haag qui revenait des courses. Elle devait avoir à peu près soixante-dix ans – David ne parvenait pas à évaluer correctement l'âge des vieilles personnes – et avait un fils qui paraissait tout aussi âgé qu'elle et venait déjeuner chaque jour à midi et quart précis, avant de repartir, tout aussi ponctuellement, à une heure quinze. Il était célibataire et travaillait non loin de là comme magasinier, un détail que Mme Haag lui avait déjà confié à plusieurs reprises.

David se leva et ouvrit les rideaux. À sa grande surprise, le morceau de ciel que l'on pouvait voir depuis sa fenêtre était bleu. Pas très bleu, mais suffisamment pour qu'il s'habille et qu'il se retrouve, dès onze heures à peine passées, dans la rue grise où il vivait.

C'était une belle journée inattendue. Il faisait certainement dix degrés de plus que la veille, et le soleil se reflétait sur les vitres des mansardes au-dessus de lui. Dès qu'il eut fait quelques pas, David dut ouvrir la fermeture Éclair de sa veste molletonnée.

Dans la Kabelstrasse, l'épicier avait disposé devant sa boutique un éventaire de décorations électriques pour Noël. Il ne ferait pas de bonnes affaires avec un temps pareil. David entra et acheta un sandwich au fromage qu'il déballa et se mit à manger avant même d'avoir quitté la boutique.

Le brocanteur qui officiait dans la cour intérieure de l'immeuble voisin avait déposé quelques meubles devant l'entrée de la cour, ainsi qu'un écriteau portant une flèche et l'inscription : « La Caverne au trésor de Godi ». David suivit la flèche et entra dans la boutique. Godi était installé dans un fauteuil qu'un panonceau évaluait à « 80 FS ! » et lisait un journal gratuit. Ils se connaissaient, c'était chez lui que David avait acheté une grande partie de son mobilier.

— Hier l'hiver, aujourd'hui le printemps. Ça vous ronge la substance ! gémit Godi.

David lui donna raison, bien qu'il n'eût pas de problèmes de substance. Il avait vingt-trois ans.

Tout en mâchant son sandwich, il se fraya un passage à travers les meubles, les caisses, les ustensiles ménagers, les livres, les cadres, les nippes et les autres cochonneries qui peuplaient la boutique. Avec un peu de chance il dénicherait ici quelque chose pour Tobias, le propriétaire de l'Esquina où il travaillait.

L'Esquina était un *lounge bar* qui avait ouvert moins d'un an plus tôt mais paraissait avoir toujours été là. Il était aménagé avec des meubles usagés remontant aux années cinquante et soixante. Aux murs vieillis artificiellement, on avait accroché des objets trouvés sur les marchés aux puces du monde entier, qui créaient une atmosphère d'internationalité douillette.

Il était déjà arrivé assez souvent à David de trouver quelque chose pour l'Esquina en fouillant dans le capharnaüm de Godi, et de le revendre à Tobias en faisant un petit bénéfice. Un panorama alpin coloré, par exemple, une planche de botanique usée présentant différentes espèces de palmiers, ou le portrait maladroit d'un chef indien, à la peinture à l'huile.

Cette fois-là, il ne trouva rien. Mais lorsqu'il quitta la boutique, Godi était en train de décharger un vieux bus Volkswagen en compagnie d'un gros homme. L'un des meubles, une table de chevet aux angles arrondis et pourvue d'une plaque de marbre jaune, éveilla l'intérêt de David.

— Ça coûte combien, ça ? demanda-t-il à Godi.

16

— Ça n'a pas encore de prix.

Le gros homme intervint :

— Ça m'appartient encore. Art déco.

— Art déco, tu parles, grogna Godi.

— Plaque de marbre authentique, compléta le gros.

— Combien ? demanda David.

Le gros lança à Godi un regard interrogateur.

— Me regarde pas. C'est le propriétaire qui fixe le prix.

Godi planta là les deux hommes et revint au minibus.

— Quarante ?

Le gros était un intermédiaire, il n'avait pas beaucoup d'expérience avec les consommateurs en bout de chaîne.

David examina le meuble, ouvrit la petite porte et tenta vainement de faire sortir le tiroir.

— Un peu de savon et ça ne coincera plus, annonça le gros.

— Trente, proposa David.

— Trente-cinq.

David réfléchit.

— Mais pour ce prix-là vous me ramenez chez moi.

— C'est loin ?

— Juste au coin de la rue.

Et c'est ainsi que David Kern fit l'acquisition de la petite table de nuit qui allait changer sa vie.

3

Marie Berger était allée manger avec Lars au Vaisseau Spatial, un repas de réconciliation, comme il appelait ça.

Elle n'avait pas besoin de repas de réconciliation, elle n'avait aucun sujet de dispute. Lars était un simple malentendu. Mais parce qu'il l'avait regardée d'un air tellement malheureux, parce qu'on était en décembre et que même elle n'était pas vaccinée contre Noël et son triste remue-ménage, elle avait accepté.

C'était une erreur. Le jour du rendez-vous la surprit avec un ciel de printemps et une petite brise plein sud. Ce n'était pas le temps pour en finir avec un ex qui ne savait pas encore qu'il en était un.

Elle aurait préféré décommander, mais elle ne parvint pas à le joindre, il avait éteint son portable. Par précaution, supposa-t-elle.

Le Vaisseau Spatial était un restaurant de designer, trop grand, trop bruyant, trop cher, pas le monde de Marie. Plutôt celui de Lars, qui faisait des études d'économie et, confiant dans sa grande carrière de gestionnaire, vivait déjà au-dessus de ses moyens.

Lorsque Marie arriva – à l'heure, car elle ne voulait pas commencer la soirée avec le handicap d'être arrivée en retard –, Lars était déjà installé à une petite table au cœur du brouhaha. Il se leva d'un bond et agita les deux bras comme un nageur en détresse. Elle se dirigea vers sa place et tenta d'ignorer les invités qui, sans interrompre leurs conversations, la taxaient d'un regard en biais.

Lars la reçut debout et lui proposa sa place.

— D'ici tu vois les gens.

— Ce ne sont pas les gens qui m'intéressent, répondit-elle.

C'est seulement lorsqu'elle se fut assise dos à la salle qu'elle comprit : il n'avait pas pris sa remarque comme une critique contre le restaurant, mais comme un compliment qui lui était destiné. Il s'assit face à elle, joignit les mains sous le menton et la regarda dans les yeux en souriant.

— Ça n'est pas ce que je voulais dire, Lars.

— Comment ça ?

S'il ne s'était pas trouvé aussi irrésistible à cet instant-là, elle le lui aurait certainement expliqué avec plus d'égards. Mais dans ces conditions, elle répondit :

— Je ne voulais pas dire que ta vue m'intéresse plus que celle des autres.

En fait, à ce moment-là, elle aurait dû se lever et partir. Mais Lars la dévisagea d'un air tellement effrayé qu'elle ôta à sa phrase un peu de sa brutalité en l'agrémentant d'un petit sourire. Il répondit d'un autre sourire, soulagé, fit signe à un serveur et commanda deux coupes de champagne.

S'il le lui avait proposé, Marie aurait volontiers bu une coupe de champagne. Mais puisque c'était comme ça, elle rectifia :

— Je préférerais une eau minérale.

Marie Berger avait vingt-quatre ans. Depuis un peu plus d'une année, elle était revenue au lycée. Elle voulait achever ses études, abandonnées à seize ans pour suivre une formation de décoratrice. Afin d'utiliser son potentiel créatif – c'est ce qu'elle avait annoncé à sa mère.

Marie avait mis près de cinq ans avant de pouvoir donner raison à sa mère et avouer qu'elle avait commis une erreur. Et de lui demander de la reprendre dans son trois pièces jusqu'à ce qu'elle ait son bac. Marie évitait ainsi le règlement d'un loyer. Elle payait ses études et sa vie courante avec ce qu'elle avait économisé et le salaire que lui versaient trois clients fidèles pour la décoration mensuelle de leur vitrine. Une boutique de bijoux à la mode, un magasin de haute couture et un pharmacien qui refusait d'installer dans sa vitrine les présentoirs publicitaires de l'industrie pharmaceutique.

Elle aurait peut-être gagné plus d'argent avec un autre job, mais la décoration de vitrines présentait l'avantage d'être compatible avec les horaires scolaires. Et aussi celui de lui rappeler constamment quel métier elle ne voulait plus exercer, quoi qu'il arrive. Pendant son apprentissage, elle s'était découvert l'amour des livres et voulait en faire son métier en étudiant la littérature.

« C'est comme si tu voulais étudier le droit par amour de l'équité », lui avait dit son père lorsqu'elle lui avait demandé s'il serait prêt, le cas échéant, à participer aux frais de sa deuxième formation. Elle n'avait de toute façon pas beaucoup d'espoir en lui posant la question : après son divorce, déjà, il n'avait participé à la première qu'à contrecœur.

La vie avec sa mère n'était pas simple. Pas pour les motifs habituels. Myrtha – c'est ainsi qu'elle devait appeler sa mère depuis sa toute première enfance – ne se mêlait pas de ses affaires. Au contraire, elle laissait Marie vivre sa vie et menait la sienne. C'est précisément ce qui compliquait de plus en plus souvent leur cohabitation. La vie amoureuse de Myrtha était un peu trop active au goût de Marie, qui devait régulièrement fuir le petit appartement pour ne pas troubler les heures du berger de sa mère. Ce n'est pas que la chose eût gêné Myrtha : c'est à Marie qu'elle était désagréable.

C'était aussi par une soirée comme celle-là qu'elle avait fait la connaissance de Lars. Peu après dix heures, sa mère était revenue chez elle avec un guide danois – elle travaillait dans une agence de voyages –, et Marie avait troublé l'harmonie en suggérant : « Mais il a certainement une chambre d'hôtel. » Son amie Sabrina, qui la recueillait toujours dans ces cas-là, fit comprendre à Marie, au téléphone, qu'elle se trouvait dans une situation analogue à celle de Myrtha.

Elle atterrit ainsi au Bellini, un bar dans lequel elle rencontrait presque toujours des gens qu'elle connaissait.

Mais ce soir-là, elle n'aperçut aucun visage familier dans tout le Bellini. Elle s'installa au bar et but un verre d'asti. Et lorsque au bout d'un quart d'heure le barman lui en servit un autre « de la part du monsieur en face », elle ne refusa pas et décocha, par-dessus le comptoir, un sourire au donateur. C'est ainsi qu'elle commença à discuter avec Lars.

Se faire lever dans un bar n'était pas le genre de Marie. Mais ce soir-là, elle se sentait tellement exclue qu'il ne fallut pas longtemps avant qu'elle ne demande à Lars :

— Tu as un appartement à toi, ou tu le partages avec quelqu'un ?

Si elle revit Lars par la suite, c'est uniquement que, par principe, elle ne pratiquait pas les *one-night-stands*.

Ainsi débuta une série de malentendus. Pratiquement deux mois au cours desquels elle ne parvint pas à mettre les points sur les « i ». Cela tenait au fait que les mois en question étaient ceux de novembre et décembre, les deux où Myrtha traversait sa redoutable dépression de fin d'année et où Marie préférait se tenir à distance. Cela tenait aussi au fait que Lars n'était certes pas son type, mais un accompagnateur généreux au restaurant et un bon amant.

Le fait qu'elle n'ait pas voulu s'avouer que les deux derniers motifs jouaient un rôle avait aussi contribué à faire traîner l'affaire en longueur.

Tout comme Lars lui-même, évidemment. Son mélange d'arrogance et de vulnérabilité. Comme si, au cours des vingt-six années de sa vie, ni lui ni personne d'autre n'avait jamais douté de lui. Dès qu'il commençait à soupçonner qu'il pût être possible de ne pas l'aimer et l'admirer sans réserve, il était au bord des larmes. Marie avait donc beaucoup de mal à rompre. Elle était moins froide en pratique qu'en théorie.

Elle lui fut donc reconnaissante de lui fournir le prétexte de se retirer. Il s'agissait de la Bourse. Lars lui avait expliqué en détail la différence entre un marché haussier et un marché baissier, et elle avait ostensiblement affiché son ennui. Soudain, il avait interrompu son exposé, piqué au vif, avec cette remarque :

— Excuse-moi, je suppose que cela ne t'intéresse pas.

Elle avait répondu :

— C'est peu dire. Ça me fait vomir. Je méprise les gens qui gagnent leur argent en poussant les entreprises à licencier leurs employés pour faire de plus gros bénéfices.

Il était resté un instant décontenancé. Puis il lui avait fourni le mot qu'elle attendait :

— Dans ce cas, je ne comprends pas comment tu peux sortir avec un homme de la finance !

Un homme de la finance !

— Je ne le comprends pas non plus, avait-elle constaté.

Et elle était partie.

Ce jour-là, elle était donc attablée avec Lars au Vaisseau Spatial et devait régler le malentendu. Le serveur apporta du champagne pour lui, de l'eau minérale pour elle. Elle regretta de ne pas avoir au moins démontré son indépendance avec un cocktail.

La seule ornementation de la salle était une lumière diffuse et multicolore. Le *beat* obtus de la *chill-out-music* battait dans de gigantesques boîtes.

— Je ne sais pas si l'on peut trinquer avec du champagne et de l'eau minérale, dit Lars.

— J'ignorais qu'il y avait des règles pour cela aussi.

— Alors, nous trinquons ?

— Si ça ne tient qu'à moi...

Lorsque les verres se touchèrent, Lars demanda :

— On fait la paix ?

Marie posa son verre.

— Nous ne sommes pas en guerre, Lars. Nous n'allons pas ensemble.

— Nous nous complétons.

Marie soupira.

— Je ne cherche pas le grand complément. Je cherche le grand amour.

Lars se tut.

— Ne fais pas une mine pareille, ça me fend le cœur.

— Dans ce cas, il reste de l'espoir.

Marie prit le verre de champagne de Lars et le tendit à un serveur qui passait à sa hauteur. Celui-ci hocha la tête.

Ils attendirent en silence qu'il lui ait apporté un verre à elle aussi. Marie le leva.

— Trinquons aux semaines passées et mettons un terme à cette histoire comme deux adultes.

Mais c'était trop demander à Lars. Aux entrées, il l'implorait ; au plat de résistance, il lui faisait des reproches ; et au café, il était parvenu à donner l'impression que c'était lui qui voulait la quitter. Bien sûr, cela agaça Marie, mais cela présentait un avantage : elle ne se sentit pas obligée de partager l'addition. Elle n'aurait pas eu de quoi.

Il proposa de la déposer quelque part. Elle refusa en prétextant qu'elle préférait marcher.

La nuit était encore plus claire que ne l'avait été le jour. Mais au cours des trois heures de tourments qu'elle avait passées avec Lars, le thermomètre avait chuté. Un vent glacé lui faisait couler les larmes des yeux. Elle n'arrêtait pas de sortir les mains de la poche de son manteau pour se réchauffer les oreilles.

Elle ne parvenait plus à se sortir de la tête la remarque qu'elle lui avait faite sur le grand amour. Elle l'avait surtout dite par goût des belles formules. « Je ne cherche pas le grand complément, je cherche le grand amour » : cette phrase-là lui plaisait. Mais y avait-il quelque chose de vrai là-dedans ? Cherchait-elle le grand amour ? Pas comme tout le monde, non, pour de vrai ? Cherchait-elle quelque chose ? Lars et ceux qui l'avaient précédé étaient-ils des étapes sur le chemin du grand objectif ?

Les rues de cet ancien quartier ouvrier devenu tendance étaient désertes. Des guirlandes lumineuses brillaient à beaucoup de fenêtres, et les vitrines des restaurants turcs, des *thaï-take-away* et des magasins d'alimentation brillaient et scintillaient dans toutes les couleurs.

Marie se sentit d'un seul coup solitaire. C'était une impression nouvelle. Elle s'était déjà souvent trouvée seule, une sensation agréable qui la rendait indépendante et autonome. Mais solitaire ? Solitaire, c'était autre chose. Solitaire, c'était comme si l'on avait besoin de se trouver à l'instant même parmi les êtres humains. Plus il y en aurait, mieux ce serait.

Depuis le mur d'une maison, plus loin, un projecteur dessinait un mot sur le trottoir. « Esquina », lut Marie lorsqu'elle s'approcha. Une lumière chaleureuse s'échappait de l'entrée, comme d'un bon vieux restaurant. Et l'on entendait de la salsa plutôt que de la techno.

4

C'était une soirée comme la plupart de celles qu'ils avaient connues en ce mois de décembre. L'Esquina était plein de gens venus compléter le repas de Noël de leur entreprise. Ou de clients qui s'étaient arrêtés là après avoir fait leurs achats de Noël et portaient encore leurs sacs de cadeaux. Ou qui ignoraient tout ce remue-ménage et tentaient de faire croire à une situation normale. Il régnait un mélange de peur d'être en retard, de résignation, de joie par anticipation et de mélancolie.

Comme c'était le plus souvent le cas ces derniers temps, David était chargé du secteur C. C'est-à-dire des sièges et des *lounge tables* qui dépendaient du grand bar. Il aimait bien ce poste-là : dans le secteur C se trouvaient les places habituelles de quelques clients avec lesquels il avait aussi des contacts privés.

Le cerveau du groupe était Ralph Grand, écrivain. En tout cas, c'était la profession qu'il annonçait lorsqu'on lui posait la question. Il gagnait sa vie en traduisant en allemand des textes techniques rédigés en français et en anglais. Cette activité lui permettait de faire régulièrement son apparition à l'Esquina et d'y rester longtemps. Quand trouvait-il encore le temps, entre ses traductions et sa vie nocturne, d'écrire le grand roman auquel il travaillait depuis des années ?

Personne n'abordait jamais la question, du moins en présence de Ralph.

Ralph était un camarade très distrayant, doté de grandes connaissances littéraires qu'il étalait parfois un peu trop. L'une de ses qualités les moins agréables.

Sergio Frei se plaçait toujours à côté de lui. Sergio était artiste et possédait un atelier dans un bâtiment industriel, tout près de là. Personne ne savait vraiment de quoi il vivait, car ses tableaux – de gigantesques impressions photographiques retouchées à grands traits de pinceau, des images que l'on croyait déjà avoir vues quelque part – étaient rarement exposés, et presque jamais vendus. La rumeur la plus crédible voulait que son père, victime d'un accident mortel lors d'un cours de canyoning, lui eût laissé quelque fortune.

Silvie Alder arriva seule. Elle avait terminé sa formation de professeur de dessin peu de temps avant et obtenu immédiatement un poste d'enseignante dans la même école professionnelle. Silvie était toute petite et gracile, elle ressemblait à Édith Piaf dans sa jeunesse, ce qu'elle soulignait encore en s'épilant les sourcils et en utilisant un rouge à lèvres couleur sang.

Roger Bertoli et Rolli Meier arrivèrent aussi ensemble. Roger était rédacteur dans une agence de publicité et admirait Ralph Grand pour ses connaissances littéraires. Peu de temps auparavant, Rolli était encore AD, *art director*, dans la même agence artistique, et il venait de fonder une entreprise individuelle sous le nom, un peu tiré par les cheveux, de *ADhoc* – une idée de Roger Bertoli. Son activité consistait à louer ses propres services à des agences de publicité en manque passager de personnel. Comme la situation économique ne favorisait pas les manques passagers de personnel, Rolli était contraint de compléter ses fins de mois avec des commandes d'illustrations techniques que lui obtenait Ralph Grand.

Sandra Schär se joignait à eux de manière un peu plus sporadique. En tant que *flight attendant*, il lui arrivait de passer plusieurs jours de suite à l'étranger. C'était une grande femme blonde, *glamourous*, comme on s'imaginait autrefois les hôtesses de l'air. Kelly Stauffer et Bob Jäger se trouvaient toujours dans son sillage. Kelly, un architecte maigre, le crâne rasé, vêtu de noir, et son partenaire Bob, un cameraman de télévision musclé, le crâne rasé, vêtu de noir.

Ce soir-là, ils étaient tous là, installés dans leurs fauteuils élimés devant leurs boissons habituelles – un verre de rioja pour Ralph, de la bière pour Sergio et Rolli, du cava pour Silvie et Kelly, un mojito pour Roger, du gin tonic pour Sandra et une bière sans alcool pour Bob.

David connaissait les commandes par cœur et les aurait apportées sans rien demander si cela ne lui avait pas valu une mauvaise expérience un soir où il avait apporté son rioja à Ralph, quelques instants après l'avoir vu s'asseoir.

— Je n'ai pas commandé de rioja, avait dit Ralph.

— Excuse-moi. Je me disais, comme tu commandes toujours un rioja... Qu'est-ce que je te sers, alors ?

— Un rioja.

David avait déposé le verre devant lui, un rictus aux lèvres.

— Pas ce rioja-là. Je voudrais le rioja que j'ai commandé.

Si Sergio n'était pas intervenu, Ralph aurait forcé David à remporter le rioja et à en rapporter un autre. Toute la soirée, lorsqu'il passait à portée de leurs voix, David attrapait au vol des bribes d'une discussion sur le droit de l'homme à l'imprévisibilité, comme disait Ralph Grand.

Le lendemain soir, David se rendit à la Paix des Cimes, un restaurant ouvrier du quartier, tenu par un Espagnol. Ralph avait pris l'habitude d'y manger le soir avant de se rendre à l'Esquina. David comptait lui faire la leçon. Il voulait lui dire qu'il ne pouvait pas le rembarrer devant tous les clients comme un apprenti. Après tout, ils étaient en quelque sorte des amis. Si quelque chose ne lui plaisait pas dans son service, il pouvait le lui dire en tête à tête.

Mais lorsqu'il s'assit à la table de Ralph, celui-ci était plongé dans une discussion avec un homme mince qui fumait des cigarettes russes et avait les doigts jaunes. Ralph accorda à peine plus d'importance à l'apparition de David que lorsqu'il lui apportait un nouveau verre de rioja à l'Esquina.

David commanda une tortilla et un soda – il ne buvait pas d'alcool avant le travail – et attendit l'occasion de participer à la conversation.

C'était une situation familière pour David : attendre qu'on fasse attention à lui. Notamment de la part de Ralph. Car lorsque lui s'intéressait à quelque chose, les sept autres l'imitaient.

Ce n'était pas que David ait eu des difficultés à établir le contact. Il existait beaucoup de gens qui l'appréciaient et avec lesquels il entretenait un rapport détendu et tout à fait normal. Lui-même ne comprenait pas très bien pourquoi il s'était mis en tête d'être précisément admis dans le groupe qui entourait Ralph. Peut-être, se racontait-il, parce que c'étaient des gens intéressants qui faisaient des choses intéressantes et discutaient de sujets intéressants. Peut-être aussi, tout simplement, parce qu'ils le traitaient comme un garçon de café.

David n'était pas garçon de café, c'était juste son

occupation du moment. Il avait fréquenté le lycée quelques années, travaillé un certain temps comme conseiller technique dans une boutique d'ordinateurs, et il s'y connaissait bien en fruits et légumes parce qu'il avait vécu un an dans une ferme bio française.

David ne voulait pas qu'on le traite comme le serveur sympathique qu'on reconnaît dans la rue et avec lequel on peut aussi boire un coup en privé. Il voulait être considéré comme le bon copain, peut-être même comme l'ami qui, le destin le voulait ainsi, servait les boissons à l'Esquina et encaissait l'addition parce que, pour l'instant et par hasard, il avait trouvé un boulot de garçon de café.

Pour obtenir ce statut, il arrivait aussi à David de se rendre à l'Esquina pendant ses soirées de liberté, de s'asseoir auprès de Ralph et des autres, et de tenter de participer à la conversation.

Ça n'était pas simple. Cette petite bande se connaissait depuis si longtemps qu'on y respectait certains codes : abréviations, tournures de phrases, accentuations et gestes difficilement compréhensibles pour les profanes. David se contentait donc le plus souvent d'écouter et d'attendre le mot clef qui lui permettrait d'entrer dans la partie.

Updike avait été l'un de ces mots-là. Aux premiers jours de son travail à l'Esquina, David avait ainsi attrapé cette phrase au vol : « J'ai du mal à croire que je passe mes soirées avec quelqu'un qui n'a encore jamais lu Updike. » La cible était Roger Bertoli, le rédacteur qui se cachait derrière son mojito, un sourire embarrassé aux lèvres.

Là-dessus, et non sans peine, David avait lu tous les romans d'Updike sur Harry Rabbit. Depuis, il attendait en vain que l'on aborde de nouveau ce sujet-là.

Il était sans doute le seul du groupe à avoir comblé

cette lacune. Les autres, désormais, évitaient soigneusement le sujet.

Ce soir-là, à la Paix des Cimes, David dut partir travailler avant d'avoir pu prendre Ralph entre quatre-z-yeux.

Rien cependant ne disait qu'il aurait effectivement mis cette histoire sur le tapis si l'occasion s'en était présentée.

Peu avant minuit entra à l'Esquina une femme qu'il voulut revoir.

David se dirigeait justement avec une commande de tapas mixtes vers l'un des canapés situés près de l'entrée lorsqu'elle pénétra dans le petit corridor qui allait de la porte à la salle. Elle déboutonna son manteau et regarda autour d'elle, dans le restaurant.

Elle se tenait à environ deux mètres de lui. La première chose qui le frappa fut le duvet sur la nuque. Un spot censé illuminer une alcôve remplie de frusques des années soixante lui balaya le cou et fit briller d'une lueur dorée les poils translucides qui remontaient du haut de ses épaules à la naissance de ses cheveux coupés court.

Elle tourna la tête. Son visage était mince et plus pâle que celui de la plupart des invités qui, à cette heure-là, sortaient dans la rue froide pour se rendre à l'Esquina. Ses yeux étaient bleus, ou gris, ou verts, c'était difficile à dire avec cet éclairage. Sa petite bouche était à peine ouverte, comme si elle s'apprêtait à demander quelque chose. Et entre les sourcils, du même blond dense que ses cheveux, un blond couleur de blé, s'était formée une minuscule ride verticale. Sans doute par agacement en constatant que la boîte n'avait pas l'air de lui avoir gardé une place.

Elle commençait déjà à reboutonner son manteau lorsque David l'aborda :

— Tu cherches une place ?

— Il t'en reste une ?

— Si ça ne te dérange pas de t'asseoir avec quelqu'un d'autre.

— Ça dépend des gens.

— Ceux-là sont des gens bien.

David la mena vers le groupe de sièges où s'étaient installés Ralph et les autres. Dans la plupart des cas, il restait au moins un fauteuil qui servait de dépôt de manteaux et de réserve en cas d'arrivée impromptue. Ce fauteuil-là était certes tabou, mais David ne trouva pas d'autre moyen pour empêcher la jeune femme de partir tout en la gardant dans sa zone d'influence.

Il essuya donc quelques regards incrédules lorsque, en prononçant les mots « Je suppose que personne ne viendra plus maintenant », il ôta les manteaux du siège et les posa sur un dossier de canapé. Mais personne ne protesta, la nouvelle cliente était trop jolie pour cela.

Ce soir-là, David négligea peut-être quelques clients. Par contre, il vida plus souvent que nécessaire les cendriers du groupe qui entourait Ralph. Et il ne demanda jamais, quand l'un de ces clients-là lui passait une commande, si un autre désirait quelque chose en même temps : il préférait revenir spécialement pour chaque commande.

Elle s'appelait Marie, il avait déjà réussi à grappiller cette information lorsqu'il lui apporta le premier verre de cava. Pas Maria, pas Mary – Marie, avec l'accent sur la deuxième syllabe. Un beau prénom, jugea David. Simple et beau. Comme tout en elle.

David perdait ses moyens en présence de femmes qui lui plaisaient. Il se voyait avec leurs yeux à elles. Ses mains et ses pieds devenaient trop grands, comme chez un jeune chien. Ses oreilles commençaient à se décoller, la naissance de ses cheveux remontait sur son crâne. Il sentait sa moustache, ses rouflaquettes, son nœud papillon, sa barbiche, sa barbe de cinq jours, enfin la coupe qu'il avait choisie ce jour-là, et il en changeait fréquemment. Lorsqu'il parlait, il avait l'impression que ses lèvres s'épaississaient.

Rien de tout cela ne lui arrivait avec des femmes qui ne lui plaisaient pas. C'est précisément la raison pour laquelle sa vie amoureuse était composée d'une longue série de brèves aventures avec des femmes qui ne lui plaisaient pas. Et de quelques histoires d'amour inabouties avec celles qu'il adulait.

Marie avait l'air d'appartenir à une troisième catégorie. Une catégorie qu'il n'avait encore jamais rencontrée.

Elle semblait se sentir bien dans le petit groupe où il l'avait introduite. Elle était assise, détendue, entre Silvie et Bob, et riait en même temps que les autres, en regardant Ralph Grand se mettre en scène avec brio, comme toujours lorsqu'il avait un nouveau public.

À deux ou trois reprises, David s'installa sur l'accoudoir du canapé et tenta de participer à la conversation. Mais chaque fois, il dut se contenter de rire cordialement de la chute d'une histoire dont il n'avait pas entendu le début.

Peu avant une heure, Ralph le fit venir. « L'addition. »

Une heure, c'était tôt pour Ralph. Le plus souvent, il restait jusqu'à trois heures, quand l'Esquina baissait le rideau.

— Vous allez au Volume, après ? demanda David.

Le Volume était un club des environs où ils se retrouvaient ensuite, lorsque la soirée leur avait paru trop courte.

Ralph dévisagea Marie comme si la décision dépendait d'elle.

— Ça fait longtemps que je n'ai plus été au Volume, répondit-elle.

David encaissa séparément, comme toujours. Quand il eut fini ses comptes avec Marie, elle dit :

— Bonne nuit et merci pour cette belle place.

Elle laissa huit francs suisses dans la coupe. David empocha le pourboire, embarrassé.

— Nous nous reverrons peut-être tout à l'heure au Volume.

— Peut-être.

Quand il débarrassa la table, il vit Marie disparaître dans le corridor avec les autres.

Entre le bar et les *lounge chairs*, la progression avec le plateau rempli à travers la foule des clients qui perdaient patience, toujours quelques commandes en retard, deux heures passaient normalement très vite à l'Esquina. Mais aujourd'hui, les minutes s'étiraient. David ne pensait plus qu'à elle. À Marie, qui se trouvait à présent avec les autres au Volume et dansait certainement avec Ralph. Il l'avait vu l'aider à passer son manteau. D'une manière ironique, sans doute, la parodie d'un homme qui aidait une femme à mettre son manteau au XXIe siècle. Mais il l'avait aidée tout de même. Et elle avait accepté ça avec le naturel d'une femme habituée à ce qu'on l'aide à passer son manteau.

Et à présent, Ralph devait danser avec elle. Ironiquement. Chaque mouvement comme une allusion. À un *love mobile*, une *chorus line*, un danseur de compétition, un guitariste de rock, un roi du tango. Un roi du tango collant. David avait déjà assez souvent vu Ralph faire ce numéro-là. Imaginer qu'il s'y livrait avec Marie le perturbait beaucoup.

— Qu'est-ce qui t'arrive, David ?

Tobias, le propriétaire de l'Esquina, un patron plutôt bienveillant, paraissait un peu agacé.

David savait parfaitement ce qu'il voulait dire. Il ne tenait plus son secteur. Partout, des tables qu'il n'avait pas débarrassées ; des invités qui se serraient contre le bar pour aller chercher leur boisson eux-mêmes ; d'autres, énervés, qui demandaient l'addition.

La réponse de David vint spontanément :

— Désolé, j'ai été patraque toute la soirée.

— Et merde ! Avec Sandra qui nous a déjà fait faux bond...

— C'est précisément pour ça que je suis resté jusqu'à maintenant.

— Ça veut dire que tu t'en vas maintenant ?

— Je ne pense pas que je tiendrai jusqu'à trois heures.

— Dans ce cas-là, tire-toi et débrouille-toi pour retrouver la forme d'ici demain.

— Et qui va s'occuper de tout ça ?

— Qui veux-tu que ce soit ? (Tobias lui prit son plateau.) Quelle table ?

— La douze, répondit David en s'en allant.

Une grappe humaine s'était formée devant le Volume. Les videurs ne laissaient plus entrer que les *members* et le *beautiful people*. David n'était ni l'un ni l'autre, mais il connaissait l'un des portiers.

Il plongea dans ce cosmos fait de fumée de cigarettes colorée, de visages diffus, de voix énervées et de basses qui vous résonnaient dans le ventre, et partit à la recherche de Marie. À quelques reprises, il crut l'avoir découverte dans le faisceau d'un projecteur mobile. Mais chaque fois qu'il s'était frayé un chemin jusqu'à l'endroit où son visage, son épaule ou sa chevelure avait brillé un instant, il n'en trouvait aucune qui lui eût ressemblé, même de loin.

Il s'apprêtait à abandonner lorsqu'il découvrit Rolli qui tentait vainement d'attirer l'attention d'un barman. Si Rolli était là, les autres ne devaient pas être loin.

— Il est déjà si tard? demanda Rolli en le voyant.

— Je suis sorti plus tôt. Où sont les autres?

— Ils viennent de partir.

— Où ça?

— Chez eux.

— Déjà?

— Celle qui était avec nous...

— Marie.

— Oui, Marie voulait partir. Alors Ralph a voulu y aller aussi, évidemment.

— Évidemment.

— Et puis tout d'un coup, tout le monde a voulu filer.

Le barman avait décidé de ne plus faire comme si Rolli n'existait pas, et il cria :

— Quoi?

— Une bière.

— Et toi? (La question était adressée à David.)

— Rien.

Le barman tourna les talons.

— Allez, bois donc quelque chose, insista Rolli.

Mais David n'en avait pas envie. Quand Rolli était bourré, il déprimait. Et déprimé, David l'était déjà lui-même.

Les rues étaient désertes. De temps en temps passait une voiture. Parfois David pouvait voir le visage des passagers, parfois juste la braise de leur cigarette.

Une musique bruyante sortait d'un club à la façade

vivement éclairée. Quelques clients se tenaient sur le trottoir et fumaient des choses qu'on ne les laissait pas fumer à l'intérieur.

David reprit son chemin. La musique se fit de plus en plus douce, jusqu'à ce que ses pas la recouvrent. Une fois, David regarda en arrière et vit, de loin, les lumières du club. Comme un petit village au bord d'une nationale déserte.

Au-dessus de lui, dans la pénombre, il devinait la couche de brouillard qui, le lendemain, pèserait de nouveau sur le jour. Il tenta de ne pas s'imaginer où était Marie. Il se sentait épouvantablement mal.

Il faisait froid dans son appartement, comme toujours à cette heure-ci. Le chauffage central était programmé pour fonctionner à son plus bas niveau à partir de vingt-deux heures et ne retrouver sa pleine puissance qu'à partir de six heures. Pour le logement de David, au dernier étage, cela signifiait que les radiateurs étaient froids lorsqu'il rentrait du travail.

Il trouva une bière dans le réfrigérateur, s'assit avec au bord du lit et zappa sur les programmes de télévision. Un pot-pourri de films d'avant Noël, d'émissions publicitaires en boucle et de porno soft; rien de tout cela ne put le captiver.

Il éteignit le poste et observa sans enthousiasme la petite table de chevet qu'il avait achetée quelques heures plus tôt, pour des motifs qu'il ne parvenait plus à se rappeler.

La plaque de marbre jaune avait une fente qu'il n'avait pas remarquée lors de l'achat. Le tiroir était de guingois dans son logement. On voyait les traces d'un outil avec lequel quelqu'un avait essayé de détacher la façade.

David passa à la cuisine et revint avec un tournevis. C'est avec lui qu'il tenta sa chance.

Au bout de quelques essais, le tiroir commença à bouger. David y mit un peu plus d'énergie. Les clous avec lesquels on avait fixé la façade du tiroir sur les côtés se détachèrent dans un couinement. Ce n'était pas ce qu'il avait voulu. Il posa le tournevis et décida de réessayer le lendemain avec un peu de savon, comme le lui avait conseillé le vendeur.

Mais lorsqu'il se leva pour passer à la cuisine, il vit, par le trou qu'il avait ouvert au cours de sa tentative sans conviction, que le tiroir contenait quelque chose. Il reprit le tournevis et détacha totalement la façade des parois.

Dans le tiroir se trouvait une pile de pages jaunies.

SOPHIE, SOPHIE, lisait-on en majuscules sur la page de titre. Et en dessous : *par Alfred Duster*.

David souleva la feuille. La première phrase du texte était la suivante :

Voici l'histoire de Peter et Sophie. Mon Dieu, faites qu'elle ne se termine pas tristement.

David commença à lire.

5

Marie avait déjà entendu parler de l'Esquina. Le lieu passait pour néo-alternatif. Mais quand on sortait du design minimaliste du Vaisseau Spatial, l'Esquina était un havre. Peut-être, au deuxième regard, son look marché aux puces était-il un peu forcé, et son côté élimé un peu artificiel, mais la grande salle créait une ambiance douillette qui contaminait les clients.

Il était hélas désespérément surpeuplé. Tous les fauteuils, tous les canapés étaient pris, toutes les tables occupées, les bars étaient assiégés et il y avait deux rangées de clients autour des tables hautes.

Marie n'avait aucune envie de s'installer quelque part et de tenter de conquérir petit à petit dix centimètres de bord de table. Elle s'apprêtait à repartir lorsque quelqu'un lui demanda si elle cherchait une place. Rien dans sa tenue n'indiquait qu'il s'agissait d'un serveur, mais il portait un plateau de verres vides et de cendriers pleins.

Il lui trouva une place dans un groupe qui lui plut immédiatement. Six hommes, deux femmes, tous pas beaucoup plus âgés qu'elle et manifestement habitués de l'Esquina. L'un d'eux, qu'ils appelaient Ralph, présenta les autres :

— Voilà Silvie. Elle apprend aux jeunes à dessiner

de vieilles chaussures d'après nature. Sandra veille à ce que les passagers ne gonflent jamais leur gilet de sauvetage avant de quitter l'avion. Roger rédige ces trucs qu'on lit sur les publicités que personne ne lit. Rolli fait en sorte qu'elles restent illisibles, même pour ceux qui voudraient les lire. Kelly perd des concours d'architecture. C'est grâce à Bob que tous ceux qui passent à la télévision ont des rides aussi profondes sur le visage. Quant à Sergio, ici, il fait de l'art et ne supporte aucune plaisanterie à ce sujet. Et toi ?

Marie tenta de prendre le même ton que lui :

— Je suis celle qui accroche les boules de Noël dans les vitrines, et pour le reste j'essaie de passer mon bac sur le tard. Et toi ?

— J'assure le niveau littéraire de notices et modes d'emploi.

C'est exactement ce dont avait besoin Marie pour se débarrasser de ce sentiment de solitude inhabituel : papoter un peu avec quelques personnes qui s'appréciaient et n'avaient pas encore envie de rentrer chez elles.

Le courant passa immédiatement avec les deux femmes. Silvie, qui enseignait le dessin et dont elle ne savait jamais si elle parlait sérieusement parce que sa voix grave produisait un contraste tellement bizarre avec son apparence toute tendre. Et Sandra, la *flight attendant*, capable de passer sans transition de la diva à la copine et inversement. Elle paraissait liée par une étroite amitié avec Bob, le cameraman de télévision musclé et laconique, et son ami Kelly, l'architecte, dont les poignets et les paupières perdaient un peu plus le contrôle à chaque verre de champagne.

Roger, le rédacteur, était le partenaire de Ralph pour ses jeux de mots. Et Rolli, le graphiste, était le coach de Roger.

Sergio, l'artiste, jouait au coach de Ralph, bien que celui-ci n'en eût pas besoin. C'était le champion incontesté de la bande pour la rapidité et l'humour de ses reparties.

On n'avait pas tardé à comprendre qu'il n'avait pas dit toute la vérité lorsqu'il s'était présenté comme traducteur de textes techniques. Il était surtout écrivain, et connaissait, accessoirement, Raymond Carver, Richard Ford et John Updike – autant d'auteurs qui se trouvaient aussi sur la longueur d'onde de Marie.

Et puis l'atmosphère de l'Esquina lui plaisait de plus en plus. Elle se sentait comme dans le salon de bons amis. La musique ne respectait aucune doctrine, elle avait l'impression d'entendre simplement les CD qui plaisaient à leur hôte à ce moment-là. Le service était soigné mais familier, il arrivait même au garçon de s'asseoir un instant avec eux.

Quelle différence avec les bistrots « branchés » où l'avait emmenée Lars pour lui faire découvrir ses amis bizarres et les finesses du *global marketing* !

Elle se sentait si bien dans le cercle de ses nouvelles relations de fortune qu'elle n'hésita pas un instant lorsqu'on décida de terminer la soirée au Volume.

Le Volume était un lieu qu'elle avait assez souvent fréquenté. Les différents courants s'y mêlaient. On y allait en sortant du japonais hors de prix, du cinéma, du restaurant tendance et stylé ou après une soirée fondue. À supposer que l'on puisse y entrer, ce qui ne constituait pas un problème avec la compagnie qui l'entourait ce soir-là. Ils semblaient entrer et sortir du Volume comme ils le voulaient. Étrange, songea-t-elle, que je ne les aie pas rencontrés ici avant cette date.

Ils y arrivèrent de bonne heure et trouvèrent des places assises au *lounge*. Ralph l'invita à danser en décrivant une courbette rigide, comme un élève de cours de danse. Le rire irrépressible qui la secoua à cet instant éveilla en elle le soupçon qu'elle pourrait avoir trop bu. Lorsqu'elle voulut évoluer sur la piste au rythme de la musique, ce soupçon se confirma. Au bout de quelques mesures, elle abandonna et revint à sa place. Ralph la suivit.

— Danser, de toute façon, c'est dépassé, remarqua-t-il. Autrefois, c'était encore un prétexte pour prendre des femmes inconnues dans ses bras. Aujourd'hui, on n'a plus besoin de prétexte pour ça.

Il la serra fort contre lui, et cela aussi parut follement amusant à la jeune femme.

Lorsqu'elle eut cessé de rire, il laissa le bras autour d'elle. Elle n'y vit aucune objection et serait encore restée assise un bon moment si elle n'avait pas aperçu Lars à cinq mètres d'elle. Il était là, la main gauche dans la poche de son pantalon, un verre dans la main droite, et tentait de ne pas montrer qu'il était soûl. Cela pouvait fonctionner avec les gens qui ne le connaissaient pas. Mais Marie savait que l'œil gauche du jeune homme se fermait lorsqu'il avait trop bu. C'était un signe infaillible. Il soulevait alors le sourcil gauche pour garder la paupière vers le haut, ce qui ne servait à rien, sauf à rendre plus étrange encore cette lourde paupière sous ce sourcil vigilant.

Ce que Marie supporterait le moins, ce serait une scène de Lars aviné en présence d'un homme qui avait passé un bras autour d'elle et qu'elle reverrait volontiers.

Elle se libéra précautionneusement de l'étreinte de Ralph.

— Je crois qu'il faudrait que j'y aille.

— Bonne idée, dit-il, et il se leva.

Elle n'eut aucun mal à passer devant Lars sans se faire voir, il était accaparé par son œil gauche.

— Où habites-tu ? demanda Ralph lorsqu'ils se trouvèrent devant l'entrée.

— À portée de taxi.

— Moi j'habite là, juste au coin.

Il la regardait, ni interrogateur ni scabreux : il attendait juste.

Si un taxi ne s'était pas arrêté par hasard à cet instant-là, elle aurait peut-être de nouveau fait une entorse à ses principes. Mais dans ces conditions, elle prit congé en déposant sur les joues de Ralph trois baisers qui n'étaient pas seulement esquissés, et en acceptant de revenir à l'Esquina si l'occasion se présentait.

Lorsqu'elle ouvrit sans faire de bruit la porte de l'appartement, les quatre bougies de la couronne de l'avent brûlaient dans le séjour-salle à manger, le téléviseur était en marche et sa mère, baignée de larmes, regardait *Le Petit Lord*.

6

David dormait tout habillé sur son lit. À côté de lui, formant un tas désordonné, les pages du manuscrit qu'il avait déjà lues. Les autres se trouvaient, bien empilées, sur la table de chevet abîmée.

Les rideaux étaient ouverts. La lumière jaune du plafonnier se mêlait à celle, crépusculaire, de cette après-midi brumeuse. Des odeurs de cuisine passaient par la porte de l'appartement. Mme Haag mitonnait son ragoût.

Le pépiement assourdi d'un téléphone portable perturba le silence qui régnait dans la pièce. Il fallut un bon moment avant que David n'ouvre les yeux. Il se redressa et regarda autour de lui dans sa chambre. Le couinement venait de la cuisine. Il se leva et se traîna jusqu'à la porte de la cuisine. Lorsqu'il y arriva, la sonnerie s'était arrêtée. Il sortit le portable de sa veste posée sur la table de la cuisine. D'un instant à l'autre, un signal annoncerait qu'il avait un message. Il rentra dans sa chambre, ôta ses chaussures, ses chaussettes, son pantalon, sa chemise, et se glissa sous la couverture.

Il avait la migraine, et mal au cou. Il faisait chaud à présent dans l'appartement, mais il avait dû dormir pendant quelques heures sans couverture dans sa chambre non chauffée.

Son âme n'allait pas particulièrement bien non plus. Il se sentait comme après un rêve bouleversant dont il se serait réveillé trop vite et dont l'univers ne l'aurait pas encore abandonné.

Mais ce qui agissait encore en lui n'était pas un monde onirique. C'était celui de Peter Landwei, le héros de cette histoire qu'il avait lue jusqu'à ce que ses yeux se ferment.

Peter venait tout juste d'avoir vingt ans lorsqu'il rencontra Sophie à la patinoire. Comme il le faisait si souvent, il y était resté après son entraînement de hockey sur glace et avait observé, depuis la palissade, les filles qui, main dans la main, décrivaient leurs cercles au rythme de Doris Day, Perry Como et Billy Vaughn. S'il remarqua d'abord Sophie, c'est que visiblement elle n'avait jamais mis de patins à glace avant cette date. Les jambes écartées, les genoux effacés, elle se faisait pousser et tirer sur la piste par deux amies, et se retrouvait régulièrement sur les fesses, à quelques mètres d'intervalle. C'est seulement lorsqu'elle se retrouva assise sur la glace juste devant lui, tellement secouée par le rire qu'elle était incapable de se relever, qu'il remarqua aussi combien elle était jolie. Il sauta par-dessus la barrière et l'aida à se remettre sur ses jambes.

Ce fut le début d'un amour plein d'embûches. Sophie n'avait que seize ans, et des parents très sévères. On était en 1954. Ils se rencontraient en secret, faisaient des promenades, allaient au zoo, prenaient du café et des gâteaux dans les salons de thé où elle ne connaissait personne. Ils ne pouvaient jamais rester tranquillement ensemble. Peter habitait certes seul dans une chambre en mansarde, mais s'y retrouver présentait beaucoup trop de risques.

Un soir, alors que Peter revenait chez lui après son travail – il était technicien dans une boutique de

48

radios –, le père de Sophie l'accueillit à l'entrée de son immeuble. Il le menaça de porter plainte, et le força à promettre qu'il ne reverrait plus jamais sa fille.

Deux jours plus tard, Sophie l'attendait devant la porte de sa mansarde. Elle resta deux heures, et *ils le firent pour la première fois*, écrivait Duster.

Une semaine plus tard, Sophie était sortie de la vie de Peter. Il fallut attendre trois semaines supplémentaires pour qu'il reçoive une lettre de Lausanne, où Sophie vivait désormais dans un internat. Le jour même, Peter sauta sur sa moto et entreprit le long voyage pour Lausanne. C'est à ce moment-là que David s'était endormi.

David n'était pas un amateur d'histoires d'amour. Il se rappelait à quel point *Roméo et Juliette au village* de Gottfried Keller l'avait ennuyé au lycée. Il ne pouvait pas comprendre les obstacles qui s'opposaient à cet amour. Cet univers plein de tabous, de dépendances et de ponts infranchissables lui était totalement étranger.

Mais cette histoire-là était différente. Cela tenait peut-être au fait qu'il l'avait trouvée dans le tiroir de la vieille table de nuit, et à l'authenticité que cela lui donnait. C'était peut-être aussi lié aux sentiments qu'avait laissés en lui sa brève et malheureuse rencontre avec Marie. En tout cas, l'histoire de Peter et de Sophie l'avait touché, et il espérait qu'on entendrait cette prière de l'auteur : puisse-t-elle ne pas finir tristement.

Le portable annonça qu'un message l'attendait sur sa boîte vocale. C'était Tobias : « Salut David, je sais que tu pionces encore, mais moi je dois prendre mes dispositions et savoir si tu seras de nouveau sur pied ce soir. Rappelle-moi tout de suite. »

David n'avait pas l'impression qu'il pourrait travailler ce soir-là dans un club bruyant et enfumé, jusqu'à trois heures du matin. Mais l'idée de rester au lit pendant que Marie se trouverait de nouveau à l'Esquina était encore pire. Même si elle ne venait pas, il se priverait de la possibilité d'apprendre ce qui s'était passé la veille au soir.

Il appela donc Tobias et lui annonça qu'il avait retrouvé la forme.

— À ta voix, on ne dirait pas.

— Elle est juste un peu éraillée, comme pour tout le monde dans ce pays en cette saison, répondit David pour le tranquilliser.

Il sortit des toilettes froides dans l'entrée, prit sa douche, prépara des toasts et du thé. Puis il se recoucha, en sous-vêtements frais et en peignoir, rajusta la pile des pages qu'il avait déjà lues et prit sur la table de nuit celles qu'il lui restait à parcourir.

En 1954, il fallait près de six heures pour gagner Lausanne en moto. Une heure supplémentaire s'écoula avant que Peter ne trouve le pensionnat situé un peu à l'écart de la ville, le long de la route, derrière un haut mur usé par les intempéries. Peter s'installa à l'une des tables du bistrot du village, près de la vitrine, avec vue sur l'entrée de l'institut, commanda un jus de pomme et attendit. Au bout de deux heures, l'hôtesse arriva ; elle avait déjà vu bien des jeunes gens attendre assis à cette table, et lui dit qu'il était inutile qu'il attende plus longtemps : les demoiselles ne sortiraient certainement pas ce jour-là. Le français de Peter laissait à désirer, raison pour laquelle il fallut un certain temps avant qu'il ne comprenne. Il parvint tout de même à demander quand elles sortaient. Le jeudi, lui répondit la serveuse, mais pas tous.

Le jeudi suivant, il se retrouva assis à la même

table. Et de fait, peu après midi, le portail s'ouvrit et une colonne de jeunes filles en uniforme sortit en rangs par deux et se dirigea vers le café du village, sous la surveillance de deux femmes à l'air sévère, qui devaient avoir la quarantaine.

Peter bondit sur ses jambes et se rendit devant la porte. La colonne passa devant lui. C'est alors qu'il la vit, parfaitement reconnaissable malgré son uniforme. Elle l'avait vu aussi et l'implora, par ses regards, de ne pas faire comprendre qui il était.

Peu après, il reçut une lettre dans laquelle elle lui demandait de ne plus se montrer, parce qu'il risquait de lui causer de grandes difficultés. Mais elle lui donna l'adresse de la serveuse, à laquelle il pourrait envoyer ses courriers.

Le récit des deux années suivantes était celui des souffrances de Peter, ponctué d'extraits de ses lettres d'amour. Cela ressemblait à un inventaire des preuves du grand crime que Sophie commit par la suite : elle cessa d'aimer Peter.

Elle était revenue, avait compris qu'il lui était devenu étranger et lui avait avoué, étonnée : « Tu n'es plus l'homme auquel j'ai écrit ces lettres. »

Peter poursuivit Sophie de son amour, implora et menaça jusqu'à ce qu'elle ne trouve plus d'autre solution que d'échanger des câlins devant lui avec un autre homme. Sur la patinoire où ils s'étaient connus.

La prière avec laquelle débutait cette histoire ne fut pas entendue. Elle s'acheva au moment où Peter Landwei fonça avec sa moto dans une paroi rocheuse.

À la lecture de la dernière phrase, David sentit un frisson glacé lui descendre dans le dos. Elle disait : *Et ce Peter Landwei, c'était moi.*

David avait eu l'intention de manger à la Paix des Cimes, dans l'espoir de rencontrer Ralph et d'apprendre quelque chose sur le déroulement de la soirée. Mais l'histoire de Peter et de Sophie l'avait tellement abattu qu'il préféra traîner chez lui aussi longtemps que possible et s'acheter un falafel sur le trajet de l'Esquina.

Ce fut une rude soirée. L'Esquina était encore plus rempli que d'habitude, et les clients se comportaient comme s'ils n'attendaient pas Noël, mais la fin du monde d'un jour à l'autre.

Les symptômes du refroidissement de David empiraient à chaque heure qui passait. Son nez coulait, il n'arrivait pratiquement plus à déglutir et la fumée des cigares lui valait une toux sèche et douloureuse – l'Esquina disposait d'un humidificateur et d'une belle collection ; il y avait longtemps que les cigares avaient conquis d'autres milieux que ceux de la banque et de la publicité.

Et Marie, pour laquelle il s'infligeait tout cela, n'apparaissait pas.

La bonne nouvelle fut que Ralph s'installa à sa place habituelle à l'heure habituelle et qu'il se mit à discuter. S'ils s'étaient rapprochés la veille au soir, elle serait peut-être ici, ou lui n'y serait pas, c'était la théorie de David.

Rolli avait prolongé la nuit précédente assez longtemps, car il n'était pas de sortie avec la bande ce soir-là. Cela permit à David, lorsqu'il prit la première commande, de demander en passant :

— Vous êtes restés longtemps, après, au Volume ?

Ralph ignora la question, mais Sergio y répondit.

— Moins d'une heure, c'était assez sinistre.

— Et après ? demanda David, d'un ton encore plus détaché.

— Moi, au lit. Pour Ralph et... comment s'appelait-elle, déjà ?... c'est à lui qu'il faut poser la question.

David se garda bien de le faire. Mais Ralph y

52

répondit tout de même par un silence lourd de sous-entendus.

Cette certitude – à moins que ce ne fût juste un soupçon ? – rendit la suite de la soirée encore plus pénible à David. Quand les derniers clients furent partis, lorsque les tables furent débarrassées, David avait l'air tellement malade que Tobias, qui bouclait la caisse, lui lança :

— J'apprécie beaucoup tes efforts, mais tu ne remettras pas les pieds ici tant que tu n'auras pas retrouvé la santé !

David se sentait si mal qu'il prit un taxi pour accomplir le bref trajet qui menait à son appartement. Arrivé à la maison, il écrivit à Mme Haag un petit mot en lui demandant de bien vouloir, le lende-main, en faisant ses courses, lui acheter des mou-choirs en papier, un spray pour la gorge et des cachets puissants contre la grippe. Il accrocha un billet de cinquante au morceau de papier et le glissa sous la porte de l'appartement de Mme Haag. Il lui restait bien sûr des médicaments à la maison, car on prenait facilement froid dans cet appartement. Mais il écrivit ce petit mot en espérant que Mme Haag lui apporterait quelque chose à manger et le maternerait aussi un peu.

Mme Haag aurait aimé avoir des petits-enfants, elle le lui avait avoué un jour. Elle était triste, parfois, que son fils soit resté célibataire, même si cela lui permettait de l'avoir si souvent auprès d'elle.

Sa bienveillance et son goût pour le papotage tapaient parfois sur les nerfs de David, mais dans des situations comme celle-là, l'une comme l'autre lui convenaient très bien. C'était une bonne cuisinière, à l'ancienne, et son bavardage constituait un bruit de fond consolant lorsqu'il se sentait seul. Ses mots n'alimentaient aucun dialogue, ils sortaient juste d'elle comme de l'air vicié, elle n'attendait pas de réponse. Parfois, depuis la cage d'escalier, il l'entendait parler toute seule dans son appartement.

David n'avait personne d'autre pour se soucier de lui lorsqu'il était malade. Sa mère vivait à Genève depuis son deuxième mariage, son père à Berne depuis son troisième. Il n'avait ni frères, ni sœurs, ni d'autres parents avec lesquels il soit en contact.

Il but une infusion de tilleul, prit deux aspirines et se coucha. Lorsqu'il éteignit la lumière, son regard tomba sur le manuscrit posé sur la table de nuit. Il ferma les yeux et attendit que l'aspirine agisse.

Un sentiment de malaise le força à rallumer, à se lever et à prendre le manuscrit sur la table de chevet pour le porter à la cuisine.

7

Marie serait volontiers revenue à l'Esquina dès le lendemain. Mais Ralph l'aurait peut-être mal interprété. Elle le trouvait certes sympathique et amusant, mais pas irrésistible. Et puis elle n'avait pas envie de nouer une nouvelle liaison si peu de temps après la fin de la dernière.

Si elle avait tout de même failli y revenir le lendemain soir, cela tenait à sa mère, Myrtha.

Marie était installée depuis la fin de l'après-midi devant son petit bureau, dans sa chambre, et tentait de venir à bout du *Stechlin* de Theodor Fontane, sur lequel elle devait écrire une dissertation.

Lorsqu'elle était revenue du lycée, peu après quatre heures, Myrtha était encore dans sa chambre. Elle s'était fait porter malade, comme souvent en cette saison, et soignait sa dépression de décembre en s'enfermant dans le noir. Marie avait jeté un bref coup d'œil à l'intérieur, et Myrtha l'avait reçue avec cette phrase :

— Lorsque Marilyn Monroe a eu mon âge, elle était déjà morte depuis dix ans.

— Tu voudrais une tisane ou quelque chose ?

— Du gin tonic, maintenant, c'est ce qui conviendrait le mieux.

— C'est ce qui irait le plus mal.

— Alors une vodka tonic.

— Je voulais dire : est-ce que tu veux une tisane ou autre chose de raisonnable ?

— OK, oublie le tonic.

Marie ferma la porte et entendit sa mère qui riait.

Lorsqu'elle passa dans la cuisine vers six heures et demie pour se préparer quelque chose à manger, sa mère sortait tout juste de la salle de bains. Elle portait une robe de cocktail noire et son maquillage le plus dispendieux.

— Tu sors ? demanda Marie.

— Non, j'attends de la visite. Et toi, tu sors ?

C'est ainsi que Marie envisagea sérieusement, pendant un certain temps, de retourner à l'Esquina. Elle sortit, mais préféra aller au cinéma, puis au Bellini, l'un des rares lieux où elle se sentait assez bien pour s'y rendre aussi toute seule.

Marie laissa trois jours s'écouler. Elle attendit le soir du quatrième, peu après dix heures, pour quitter l'appartement et se rendre à l'Esquina.

Le bar n'était pas encore très peuplé : tout juste quelques personnes debout devant le comptoir et aux tables hautes. Aux autres tables, on mangeait encore : des tapas, des tacos et des brochettes au satay, le choix n'était pas plus vaste que cela.

Il n'y avait personne sur le groupe de fauteuils de Ralph. Deux écriteaux « Réservé » se trouvaient sur les tables basses. Marie demeura sur place, indécise. Elle ne s'était pas attendue à cela.

— Ils n'arrivent jamais avant onze heures. Mais assieds-toi donc.

C'était le serveur de l'autre fois. Elle sourit, reconnaissante, et s'assit dans le même fauteuil.

— Tu aimerais boire quelque chose ?

Il avait posé la question sur un ton qui aurait permis à la jeune femme de répondre par la négative.

Marie commanda un verre de cava. Il revint avec deux verres, s'installa dans le fauteuil à côté d'elle et leva son verre dans sa direction.

— Offert par la maison.

— Merci. Qu'est-ce qui me vaut cet honneur ?

— C'est comme ça. Et puis Noël approche.

Ils burent une gorgée. C'est peut-être l'un des propriétaires, pensa Marie. Mais à le voir comme ça assis, à étudier son verre d'un air embarrassé, il ne donnait pas l'impression d'un jeune chef d'entreprise. Plutôt celle d'un garçon qui aurait grandi trop vite et devrait passer son épreuve du feu. Il avait une jolie tête sur un corps dégingandé, des cheveux coupés court et des rouflaquettes en pointe, soigneusement découpées au rasoir et descendant jusqu'à l'articulation de la mâchoire, ce qu'elle trouva un peu idiot. Elle remarqua que le lobe de son oreille droite était rouge et enflé.

— Je m'appelle David, finit-il par dire.

— Marie, répondit-elle.

— Je sais, murmura-t-il avant de se taire de nouveau.

Pour rompre le silence, elle demanda :

— Il ne faut pas que tu travailles ?

— Si.

Il se leva.

— Ça n'était pas ce que je voulais dire, fit-elle, bien qu'elle fût très heureuse qu'il l'ait compris ainsi.

Il se rassit et eut l'air de chercher ses mots pour formuler une phrase. Puis il lui dit :

— Pour l'instant, c'est tranquille, mais dans deux heures, ici, tu ne passeras plus.

Sa contribution à elle ne fut pas beaucoup plus profonde :

— Cela fait longtemps que tu as la place ?

— Depuis l'inauguration en janvier. Je ne comptais pas rester ici très longtemps ; ce n'est pas mon métier.

— C'est quoi, ton métier ?

David haussa les épaules et sourit.

— Je me le demande encore. Et le tien ?

— J'ai fait un apprentissage de décoratrice, et à présent je passe mon bac sur le tard. Je veux faire des études.

— Mon bac, j'ai failli l'avoir, moi aussi. Qu'est-ce que tu veux étudier ?

— La littérature.

— Et après ?

La question inspira une certaine allergie à Marie.

— Après on verra. Je ne considère pas ça comme une étape dans ma carrière. Je veux étudier la littérature parce que la littérature m'intéresse.

David se tut, effrayé.

— Peut-être quelque chose dans une maison d'édition, ajouta Marie, conciliante.

Il hocha la tête.

— Conseillère littéraire, ou quelque chose comme ça.

Il la regarda fixement et se tut comme s'il craignait de dire quelque chose de déplacé. Au grand soulagement de la jeune femme arriva alors quelqu'un qui paraissait être propriétaire d'une partie du bar. Le jeune homme sembla un peu agacé lorsque celui-ci lui annonça :

— Je crois que tu es attendu au comptoir.

David se leva.

— À plus tard, marmonna-t-il, et il s'éloigna, laissant sur place son verre à demi plein.

Marie n'était pas seule depuis cinq minutes lorsque Ralph entra, accompagné de Sergio.

— Resterait-il par hasard une place de libre? demanda-t-il sur son ton ironique habituel.

— Le garçon a pensé que m'asseoir ici un petit moment serait une bonne idée.

— David?

— Oui.

— Il outrepasse volontiers les pouvoirs qui lui ont été conférés.

Ralph se pencha vers elle et lui déposa trois baisers sur les joues. Puis Sergio se rallia à lui. Il sentait l'alcool et avait des traces de peinture sur les mains.

Ils s'assirent tous les deux et Ralph prit la direction de la conversation avec le naturel d'un animateur bien rodé.

À brefs intervalles, Silvie, Roger et les autres vinrent se joindre à eux pour trinquer. Une demi-heure après l'arrivée de Ralph, Marie eut l'impression qu'ils avaient repris l'entretien là où ils l'avaient interrompu quatre jours plus tôt.

8

On était vendredi, et par-dessus le marché la deuxième semaine avant Noël. David se fraya un chemin dans la boîte surpeuplée et réduisit son vocabulaire à quelques mots : un moment, ça vient, une seconde, j'arrive, et : tout de suite.

Il fut forcé de constater, de loin, à quel point Marie se décontractait en présence de Ralph. Lorsqu'elle était apparue toute seule, deux heures plus tôt, elle lui paraissait un peu tendue. Il avait certes le sentiment qu'elle avait été heureuse de le revoir, et avait apprécié qu'il l'invite à boire un verre et s'assoie auprès d'elle. Mais il n'avait pas noué de véritable conversation.

C'était certainement un peu sa faute. La situation ne contribuait pas à faire baisser sa tension – lui, peu avant le coup de feu, installé dans un fauteuil, un verre de cava à la main, avec celle qui était de son point de vue la plus belle fille de la boîte, alors que Tobias pouvait surgir et le renvoyer au travail à n'importe quel moment.

Mais si la situation avait été un peu crispée, cela tenait aussi à sa nervosité à elle. Était-il possible qu'elle soit nerveuse à cause de lui, comme lui l'avait été à cause d'elle ?

Elle lui avait tout de même demandé de rester lorsqu'il s'était levé et avait voulu reprendre son travail. Elle s'était quand même intéressée à sa vie. Et lui avait parlé de la sienne.

La littérature. Sur ce terrain-là, Ralph avait l'avantage. Et il semblait aussi savoir l'utiliser. Les deux dernières fois, lorsqu'il avait apporté les boissons de la bande, Ralph paraissait avoir abandonné la direction de la conversation et ne plus se concentrer que sur Marie. Les autres discutaient par deux ou trois. Un tableau inhabituel.

David les rejoignit et vida les cendriers. Un luxe absolu, compte tenu des nombreuses commandes qu'il n'avait pas encore satisfaites. Mais l'unique possibilité de se rappeler au bon souvenir de Marie.

— *Stechlin ?* s'exclamait justement Ralph. Eh bien, je te souhaite bien du plaisir. Quand je lis Fontane, je me rappelle toujours la phrase de Mark Twain : chaque fois que l'allemand littéraire apparaît dans une phrase, tu n'en vois plus rien jusqu'à ce qu'il réapparaisse de l'autre côté de son Atlantique, le verbe dans la gueule.

Marie éclata de rire et David rit en même temps que les autres, avec son plateau rempli de cendres et de mégots.

— Garçon, n'espionnez pas nos conversations, ordonna Ralph.

Et David n'eut d'autre choix que d'en rire lui aussi.

Il était tard lorsque David sortit enfin de l'Esquina. Les clients les plus entêtés étaient restés jusqu'à trois heures et demie, et quatre heures sonnaient lorsque tout fut dans l'état que les femmes de ménage souhaitaient trouver au petit matin.

Marie était partie dès deux heures. En compagnie de Ralph et des autres. Pour le Volume, une fois de plus : c'est ce qu'on lui avait annoncé au moment où il avait encaissé.

Devant l'entrée du Volume, à cette heure-ci, il n'y avait plus de grappe humaine. Les quelques personnes qui s'y trouvaient encore étaient en train de se dire au revoir. David entra et tomba presque aussitôt sur Sergio, Silvie et Roger qui, depuis le bar, observaient avec ennui les quelques danseurs encore sur la piste.

— Où sont les autres ? demanda David.

— Partis, l'informa Sergio. Ralph et Marie ne sont même pas venus.

— Ils tombaient de sommeil, compléta Silvie, ambiguë.

— Ils ont une dure journée devant eux, demain, doubla Roger.

David commanda un cuba libre et le but en vitesse.

Sur le chemin du retour, David fit un petit détour pour passer devant l'appartement de Ralph. Derrière ses fenêtres, au quatrième étage, la lumière était allumée.

David tenta vainement de dormir. À cinq heures et quart, il se releva, alluma l'ordinateur et se mit à scanner, page après page, le manuscrit d'Alfred Duster.

Peu avant sept heures, on frappa à la porte de l'appartement. David attendit que le scanner eût lu la page qui reposait sur la vitre. Puis il alla ouvrir.

Mme Haag se tenait sur le seuil. Elle était vêtue d'un peignoir à motifs de chats et s'était coiffée d'un filet à cheveux.

— Mais qu'est-ce que vous faites ? Depuis cinq heures ça fait vrrrm, vrrrm, vrrrm-tac, vrrrm, vrrrm, vrrrm-tac, juste à côté de ma tête. Comment voulez-vous dormir comme ça, monsieur Kern ?

Elle regarda par-dessus son épaule, vers la table où se trouvaient l'ordinateur, l'imprimante et le scanner.

— C'est mon scanner. Excusez-moi, je ne savais pas que ça s'entendait de chez vous.

— Mon lit se trouve juste derrière ce mur. Qu'est-ce que c'est, un scanner ?

— Ça permet d'enregistrer des images et des textes dans l'ordinateur.

— Et à quoi cela peut-il bien vous servir, au milieu de la nuit ?

— Je n'arrivais pas à dormir.

— Moi, j'aurais pu.

— Excusez-moi. J'arrête immédiatement.

— Maintenant vous pouvez continuer à faire du bruit, de toute façon il faut que je me lève. (Elle le toisa.) Et la grippe ?

— Terminée.

— Mais vous devriez montrer cette oreille à un médecin, vous allez droit à la septicémie. Adieu.

Elle repartit vers son appartement en traînant la savate. David ferma la porte. Il passa à la cuisine et regarda son oreille dans le miroir. Elle était encore plus grosse et plus rouge que la veille, le ganglion lymphatique, en dessous, était enflé et douloureux. À huit heures, il appellerait le cabinet du Dr Wanner, son médecin de famille du temps où il habitait encore chez sa mère.

Il s'installa de nouveau devant l'ordinateur, posa une nouvelle page sous le capot et lança le scanner.

À une heure, le réveil de son portable le tira du sommeil. La secrétaire médicale du Dr Wanner lui avait donné un rendez-vous à deux heures. Pour l'obtenir, il avait dû forcer un peu la description de ses symptômes.

En attendant de pouvoir appeler le cabinet, il avait

retravaillé quelques pages au début du manuscrit scanné. Le logiciel avait des problèmes avec les « g » de l'original, qui dépassaient des lignes, avec les corrections recouvertes d'une série de X et, bien entendu, avec les corrections manuscrites – elles étaient rares, fort heureusement – qu'on avait portées dans les marges. À huit heures, il avait corrigé ces erreurs de lecture, effacé les signes bizarres et intégré les corrections dans le texte.

Après avoir appelé le médecin, il s'était couché dans son lit et s'était enfin endormi.

9

Au cours de la semaine d'avant Noël, Marie avait un peu perdu pied.

Le lundi, lorsqu'elle revint du lycée, elle trouva sur son bureau une lettre brève et sèche de Myrtha qui lui annonçait son absence pendant les vacances. Kurt l'avait invitée dans son pied-à-terre à Crans Montana. Elle lui souhaitait de joyeuses fêtes et lui laissait un numéro de téléphone.

Marie ne savait absolument pas qui était Kurt. Mais elle était soulagée de ne plus être exposée, pour un moment, aux sautes d'humeur de sa mère, et d'avoir l'appartement pour elle toute seule.

Dès le premier soir, pourtant, elle ressentit de la solitude dans le séjour trop meublé, et se retrouva à l'Esquina, bien qu'elle se fût promis de ne plus y remettre les pieds de sitôt. Elle dormit trop peu, but plus qu'elle n'aurait dû et dépensa plus qu'elle ne pouvait se le permettre.

Les soirées commencèrent à se répéter. Les déjà-vu s'accumulaient. Roger n'avait-il pas déjà raconté un jour que, dans le temps, les Cubaines roulaient encore les Cohibas sur leurs cuisses ? David, le serveur, ne s'était-il pas déjà assis dix minutes plus tôt sur l'accoudoir d'un fauteuil pour demander, avec une lassitude feinte : « Tout va comme vous voulez ? »

Si elle tenait à espacer les visites à l'Esquina, c'était avant tout à cause de Ralph Grand. Elle ne savait pas ce qu'elle devait penser de lui. Il était spirituel, pétillant, divertissant, et ses connaissances littéraires l'impressionnaient. Mais il lui arrivait de ne pas être certaine qu'il ne se les était pas appropriées justement à cette fin : pour impressionner les gens. À cela s'ajoutait le fait qu'il devenait de plus en plus possessif et qu'il semblait parfois tout faire pour donner l'impression qu'ils couchaient ensemble. Ce qui n'était pas le cas.

Le premier soir où elle eut enfin l'appartement pour elle toute seule, elle se rendit tout de même à l'Esquina. Elle se demanderait pourquoi une autre fois.

Le mardi soir, elle avait un repas de Noël avec sa classe. Mais ensuite, au lieu de se rendre directement à la maison, elle retourna à l'Esquina. Cette fois, elle put certes faire partiellement porter le chapeau à Sabrina, qui voulait absolument terminer la soirée ailleurs. Mais personne n'avait forcé Marie à proposer l'Esquina.

Cette présence étrangère eut aussi du bon : elle pouvait observer Ralph devant une femme qu'il ne connaissait pas. Cela renforça son soupçon : ce n'était peut-être qu'un Tartarin de la culture. Car dès qu'il apprit que Sabrina était une condisciple de Marie, il alluma son feu d'artifice littéraire. Et elle eut l'impression d'en avoir déjà vu quelques effets.

Revenue chez elle, elle décida qu'elle était guérie de Ralph.

Le mercredi, elle trouva une lettre de lui dans la boîte aux lettres. Elle contenait une liste d'ouvrages consacrés au *Stechlin* de Fontane – un inventaire qui comportait quatre-vingt-deux entrées. Il y avait ajouté des notes manuscrites. On lisait par exemple :

« Considéré comme ennuyeux dès sa parution en raison de la pauvreté de son contenu », ou encore : « Hugo Aust décrit le roman comme une "illustration du réalisme postnaturaliste". Ça sonne bien, non ? » Ou encore : « Benz et Balzer qualifient F. de "précurseur des persécutions contre les juifs au XXe siècle". » Ou encore : « Ce que tu qualifies d'ennuyeux est pour Thomas Mann la "dissipation de l'élément matériel, qui va jusqu'au degré où, au bout du compte, il ne reste presque plus rien qu'un jeu artistique entre le son et l'esprit". »

Sur une petite carte d'accompagnement, il avait écrit : « Un peu de matériau pour ton problème avec Fontane. Si tu souhaites en savoir plus, tu peux m'appeler quand tu veux. J'espère que nous nous reverrons bientôt. » Sous sa signature et son numéro de téléphone, il avait ajouté un post-scriptum : « Il n'est pas obligatoire que ce soit toujours à l'Esquina. »

Elle avait peut-être été injuste avec lui. Il n'était peut-être pas aussi superficiel qu'il lui en avait donné l'impression ces derniers jours.

Le même après-midi, Marie se rappela l'offre de Ralph et lui passa un coup de téléphone. Après qu'il eut répondu à quelques questions sur ses notes, ils se donnèrent rendez-vous le soir même. Marie proposa le Bellini.

Le Bellini était une longue salle divisée par un bar ovale et accessible des deux côtés. Sur la longueur, les murs étaient recouverts de miroirs et, des deux côtés, ourlés de banquettes de cuir vert rembourrées. Sur toute la longueur, une paroi en verre dépoli séparait le bar en deux moitiés identiques et inversées par le miroir.

Quand on n'aimait pas se voir dans une glace, il

valait mieux éviter le Bellini. Mais l'éclairage tamisé était tellement flatteur que cela ne concernait qu'un tout petit nombre de personnes. Surtout en cette période où l'éclat des bougies de Noël, reflété par les boules en verre des décors de sapin, se déposait en plus sur les visages.

Ralph n'était plus le même. Il était plus attentif, plus retenu, plus silencieux. On aurait dit qu'arrivé en territoire étranger, il avait perdu une partie de sa confiance en lui.

La soirée fut agréable. Marie eut l'occasion de réviser ses jugements les uns après les autres. Contrairement à ce qui se passait avec Lars, par exemple, elle pouvait parler à Ralph de choses qui l'intéressaient. En tête à tête, il n'était pas arrogant, il pouvait effectivement écouter, il était même capable de se débarrasser de son ton ironique, voire, parfois, d'être sérieux.

Au cours de la soirée, elle apprécia de plus en plus la manière dont ses mains fines et expressives saisissaient le verre, les cigarettes, le briquet.

Ralph l'accompagna jusque chez elle. Et puis elle lui proposa tout de même de monter prendre un verre.

Lorsqu'elle se réveilla, Ralph n'était plus là. Il était parti pendant la nuit, et elle n'en était pas malheureuse. Elle put ainsi se demander en toute quiétude comment elle se sentait. Avant de s'endormir, le résultat avait été quelque peu dégrisant : elle était tout au plus dans un état normal. À présent, une fois réveillée, les choses allaient plutôt mieux : elle ne s'était pas trouvée aussi bien depuis longtemps. Pas plus.

Ce fut une journée fatigante. Après les cours, il lui fallut remplir jusqu'à une heure tardive ses fonctions de décoratrice. Elle était convenue avec la propriétaire de la boutique que les deux vitrines principales devraient être refaites la semaine précédant Noël. Et il était entendu avec Ralph que si elle n'était pas si fatiguée, elle se rendrait à l'Esquina juste après le travail.

L'idée qu'elle puisse être trop fatiguée pour revoir son nouvel amant après la première nuit avait été une supposition très théorique. Mais lorsqu'elle ôta enfin l'élastique des chaussons qu'elle portait pour la décoration, elle se demanda sérieusement, un instant, si elle ne devait pas rentrer tout de suite à la maison.

Puis elle se rendit à l'Esquina. Moins par désir de voir Ralph que par crainte qu'il ne prenne son absence pour une volonté de faire des histoires.

Dès qu'elle fut entrée à l'Esquina, elle regretta sa décision. L'atmosphère exubérante du bar bruyant et surpeuplé était en totale contradiction avec son propre état d'âme. Et lorsqu'elle salua la bande de Ralph, elle comprit que leur soirée était déjà trop avancée pour qu'elle puisse les rattraper.

Ralph l'accueillit d'un baiser sur la bouche, ce dont les autres prirent connaissance avec le plus grand naturel. Comme s'ils étaient informés des tout derniers événements.

Marie s'assit sans rien dire dans le groupe muet et souhaita être seule avec Ralph. Moins parce qu'elle avait envie de se retrouver dans son intimité que parce qu'elle espérait le voir sans son public, redevenir tel qu'il avait été la veille.

À un moment elle passa aux toilettes et, lorsqu'elle sortit, David, le serveur, se tenait à la porte comme s'il l'attendait.

— Tu t'intéresses donc à la littérature, dit-il.

Elle hocha la tête et attendit la suite.

— Je peux te donner quelque chose à lire ?

— Quoi ?

— Un manuscrit.

— Quel genre de manuscrit ?

— Un brouillon. Juste pour que tu me dises ce que tu en penses.

— Tu écris ?

— Un peu. Je peux te le donner ?

— Bien sûr. Tu l'as déjà montré à Ralph ? Il s'y connaît mieux que moi en littérature.

David secoua la tête.

— Pourquoi pas ?

— Il va sûrement se moquer de moi.

Elle pouvait comprendre cette objection.

— Mais il ne faudrait le montrer à personne d'autre.

— D'accord. Dans ce cas tu me le donneras la prochaine fois.

David eut l'air encore plus embarrassé.

— Je l'ai ici. Il tient là-dedans. (Il désigna le sac de Marie.) Une minute et je reviens.

Il disparut derrière une porte où figurait l'écriteau « Privé » et revint avec une grosse enveloppe.

— Dis donc, ça ne donne pas l'impression de quelqu'un qui se contente d'écrire un peu, remarqua-t-elle avec un sourire en faisant rentrer l'enveloppe dans son sac.

— À peu près cent soixante-dix pages, mais en double interligne.

— J'ai combien de temps ?

— Oh ! le temps que tu veux, ça ne presse pas.

Avant qu'elle ne revienne à sa place, elle ajouta :

— Je te préviens tout de même : je suis plutôt sincère. Même si ça ne me plaît pas, je te le dirai.

La manière dont il répondit « oui » incita Marie à douter qu'elle y parviendrait vraiment. Elle se détourna et l'entendit ajouter :

— Tu auras peut-être un peu de temps pendant les fêtes.

Lorsqu'elle quitta l'Esquina un peu plus tard avec Ralph, elle vit David la suivre des yeux, de loin. On aurait dit qu'il avait besoin d'un sourire d'encouragement. Elle lui en adressa un.

Marie, elle non plus, ne resta pas toute la nuit. Elle ne voulait pas se réveiller dans le chaos de Ralph : des livres, des revues, des manuscrits, des prospectus, des vêtements et de la vaisselle sale. Elle n'était pas assez amoureuse pour cela – de cela déjà, elle était certaine.

Tellement certaine qu'elle écorna son budget en effectuant un long et coûteux parcours en taxi.

Le poids de son sac lui rappela l'enveloppe de David. Elle l'ouvrit sur le siège arrière et en sortit une liasse de feuilles dactylographiées maintenues par un ruban de caoutchouc.

À la lumière intermittente des réverbères qui défilaient, elle lut la page de couverture : SOPHIE, SOPHIE, lisait-on en majuscules. Et en dessous : *roman*. Et plus bas encore : *par David Kern*.

10

David traversa un parking gravillonné où stationnait, depuis qu'il habitait dans les parages, un camping-car hors d'usage. Il n'avait aucun but : il ne supportait plus, simplement, de rester seul avec ses doutes.

Cela lui arrivait constamment quand il avait une idée et se concentrait tellement sur sa mise en œuvre qu'il ne se demandait à aucun moment si elle était vraiment bonne. Cela tenait peut-être au fait qu'il avait été fils unique, habitué à passer des heures avec lui-même et dans son propre univers.

Il venait de lui arriver exactement la même chose avec l'idée du manuscrit. À l'origine, il voulait juste copier l'original, le montrer à Marie, lui dire qu'il avait trouvé ça quelque part et lui demander ce qu'elle en pensait. Cela lui aurait permis de lui montrer qu'il avait les mêmes centres d'intérêt qu'elle, et donc de leur créer un point de rencontre.

Il avait trouvé l'idée si bonne qu'il n'avait pu s'empêcher de l'appliquer. Au lieu d'apporter le manuscrit à la boutique de photocopie, le lendemain, il s'était mis la nuit même, à l'enregistrer à l'aide d'un logiciel de reconnaissance de caractères. Ce qui lui permettrait de remettre le texte en pages et de lui donner meilleure allure par la suite.

Pendant la quasi-totalité de la semaine, il avait consacré ses moindres minutes de liberté à rectifier les fautes de lecture du scanner et à reporter les corrections d'Alfred Duster. Durant tout ce temps, il avait été prisonnier de l'univers lointain des années cinquante et des réflexions de Peter Landwei, qui tournaient toutes autour de sa Sophie.

C'est la nuit où Ralph n'était pas apparu et où Sergio avait pu lui dire que celui-ci avait rendez-vous avec Marie que l'idée du nom vint à David.

Dès qu'il eut vu le manuscrit disparaître dans le sac de Marie, il comprit qu'il avait commis une erreur gigantesque en remplaçant le nom d'Alfred Duster par le sien.

Qu'est-ce qui lui avait fait croire que Marie serait aussi émue que lui par l'histoire de Peter Landwei ? Plus il y réfléchissait, plus il était certain qu'elle y verrait l'histoire d'amour un peu gauche d'un garçon de vingt ans inadapté et dégoulinant d'autocompassion. S'il avait au moins respecté l'anonymat de ce manuscrit. Ou s'il l'avait signé d'un pseudonyme, se laissant ainsi la liberté de le revendiquer ou non en fonction de la réaction...

Les poings dans les poches de sa veste piquée, la tête rentrée dans les épaules, il passa devant une palissade criblée de restes d'affiches.

Grâce aux antibiotiques que lui avait prescrits le Dr Wanner, son oreille était presque guérie. Et il avait réduit de moitié la longueur de ses rouflaquettes. Pour se distinguer un peu, au moins extérieurement, de ce David qui avait commis une erreur impardonnable avec le manuscrit.

Elle l'avait depuis quatre jours déjà. Chaque jour, il s'était rongé les sangs à l'imaginer chez elle, assise, lisant le manuscrit. De plus en plus déconcertée. Ou avec un amusement croissant. Morte de rire dans son fauteuil préféré. Chaque soir, il avait été tenté de se faire porter malade pour ne pas avoir à la rencontrer.

Mais jusque-là, ses craintes ne s'étaient pas avérées. Au contraire : leurs rencontres étaient agréables. Non seulement elle remarquait sa présence, mais elle l'appelait par son prénom et lui souriait. Un sourire presque entendu, lui semblait-il parfois.

Selon ses observations – et pour ce qui concernait Marie et Ralph, c'était un observateur précis –, la relation de la jeune fille avec Ralph s'était elle aussi un peu refroidie. Ils se tenaient certes par la main, mais elle donnait plus à David l'impression de se laisser faire que de chercher ce contact.

En réalité, tout aurait pu se dérouler conformément à son plan. Il avait fait en sorte qu'elle le regarde – lui, mais aussi, peut-être, Ralph – avec d'autres yeux. Il aurait pu être le garçon de café à double fond, qui consacrait ses loisirs aux manuscrits trouvés, bons ou mauvais.

Lorsque Marie s'en allait, le soir, elle lui souhaitait désormais « bonne nuit, David ». Et au cours des deux dernières soirées, il ne l'avait pas rencontrée au Volume lors des tournées de contrôle qu'il effectuait après la fin de son travail. En revanche, il y avait trouvé Ralph.

Ces deux fois-là, il s'était senti des ailes en rentrant chez lui. Il avait fallu qu'il ouvre la porte de son appartement et que son regard tombe sur le scanner pour qu'il se rappelle dans quel bourbier il s'était placé.

Si seulement il avait renoncé à cette idée puérile de remplacer le nom de l'auteur...

La nuit précédente, il avait été réveillé à cinq heures par une vision de terreur : le manuscrit avait en réalité été publié depuis longtemps, et quiconque avait quelque savoir en matière littéraire le connaissait déjà. Il s'était levé et avait cherché sur Internet, dans les catalogues des libraires et bouquinistes en ligne, le titre du roman et le nom de l'auteur. En vain, heureusement.

Il s'était recouché et s'était relevé peu après, ayant eu l'idée qu'on avait pu changer le nom aussi bien que le titre. Il interrogea les moteurs de recherche sur le nom de Peter Landwei, n'y trouva rien et retourna au lit à moitié apaisé.

Ce jour-là, il rencontrerait de nouveau Marie. C'était le réveillon, mais elle lui avait demandé de lui garantir que ce serait une soirée comme les autres à l'Esquina. La veille, elle était partie de bonne heure. Assez tôt pour pouvoir lire encore un peu au lit. Il n'aurait plus manqué que cela à David : subir la plus grande honte de sa vie un soir de Noël.

Il était presque décidé à appeler Marie dès l'après-midi et à lui avouer qu'il n'était pas l'auteur. Que s'il avait inscrit son nom, c'était uniquement pour couvrir un ami qui lui avait simplement demandé son avis et auquel il avait dû promettre de ne montrer ce brouillon de roman à personne. Ça ne paraissait certes pas très plausible, mais il ne trouva rien de plus malin.

On aurait dit que le ciel crasseux n'allait pas tarder à déverser de la pluie. Ou de la neige. David avait froid. Il marcha un peu plus vite.

Son portable sonna près d'un point de collecte du verre. L'écran affichait un numéro qu'il ne connaissait pas. Il décrocha et entendit une voix féminine annoncer :

— Marie.

David mit un moment à se remettre de son effroi. La voix dit :

— David ?

— Oui, parvint-il à répondre.

— J'ai lu ton roman.

Au lieu de raconter son histoire d'ami anonyme, David se contenta de demander :

— Alors ?

Les conteneurs sentaient le vin et débordaient. On avait aligné par terre les bouteilles que l'on n'avait pu faire entrer dans les bacs. Des sacs en papier ramollis jonchaient le sol.

— Pas au téléphone, dit Marie. Et pas à l'Esquina non plus. On ne pourrait pas se voir ?

— Quand ?

— Maintenant.

Ils prirent rendez-vous dans une *paninoteca* italienne. Elle était presque vide. À ce moment-là, peu après la fermeture, les gens faisaient leurs derniers achats de Noël dans la panique ou terminaient, dans des bars plus stylés, l'après-midi du réveillon.

David fut sur place avant Marie, la *paninoteca* était dans le quartier. Il attendit assis à l'une des petites tables en plastique, devant un cappuccino, bien résolu à affronter son destin.

Elle entra dans le café, lui fit signe de la main et accrocha son manteau au vestiaire. Elle portait une jupe noire moulante et un pull-over rouge. Elle garda sur la tête le bonnet de laine noir qu'elle avait enfoncé profondément sur son front. Elle paraissait savoir à quel point il lui allait bien.

David se leva et renversa un peu de son cappuccino sur la soucoupe. Ils se tendirent la main et, pour la première fois depuis qu'ils se connaissaient, se firent trois baisers sur les joues.

Marie posa les bras sur la table, se pencha en avant, le regarda dans les yeux et lui dit :

— Je t'ai prévenu que je serais sincère.

11

Marie n'avait pas toujours détesté Noël. Dans ses premières années, elle brûlait d'impatience à l'idée de pouvoir ouvrir la fenêtre suivante sur le calendrier de l'avent. Et le soir, lorsque le petit Jésus se décidait enfin à arriver, elle restait sous le sapin, muette de saisissement, jusqu'à ce que ses parents lui ordonnent d'ouvrir les cadeaux.

Mais après le divorce, Noël ne servait plus qu'à lui rappeler que ses parents n'étaient plus ensemble. Elle devait désormais faire deux fois la fête, une fois avec Myrtha et son ami du moment, une fois avec son père et son épouvantable nouvelle épouse.

À douze ans, elle fit savoir qu'elle ne voulait plus fêter Noël. Auprès de son père, cette décision ne se heurta à aucune espèce de résistance. Auprès de Myrtha, ce fut plus compliqué. Lorsqu'elle était affligée par sa dépression de Noël, ce qui arriva de plus en plus souvent au fur et à mesure qu'elle vieillissait, Marie n'avait pas le cœur d'ignorer les fêtes.

Mais à présent que Myrtha se trouvait à Crans Montana et que Marie aurait pu passer un Noël sans être embêtée, avec quelques vidéos et des pizzas surgelées, elle ressentait tout d'un coup un besoin de compagnie. C'est la raison pour laquelle, à son propre étonnement, elle passa les dernières soirées du compte à rebours de Noël avec sa nouvelle famille d'adoption, à l'Esquina.

Il lui arriva même de ne pas être seule les nuits qui suivaient. Elle en passa deux avec Ralph, alors que ce n'était pas du tout dans ses intentions.

Tous les jours, elle se promettait d'entrer simplement jeter un coup d'œil, de prendre un verre et de rentrer chez elle avant minuit. Mais chaque fois, elle s'incrustait. Non que la conversation, ce soir-là, fût justement palpitante, la société très agréable, la nuit particulièrement belle. Ce qui la retenait à l'Esquina, c'était l'idée de se retrouver seule, assise devant la télévision, dans l'appartement de sa mère.

Elle attendit d'être à vingt-quatre heures du réveillon pour faire ce qu'elle avait décidé, et rentra chez elle avant onze heures et demie. Elle zappa sur toutes les chaînes, et tomba partout sur une quelconque mièvrerie de Noël. Elle prépara une infusion et se retira dans l'austère univers de tubes d'acier et de fer zingué qui constituait sa chambre. Ce décor datait de l'époque où elle partageait un appartement avec un homme dont elle ne voulait plus se souvenir, et où elle gagnait un peu d'argent ; il lui permettait de mieux supporter l'univers de peluches et de nippes de sa mère. Elle trouva un CD qui ne lui rappelait pas Noël et se coucha sur son futon.

Elle parvint à lire quelques pages du *Stechlin* et se mit à chercher le premier prétexte venu pour en ressortir et se replonger dans le manuscrit de David, qui lui avait lancé ce soir-là un regard plein d'espérance. Le texte était toujours posé sur l'étagère où elle l'avait rangé quatre jours plus tôt.

La première phrase confirma son soupçon : elle avait mésestimé David :

Voici l'histoire de Peter et Sophie. Mon Dieu, faites qu'elle ne se termine pas tristement.

À deux heures et demie, Marie passa à la cuisine et se fit du thé. Sophie était revenue de l'internat, elle n'était plus la même.

Peter avait proposé qu'ils se retrouvent au Parc aux Cerfs, sur le banc, près de la petite fontaine où deux enfants de bronze jouaient tout nus. Leur banc. C'est là qu'il avait frotté les mains froides de la jeune fille pour les réchauffer. Là qu'il l'avait embrassée pour la première fois. Là qu'ils s'étaient dit pour la première fois qu'ils s'aimaient. Là qu'ils s'étaient promis qu'ils se resteraient fidèles à tout jamais.

Mais Sophie ne voulait pas. Il faisait trop froid pour elle, avait-elle dit. À présent, au mois d'octobre! Comme s'ils n'avaient pas passé des moitiés d'après-midi hivernales sur ce banc, lorsque les gamins de bronze étaient recouverts d'une couche de glace. Ces jours-là, lorsque Peter et Sophie reprenaient leur souffle entre les baisers, leur haleine dessinait des nuages dans l'air.

Elle voulut le rencontrer au restaurant du zoo, un lieu où régnait la cohue le dimanche après-midi. Où des familles endimanchées avalaient bruyamment leurs meringues et leurs vermicelles. Où les enfants buvaient leur Ovomaltine, les mères et les tantes leur café, les pères et les oncles leur kirsch. Où il pourrait tout au plus tenir un peu ses mains dans les siennes sans heurter le sens moral de ces petits-bourgeois. C'est là qu'il devrait lui dire, sur

fond de concert dominical de Radio Beromüns-
ter, qu'elle lui avait effroyablement manqué et
qu'il éprouvait un bonheur indescriptible, indi-
cible, à l'avoir de nouveau près de lui.

L'eau bouillait. Marie la versa sur le sachet de thé, dans sa grande tasse, et rentra dans sa chambre.

Mon Dieu, songea-t-elle, faites que cela ne se termine pas tristement.

Marie avait les larmes aux yeux lorsqu'elle eut fini de lire la dernière page, peu après quatre heures. Pendant toute la lecture, elle avait constamment eu à l'esprit l'image de David, ce garçon timide et maladroit. D'où tirait-il tout cela ? Était-ce lui, cet amant romantique, assidu, acharné ?

Rien dans son aspect ni dans ses manières ne laissait deviner ce qu'il portait en lui. De quelles sensations profondes il était capable. Ni le fait qu'il pouvait aussi les exprimer par des mots.

Marie était persuadée qu'il s'agissait d'une petite œuvre d'art. Et pas une œuvre naïve. Ce n'était pas simplement le récit désespéré d'un amour malheureux. L'histoire se déroulait dans les années cinquante, sur lesquelles il avait fait des recherches minutieuses. Ce qui la rendait encore plus émouvante.

Marie éteignit la lumière et tenta de s'endormir. Mais chaque fois, elle revoyait David qui lui lançait des regards chargés d'espoir anxieux : avait-elle déjà lu son histoire, ou bien s'apprêtait-elle à le faire ? Elle avait honte de l'avoir fait attendre aussi longtemps. Dès le lendemain matin, elle l'appellerait et le féliciterait.

La dernière fois qu'elle regarda le cadran lumineux de son réveil, il était près de six heures.

Marie était dans un château au bord de la mer. Elle était assise dans une salle de classe pleine de paillettes de Noël, devant un pupitre d'écolier, elle portait une jupe à plis, un blazer à boutons dorés et, sur le dos, un chapeau de paille à large revers. Sur les autres bancs étaient assis la plupart de ses condisciples du lycée, Myrtha, son père, la bande de l'Esquina et Lars. Tous l'observaient, attentifs, elle devait répondre à une question importante, mais elle ignorait laquelle. Devant elle se tenait Ralph, qui avait les traits d'Häberlein, son instituteur, et lui adressait, en hochant la tête, des signes d'encouragement. Elle avait la réponse sur le bout des lèvres, mais voilà : elle ne se rappelait plus la question.

Elle sortit du sommeil en pleurant et regarda le réveil. Il était déjà deux heures passées. David et son roman lui revinrent aussitôt à l'esprit. Elle se leva et composa le numéro qu'il avait griffonné sur l'enveloppe.

Elle était assise en face de lui à présent, et elle était navrée d'avoir été assez cruelle pour lui dire : « Je t'ai prévenu que je serais sincère. »

David hocha la tête :

— Je sais.

— Félicitations !

Il la regarda droit dans les yeux, comme s'il n'était pas certain qu'elle ne se moquait pas de lui. Il avait un peu raccourci ses rouflaquettes. Elle trouvait qu'il avait meilleure allure comme cela.

— Je l'ai lu d'une traite la nuit dernière. Je trouve ça merveilleux. Sincèrement.

— Vraiment ?

Il souriait à présent.

— Allons, tu sais toi-même que c'est bon.

David haussa les épaules :

85

— Je me disais que c'était peut-être un mauvais mélo.

— Pas du tout. C'est beau. Triste et beau.

David étudia le fond de sa tasse vide et sourit.

— Quand est-ce que tu écris ce genre de choses ?

— Eh bien, dans la journée. Ou la nuit, quand je rentre chez moi et que je n'ai pas encore envie de dormir.

— Tu rentres chez toi à trois heures du matin, les oreilles bourdonnantes, et tu es capable de te transporter dans le monde de Peter et Sophie, dans les années cinquante ?

— À quatre heures. La plupart du temps, il est déjà quatre heures quand je rentre chez moi.

— Incroyable.

— Il n'y a rien d'extraordinaire. C'est comme une manie. Il serait plus difficile de ne pas écrire. Tu ne bois rien ?

Un serveur s'était posté à côté de leur table et attendait.

— Si. Et puis j'ai faim. Je n'ai encore rien mangé aujourd'hui, à cause de toi.

Elle commanda une bouteille d'eau minérale et un *panino* au gorgonzola, aux aubergines et au salami.

— Je suis content que tu trouves ça bien.

— Je trouve ça plus que bien. Je trouve ça merveilleux. Et je ne suis sûrement pas la seule.

David répondit par un haussement d'épaules dubitatif.

— À qui d'autre as-tu montré le manuscrit ?

— À personne.

— Pourquoi donc ? demanda Marie, surprise.

— Je ne connais personne.

— Moi non plus tu ne me connais pas.

— Un peu tout de même, non ?

Il quitta sa tasse vide des yeux. Lorsqu'il rencontra le regard de Marie, il détourna le sien.

— Tu n'as pas de petite amie ?

— Non, je suis en solo.

La réponse avait été immédiate.

Le serveur apporta le sandwich chaud et rond. Marie le saisit à deux mains.

— Et, bien entendu, tu ne l'as pas envoyé non plus à une maison d'édition.

Elle détacha une bouchée.

— Non, non. Je ne veux pas le publier.

David paraissait effrayé. Lorsque Marie eut avalé, elle demanda :

— Pourquoi est-ce que tu écris, si tu ne veux pas publier ?

— Plutôt pour moi. Comme d'autres collectionnent les timbres-poste.

— Et tu proposes aux femmes de faire un petit tour pour voir tes collections de timbres ? demanda Marie en riant.

David rougit, et Marie regretta sa plaisanterie.

Lorsque Marie eut mangé son *panino,* elle dit :

— Je connais une maison d'édition où *Sophie, Sophie* aurait bien sa place. Tu veux noter le nom ?

— Non, merci, répondit David d'une voix décidée.

12

— Je sais bien que ce n'est pas une place de stationnement, c'est bien pour cette raison que je n'y stationne pas.

— Et qu'est-ce que votre voiture fait là-bas, dans ce cas ?

— Elle est arrêtée pour cinq minutes.

Karin Kohler voulut poursuivre son chemin, mais l'homme posté à l'entrée de l'immeuble fit un pas en avant.

— Moi, j'appelle ça stationner.

— Non, quand on stationne, c'est pour longtemps. Moi, j'arrête juste ma voiture un instant.

Elle voulut de nouveau repartir. Mais l'homme lui barra le chemin. Il était franchement plus petit qu'elle, mais c'était le cas de beaucoup d'hommes : Karin mesurait un mètre quatre-vingt-six. Sans talons.

— Vous êtes policier ?

— Non, j'habite ici, et je passe souvent des heures à regarder votre voiture arrêtée là pour un instant.

L'homme était devenu cramoisi et se tenait si près d'elle à présent qu'elle pouvait sentir son haleine alcoolisée.

— Et ça vous dérange ?

— Ça me dérange même puissamment. Surtout

lorsque je viens de passer vingt minutes à chercher une place.

— Et que comptez-vous faire pour y remédier?

Elle le regarda de toute la hauteur de son dédain. Et elle en avait une bonne quantité, notamment par une journée de janvier comme celle-là, où les étages les plus élevés des gratte-ciel francfortois étaient pris dans la couverture nuageuse.

— Vous allez voir ce que je vais faire.

Elle coinça son sac à main surdimensionné sous son bras droit, passa l'épaule en avant et força le passage. Il cria dans son dos quelque chose qu'elle ne comprit pas. Sans se retourner, elle mit le cap vers l'entrée d'un immeuble de bureaux construit avant-guerre, entra et espéra que l'ascenseur était en bas. Dans le cadre de son programme de remise en forme, elle ne s'autorisait l'ascenseur que lorsqu'il se trouvait par hasard au rez-de-chaussée. Dans les autres cas, elle devait prendre l'escalier.

L'ascenseur était là. Et comme chaque fois qu'elle avait monté les trois étages en tressautant dans l'air vicié de la cabine, elle pensa qu'elle aurait mieux fait d'y aller à pied.

Les éditions Kubner partageaient l'étage avec un studio de design publicitaire, une société de nettoyage et une firme dont l'intitulé comportait le mot *Consult*. Cela n'avait pas toujours été le cas.

Du vivant de Wilhelm Kubner, la maison d'édition ne se portait pas beaucoup mieux, mais Kubner avait un meilleur carnet d'adresses qu'Uwe Everding, le directeur de la maison. Celui-ci avait repris l'entreprise avant la mort de Kubner, auquel il avait évité la faillite à l'aide d'un petit héritage et d'un gros crédit. Depuis, la maison vivait de concessions, pour ce qui concernait le programme, et de mesures d'économie pour ce qui concernait le personnel.

Karin Kohler était l'une de ces mesures d'économie. Jusqu'à la reprise de la maison par Everding, elle avait rempli les fonctions de directrice littéraire, un service qui ne comptait que deux personnes, elle comprise, et disposait d'une certaine autonomie. C'est à elle, par exemple, que l'on devait la découverte de Tamara Lindlar, l'auteur danoise à laquelle la maison devait sa dernière période faste. C'était à peu près dix-huit ans auparavant.

Depuis que Kubner s'était « retiré de la direction active de l'entreprise » cinq années plus tôt, pour reprendre l'expression officielle, la direction littéraire avait été peu à peu démantelée. Dans un premier temps, on avait réduit à un mi-temps le poste de sa collaboratrice, puis on l'avait supprimé.

Ensuite, c'est la charge de travail de Karin Kohler elle-même qui avait été réduite de moitié. Lorsqu'elle eut compris que, dans la pratique, cela signifiait qu'elle devait accomplir le même travail pour environ la moitié de son salaire, elle donna sa démission et devint conseillère littéraire *free lance*. Les éditions Kubner étaient son principal client ; elle travaillait désormais moyennant honoraires et, en théorie, au pourcentage des ventes.

Elle avait pour mission de superviser les nouvelles parutions, qui exigeaient beaucoup de travail : le plus souvent des auteurs d'anciens pays du bloc de l'Est, dont les droits étaient bon marché et dont la traduction pouvait être subventionnée. Parallèlement, elle s'occupait de quelques jeunes auteurs germanophones que la critique accueillait certes avec bienveillance, mais dont les tirages ne suffisaient pas pour maintenir la maison hors de l'eau. Pour survivre, celle-ci avait besoin des produits placés sous la responsabilité d'Uwe Everding. C'étaient d'abord des éditions de classiques allemands produites en

Pologne dans une version pour bibliophiles et vendues à bas prix. Deuxièmement, des recueils de textes pour l'école primaire publiés sous le nom de Wilhelm Kubner, une source de revenus qui reposait encore sur une relation entre ledit Wilhelm Kubner et un moyen fonctionnaire du ministère de l'Éducation qui se rapprochait dangereusement de la retraite. Troisièmement, une série de textes ésotériques publiés sous le nom d'Auriga, nom choisi volontairement pour que l'on ne puisse établir aucun lien avec le reste de l'entreprise.

Lorsqu'on ouvrait la porte où figurait l'écriteau « Éditions Kubner, veuillez entrer sans sonner », on se trouvait devant le bureau d'Hannelore Braun, la secrétaire de la maison, tout à la fois réceptionniste, téléphoniste, responsable de la cafetière et assistante du service de presse. Karin Kohler l'appréciait pour son optimisme obstiné, même si celui-ci lui tapait parfois sur les nerfs.

— Si quelqu'un me tire dessus, ça sera un locataire de l'immeuble d'en face qui n'apprécie pas la manière dont je me gare.

— OK, Karin, fit Hannelore, rayonnante. Café ?

Karin hocha la tête et passa dans son bureau, sur la porte duquel on lisait encore « Dr K. Kohler, directrice littéraire ». Elle s'installa à son poste de travail et attendit avec impatience le retour d'Hannelore avec son café. Sans café, la cigarette n'était pas bonne. Et sans cigarette, elle était incapable d'ouvrir ses lettres.

Elle avait à présent cinquante-deux ans, et attendait toujours le cœur battant l'arrivée du courrier. Il était possible qu'elle y trouve quelque chose qui transformerait sa vie. Une offre de rêve, la parution dans un supplément littéraire d'un hymne à l'un des auteurs qu'elle chaperonnait, l'arrivée d'un manuscrit susceptible de devenir un best-seller. Depuis sa démission, elle avait doublé ses chances. Elle recevait deux fois son courrier : une fois chez elle, en tant que conseillère *free lance*, une fois ici, dans les locaux de la maison d'édition.

Comme cela faisait des années qu'elle savourait le plaisir du courrier, elle oubliait plus facilement sa déception lorsqu'elle n'y avait rien trouvé qui puisse transformer sa vie. Karin attrapa un stylo à bille rouge et commença à travailler sur l'élément le plus spectaculaire des plis qu'elle avait reçus ce jour-là : les épreuves d'un recueil de nouvelles lituaniennes.

Au bout d'une demi-heure, Everding entra dans le bureau. Quelques semaines plus tôt, il s'était mis à fumer la pipe, ce qui ne le rendait pas plus sympathique. Elle avait connu d'autres fumeurs de pipe ; chez eux, cette activité paraissait toujours accessoire. Chez Everding, c'était manifestement un emploi à plein temps. Sur son bureau se trouvait désormais un porte-pipes avec six pipes, un cendrier avec un morceau de liège en demi-cercle pour débourrer, un gobelet à dés plein de cure-pipes, un choix de boîtes pour les différentes espèces de tabac adaptées aux saisons et aux occasions, un bourre-pipe, un étui de cuir pour l'utilisation mobile du tabac, où l'on pouvait aussi ranger deux pipes et un briquet à pipe.

Il passait son temps à bourrer, rebourrer, allumer, rallumer, à ôter les brins de tabac de la table et à taper sur sa pipe pour en faire sortir la cendre. Les ongles de sa main droite étaient en deuil, les lettres et les manuscrits qui étaient passés par son bureau portaient des empreintes de doigts noires et des taches de cendre.

Everding avait à la bouche une pipe brune qui paraissait trop grande et trop longue, et tentait de parler tout en fumant :

— Fa, f'est de Fteiner.

Il posa deux manuscrits sur le bureau de Karin, ôta la pipe de sa bouche, ajouta :

— Jettes-y donc un coup d'œil, et il laissa derrière lui un sillage de fumée doucereuse.

Klaus Steiner était un ancien condisciple d'Everding et occupait des fonctions de directeur de collection chez Draco. Il envoyait parfois des manuscrits dont il pensait qu'ils méritaient d'être mis à l'épreuve, même si Draco les avait refusés. Karin détestait cette manière de recycler les restes. Elle n'avait encore jamais rien trouvé d'utilisable parmi les textes pourvus des annotations nonchalantes de Steiner.

Elle rangea dans son sac les épreuves et les deux manuscrits. Ce qu'il y avait d'agréable, dans le métier de conseillère littéraire *free lance*, c'est qu'on pouvait l'exercer chez soi.

Sous l'essuie-glace de sa vieille Opel, on avait coincé une contravention à quarante euros. Elle la glissa dans son sac à main et regarda l'entrée de la maison devant laquelle l'homme l'avait agressée une heure plus tôt. Il se tenait, rictus aux lèvres, à une fenêtre ouverte, comme s'il l'attendait. Elle décida de l'ignorer. Mais lorsqu'elle eut posé le sac sur le siège arrière et eut les deux mains libres, elle lui fit deux doigts d'honneur.

Trois heures durant, elle corrigea les épreuves des nouvelles lituaniennes. Puis elle mangea une salade et un sandwich au fromage, et se prépara un café, base de sa troisième cigarette, la dernière jusqu'à l'apéritif. Elle se permettait six cigarettes par jour. Une après le café du petit déjeuner, une après le café au bureau, une après le café du déjeuner, une à l'apéritif, une après le dîner, une avant d'aller se coucher.

Elle s'assit sur le canapé et se plongea dans les

manuscrits transmis par Draco. Le premier était composé d'impressions rédigées à cent à l'heure sur la jeunesse d'une grande ville que l'on ne nommait pas mais qui, pensait-elle, était Berlin. Son espoir de les voir s'assembler progressivement en une histoire fut déçu au bout d'une demi-heure de lecture en diagonale qu'elle pratiquait par routine. Elle mit la pile de feuilles sur le côté.

Le deuxième était précédé d'une lettre d'accompagnement comme elle en avait déjà vu une ou deux. Quelqu'un prétendait envoyer le manuscrit au nom d'un ami qui n'avait pu se résoudre à accomplir cette démarche lui-même.

« Messieurs les conseillers littéraires, y écrivait-on. Un ami m'a donné ce manuscrit à lire. Je n'agis pas avec son accord, mais sans doute selon ses vœux, en le soumettant à votre jugement. Je sais que Draco est une maison qui s'est toujours engagée en faveur de la jeune littérature allemande (l'auteur a vingt-trois ans) et je crois que *Sophie, Sophie* pourrait trouver sa place dans votre programme. »

La lettre était signée « Marie Berger ».

Karin Kohler soupira, mit la lettre de côté et commença à lire.

13

Janvier était le mois qui ne voulait pas passer. L'euphorie dans laquelle on avait fêté le nouvel an avait laissé place au dégrisement : on n'avait pas avancé d'un pas, on était au contraire revenu au point de départ. Tout était identique au mois de décembre, mais la gueule de bois avait remplacé l'humeur de fête.

Il ne se passait pas grand-chose à l'Esquina. Les clients qui venaient boire un verre après le repas de Noël de leur entreprise n'étaient plus là, tout comme ceux qui avaient pris la résolution de mener une vie plus sérieuse après le début de l'année. Dans ce lot, on trouvait des noms aussi éminents que ceux de l'ombre de Ralph, Sergio Frei, ou de Rolli Meier, le graphiste, dont l'absence, soupçonnait-on, dissimulait peut-être aussi des motifs financiers. Son entreprise individuelle n'avait toujours pas franchi le cap des difficultés initiales.

Le reste de la tablée d'habitués avait commencé l'année comme il l'avait terminée. Entre vingt-trois heures et une heure, on se retrouvait pour boire quelques drinks sous la direction de Ralph Grand. Ceux qui en avaient envie restaient un peu plus longtemps.

Marie s'y montrait elle aussi de temps en temps.

Marie, la raison pour laquelle, aux yeux de David, ce mois de janvier avait passé comme un battement d'ailes.

David était amoureux. Marie et lui ne formaient certes pas encore un couple, mais il était confiant : cela ne tarderait pas. Tous les signes l'indiquaient.

Désormais, ils se donnaient de petits baisers chaque fois qu'ils se voyaient et se disaient au revoir. Marie faisait parfois exprès d'arriver un peu plus tôt, et ils discutaient ensuite jusqu'à ce que les autres soient là. Marie dans le fauteuil, lui debout, de temps en temps interrompus par les clients qui arrivaient au compte-gouttes.

À trois reprises, déjà, ils s'étaient donné rendez-vous après les cours de Marie et avant que David ne prenne son service. Chaque fois, ils avaient parlé littérature. Elle lui apporta des livres dont elle supposait qu'ils lui plairaient. Et il put enfin placer son Updike dont il s'était armé, jadis, pour faire face à Ralph.

Chaque fois, ils reparlaient de *Sophie, Sophie*. Il avait d'abord commencé par éviter le sujet. Il connaissait certes bien le texte, mais c'était plus en typographe qu'en lecteur. Il avait pourtant bientôt compris que c'était le sujet qui lui permettait de se rapprocher d'elle au plus près. Plus elle en parlait, plus il était capable d'exposer avec assurance le contenu et l'interprétation du roman.

Il demeura en revanche intraitable lorsque Marie évoqua la possibilité d'envoyer le manuscrit à une maison d'édition. Il trouva un prétexte : le livre était trop personnel pour être publié. Elle n'accepta pas l'argument : transposée dans les années cinquante, l'histoire n'avait plus rien de personnel et le soupçon d'autobiographie se dissipait. Mais David n'en démordit pas. Ce qui confirma la supposition de

Marie : il n'était pas totalement illégitime de penser que le récit était autobiographique.

À un moment donné, au mois de janvier, David constata avec soulagement que Marie avait abandonné l'idée de le pousser à envoyer le manuscrit à une maison d'édition. La question paraissait réglée.

L'indice le plus clair des chances qui étaient désormais les siennes était l'évolution des relations entre Marie et Ralph. David avait observé qu'elles s'étaient refroidies. Marie avait certes hérité du siège de Sergio à côté de Ralph, et acceptait qu'il pose de temps en temps, pendant une conversation, sa main sur son bras ou sur son genou. Mais leur liaison, si elle avait jamais été autre chose, s'était transformée en une sympathie entre deux personnes partageant les mêmes centres d'intérêt.

En tout cas, David ne les avait plus jamais vus quitter l'Esquina ensemble. Ni le Volume, où elle se rendait encore parfois après, en compagnie des autres. Et où David et Marie avaient dansé la nuit passée jusqu'à quatre heures et demie, sous le regard narquois de Ralph.

Il était neuf heures du matin, et le portable sonna.

David l'attrapa à tâtons, en jurant, et le plaça à hauteur de ses yeux. L'écran annonçait « Marie ». Il toussota et tenta de donner à son « Bonjour ! » une note aussi allègre que possible.

— Bonjour, je suis désolée, tu dormais encore, évidemment, fit Marie.

— Je somnolais juste encore un peu, affirma-t-il.

— Il faut que je te voie, le plus tôt possible, il s'est passé quelque chose de démentiel.

Et pan, se dit David. Je suis démasqué.

— Quelque chose de grave ?

— Non, quelque chose de fantastique.

David était soulagé.

— Quoi ?

— Pas au téléphone.

— Quand ?

— Au petit déjeuner.

— Où ?

— Au Dutoit.

— Je n'ai pas les moyens.

— Moi non plus.

— Où, alors ?

— Au Dutoit.

Peu après dix heures, David se trouvait au Dutoit, beaucoup de bois et d'argent et une chaude odeur de café, de sucreries et de parfum. Il ne fut pas difficile de découvrir Marie parmi toutes ces femmes soignées, entre cinquante et quatre-vingt-dix ans. Elle portait son pull-over rouge, son bonnet de laine noir, et lui fit des signes exubérants. Quand elle l'embrassa pour lui dire bonjour, elle se serra contre lui pendant une seconde. Elle ne l'avait encore jamais fait.

À peine s'étaient-ils assis qu'une femme d'un certain âge, en robe noire et tablier de dentelle blanche, leur demanda ce qu'ils désiraient. Ils commandèrent tous deux un petit déjeuner avec du café.

— Qu'y a-t-il de tellement fantastique ? demanda David.

— Il faut d'abord que tu me promettes de ne pas te fâcher.

— Promis. Quelle raison aurais-je de le faire ?

— Tu le liras dans cette lettre.

Marie lui tendit une enveloppe. Elle était adressée à la jeune femme, portait des timbres allemands et un autocollant rouge où l'on pouvait lire le mot « Express ».

Il sortit la lettre et la déplia. L'en-tête annonçait

« Éditions Kubner ». Et sous la date, en gras, les mots « Objet : *Sophie, Sophie* ».

— On m'a sortie du lit ce matin pour me remettre ça.

David commença à se douter de ce qui s'était passé. Il leva les yeux et aperçut le sourire de Marie, le plus coupable et le plus rayonnant qui soit.

Il lut :

« Chère Madame Berger,

Nous vous remercions d'avoir envoyé le manuscrit *Sophie, Sophie* aux éditions Draco. Après un examen attentif, cette maison a estimé que, pour des raisons liées à sa conception, le roman ne pouvait trouver sa place dans ses collections. »

David poussa un soupir de soulagement et lança un nouveau regard à Marie.

— Continue, le pressa-t-elle.

« Dans le cadre de notre collaboration informelle, Draco s'est permis de transmettre le manuscrit, pour avis, à notre comité de lecture, qui est parvenu à une autre conclusion.

Nous considérons que *Sophie, Sophie* est pour l'essentiel une œuvre prometteuse, et nous pourrions envisager de le publier dans notre collection "jeunes auteurs".

Comme la préparation de notre programme est déjà bien avancée, et que nous nous attendons à devoir mener un certain travail éditorial sur ce texte si nous parvenons à un accord, une rencontre dans de brefs délais avec votre ami, dans nos locaux à Francfort, serait utile. Nous prendrions bien entendu les frais de voyage à notre charge.

Nous vous serions reconnaissants de nous indiquer à quelle date, dans les jours à venir, pourrait avoir lieu cette rencontre, ou de prier votre ami d'entrer personnellement en contact avec moi.

Je vous prie de recevoir, chère Madame, l'expression de mes salutations les plus cordiales.

Karin Kohler, comité de lecture. »

Et merde. David fit comme s'il continuait à lire, et réfléchit à ce qu'il allait dire.

— Qu'est-ce que tu en penses ?

Fort heureusement, c'est l'instant que choisit la femme pour apporter le petit déjeuner. Avant qu'elle ait fini de déposer sur la table minuscule les assiettes, les couverts, les serviettes, le beurre, les confitures, deux petites verseuses à café, deux petits pots de lait, David parvint à reprendre un peu contenance.

— Je suis désolée d'avoir pris l'initiative.

Elle n'avait pas l'air d'être désolée de quoi que ce soit.

— S'ils avaient refusé le manuscrit, tu n'en aurais jamais rien su.

Elle versa du café dans les deux tasses.

— Ça n'était pas le problème.

Marie attendit qu'il continue. Mais David prit un croissant et mordit dedans. La nouvelle lui avait certes coupé l'appétit, mais mâcher lui faisait gagner du temps.

— Qu'est-ce qui n'était pas le problème ?

David avala sa bouchée.

— Je n'avais pas peur qu'il soit refusé. J'avais peur qu'on l'accepte.

Marie tartina un croissant.

— Je ne t'ai jamais cru sur ce point et, pour être

102

sincère, je ne te crois pas non plus maintenant. C'est tout de même fantastique : tu écris ton premier roman et, hop, il sort chez Kubner !

Elle mordit dans la partie du croissant qu'elle avait tartinée de beurre et de confiture. David vit un petit morceau de la croûte brune coller un moment à sa lèvre supérieure, puis la pointe rose de sa langue sortir en un éclair et le faire disparaître.

— Kubner ! Comment n'y ai-je pas pensé tout de suite ? Beaucoup plus petit que Draco, mais aussi beaucoup plus raffiné. Ils te feront un traitement sur mesure. Draco, c'est une usine. Allez, David, réjouis-toi !

Marie posa les deux coudes sur la table, lui prit la tête, la rapprocha de la sienne et lui donna un baiser. Sur la bouche.

À présent, David se réjouissait.

— Quand est-ce que tu y vas ?

David haussa les épaules.

— Pour l'instant, je ne sais pas du tout si je vais y aller.

Marie ignora la réponse.

— Tobias te laissera certainement un ou deux jours de congé si tu lui racontes ça.

David sursauta :

— Je ne le lui raconterai sûrement pas. (Il prit une gorgée de café, et une nouvelle idée l'emplit d'effroi.) Et toi non plus. Tu me le promets ? Pas un mot à personne. À personne.

Marie soupira.

— Je l'ai déjà raconté à quelqu'un.

Il n'était pas nécessaire de préciser à qui.

— Ralph, gémit David.

— Je n'ai rien dit de Kubner, fit-elle pour le tranquilliser. Juste que tu écris. Que tu écris très bien. Que j'ai pu en lire un peu. Rien d'autre.

À bien y réfléchir, cette indiscrétion ne lui était pas si désagréable.

— Et alors ? Qu'est-ce qu'il a dit ?

Marie porta la tasse à sa bouche.

— Tu sais bien comment est Ralph.

— Oui. Qu'est-ce qu'il a dit ?

Elle but, reposa la tasse et fit un signe de tête négatif.

— Quelque chose de dédaigneux.

David vit Ralph comme s'il était devant lui. Il le vit soulever les sourcils, incrédule, sourire avec indulgence, hocher lourdement la tête et dire : « Tiens donc ? David ? Bien ? Ou simplement mieux qu'il ne sert ? » Ou encore : « Si, si, je me suis dit tout de suite qu'il pouvait écrire. À la manière dont il note les commandes. »

— Alors, quand est-ce que tu pars ? demanda encore une fois Marie.

David réfléchit :

— Combien de temps faut-il pour rejoindre Francfort ?

— Quatre ou cinq heures de train, je crois.

— Dans ce cas, je peux y aller n'importe quand, pourvu que je sois de retour à neuf heures.

Marie secoua la tête et sourit.

— Ça ne se passe pas comme ça, la première visite dans sa future maison d'édition. On va manger dans un bon restaurant, et puis on passe la nuit dans un hôtel chic. Il faut y aller un jour où tu ne travailles pas.

— Dans ce cas, un mercredi. Je ne travaille ni le mercredi ni le jeudi.

Elle posa la main sur la sienne et la serra.

— Mais c'est toi qui appelles, demanda-t-il.

Elle retira sa main, mais il la rattrapa et la tint entre les siennes, bien plus grandes. Marie sourit.

— C'est toi qui appelles, je ne suis pas ton agent, tout de même.

— Qu'est-ce que tu es, alors ?

David la regarda dans les yeux. Elle soutint son regard, et son sourire se fit plus grave. Elle semblait réfléchir à la question. Puis elle répondit :

— Je ne sais pas, David.

Malgré le sérieux de la situation, David se sentait des ailes. Aussi catastrophique qu'ait été le prétexte de leur rencontre au Dutoit, la rencontre elle-même s'était admirablement déroulée. Ce baiser inattendu sur la bouche. Le courage qu'il avait eu de lui prendre la main. Le naturel avec lequel elle l'avait accepté. Sa remarque dédaigneuse : « Tu sais bien comment est Ralph. » Ça ressemblait à : « Ne parlons donc pas de Ralph. Qu'est-ce qu'on peut attendre d'un type comme lui ? » Et surtout, surtout sa réponse lorsqu'il lui avait demandé ce qu'elle était pour lui. « Je ne sais pas, David. »

Pareille réponse à une pareille question dans une situation pareille ne permettait pas n'importe quelle hypothèse. Quand une femme répond en ces termes à l'homme qui tient justement sa main entre les siennes, elle se demande tout de même s'il ne signifie pas plus pour elle. Surtout lorsqu'elle a embrassé cet homme sur la bouche un instant plus tôt. Un bisou plus qu'un baiser, certes, mais il existe tout de même d'autres endroits, sur le visage d'un homme, où l'on puisse déposer des bisous.

C'est la raison pour laquelle l'autre aspect de l'histoire ne lui parut pas aussi menaçant qu'il l'était peut-être. Il lui restait encore quatre jours avant de partir pour Francfort. C'était suffisant pour trouver une idée. Une histoire qui correspondrait à la vérité sans le placer sous un jour défavorable. Par exemple, il pourrait mettre cette directrice littéraire dans la confidence, lui dire qu'il avait trouvé le manuscrit quelque part et qu'il voulait tester l'effet que ce texte produirait sur une personne qui le prendrait pour une œuvre contemporaine. Ou bien encore émettre de telles prétentions financières qu'ils le renverraient immédiatement chez lui. Ou se faire porter malade. À moins qu'il ne trouve une meilleure idée sur place.

David traversa la Kabelstrasse et entra dans la cour où figurait l'enseigne : « La Caverne aux trésors de Godi ».

Godi négociait avec un couple tamoul le prix d'une penderie garnie de plastique bleu clair et sertie de petits boutons à miroirs. Godi tentait de justifier le prix excessif par le fait qu'il s'agissait d'une œuvre d'amateur des années soixante. Un point de vue qu'il avait bien du mal à exposer aux clients, entre autres à cause de la barrière linguistique. David dut attendre longtemps avant que les deux Tamouls ne repartent sans avoir réglé leur affaire. L'humeur de Godi ne s'améliora pas lorsqu'il s'avéra que David voulait simplement connaître l'adresse de l'homme auquel il avait acheté la petite table de chevet.

— Je ne donne pas l'adresse de mes grossistes, grogna-t-il.

— Je veux juste lui poser une question.

— Sur la table de chevet ?

— Oui. Je n'arrive pas à ouvrir le tiroir.

— Il n'a pas d'adresse. Il vit dans un camping-car, près du gué, derrière.

— Et comment s'y rend-on ?

— En voiture.

— Et quand on n'en a pas ?

— En bus, jusqu'au terminus, Haldenweide, et ensuite à pied.

— Combien de temps faut-il ?

— Je n'y suis encore jamais allé à pied.

— Tu as son numéro de portable ?

— Non.

— Comment l'appelles-tu, alors ?

— C'est lui qui m'appelle.

Avant le terminus de Haldenweide, le bus s'était vidé, mis à part un couple et leurs deux enfants grognons. Le chauffeur décrivit une large courbe sur une place goudronnée, s'arrêta, coupa le moteur et ouvrit les portes.

« Haldenweide, terminus, tout le monde descend. »

David sortit dans le crachin. La famille se dirigea droit vers un sentier de randonnée qui partait de la station. « Restaurant Gubelmatt, 1 h 30 », lisait-on sur un panneau indicateur.

David s'arrêta sur la place, indécis. Il avait le choix entre deux routes carrossables et trois sentiers. Il retourna vers le bus. Le chauffeur lisait le journal, assis à son volant. Lorsqu'il vit David, il ouvrit la porte.

— Je cherche un brocanteur, ici, dans le coin.

— Peut-être près du gué, suggéra le chauffeur. Là-bas, il y a un ferrailleur et quelques chiffonniers.

— Comment y va-t-on ?

— Vous prenez la route, là-bas, toujours tout droit, et puis à droite après la station d'épuration. Ensuite, vous le verrez.

— C'est à quelle distance, à peu près ?

— Peut-être deux kilomètres.

David marchait vite : le crachin glacé le trempait jusqu'aux os. Il sentit la station d'épuration avant de la voir. Elle était entourée par une clôture grillagée, il vit des montagnes de boue qui attendaient d'être revalorisées.

Le tas de ferraille se trouvait lui aussi derrière une

clôture. À côté de lui s'étendait une zone informe pleine de cabanes, de réduits, de conteneurs, d'engins de démolition et de matériaux de construction. David y entra et se mit à la recherche d'un brocanteur en camping-car.

Peu après, il reconnut le vieux minibus Volkswagen du gros homme auquel il avait acheté la table de chevet. Il était garé devant une baraque en bois et en tôle ondulée à laquelle on avait accolé une grande caravane de cirque hors d'usage. Lorsque David approcha, il entendit la voix d'un commentateur de football et vit par la fenêtre la lumière bleuâtre d'un téléviseur. Il frappa à la porte de fer.

Le gros ouvrit tout de suite. Il portait un survêtement frappé de l'emblème du Real Madrid. La porte laissa s'échapper de l'air chaud, chargé d'effluves de repas et de cigarettes.

— Oui ?

— J'ai acheté une table de chevet chez vous au mois de décembre.

L'homme dévisagea David.

— Je sais.

— Je serais content de savoir d'où vous la teniez.

— Pourquoi ?

— Ça m'intéresse, c'est tout. J'aime bien connaître l'histoire des vieux objets.

— Là où je l'ai prise, il y a plus rien à ramasser, c'était une évacuation.

— Où ?

— Bachbettstrasse, au numéro 12. La maison a été rasée.

— Vous savez à qui elle appartenait ?

— C'est une société d'aménagement qui m'a fait venir.

La voix du commentateur devint plus excitée, et le public se mit à crier.

— Et merde ! laissa échapper le gros, qui disparut dans la caravane.

David dut attendre qu'il ait vu les trois ralentis.

— Où en étions-nous ?

— Au nom de la société mixte.

— La Holdag.

— Merci. Et excusez-moi pour le dérangement.

— Vous m'avez fait rater un but.

— Désolé.

— Et dites à Godi que s'il veut se renseigner sur mes filons, vaudrait mieux qu'il vienne en personne, la prochaine fois.

14

À quoi ressemble quelqu'un qui écrit ce genre de choses :

Depuis une semaine, ma moto est à l'atelier, et je dois prendre le 11 pour aller au travail. Tu sais ce qu'il y a de pire, là-dedans ? Ce n'est pas qu'il soit chaque matin tellement surchargé qu'il m'arrive de devoir rester sur le marche-pied jusqu'à la Bergplatz. Ce n'est pas qu'il empeste les manteaux trempés et les cigares froids, ni qu'il mette cinq fois plus de temps que ma moto. Non, le pire, c'est d'être entassé avec tant de gens qui ne te connaissent pas, toi. Qui ne savent pas que lorsque tu souris, une fossette se creuse dans ta joue droite et pas dans ta joue gauche. Qui ne devinent pas que ta nuque sent le pain d'épice sous tes cheveux dénoués. Qui n'ont jamais perçu la légèreté avec laquelle ta main repose dans la mienne. Il m'est insupportable de passer une demi-heure corps contre corps avec des gens qui n'ont aucune idée de ce que cela représente forcément de t'aimer. Jamais les gens ne m'ont encore été aussi étrangers, et je n'ai encore jamais dû les supporter d'aussi près.

Karin Kohler avait tenté de se faire une idée de David Kern à partir de la description que lui avait faite Marie Berger au téléphone. Grand, les cheveux bruns et courts, plutôt timide, vêtu d'une veste molletonnée noire.

Karin avait dit qu'elle aussi était grande, que ses cheveux aussi étaient bruns, mais « plus tous », et qu'elle se trouverait au point de rencontre du hall de la gare. Elle tiendrait à la main, bien visible, le catalogue d'automne des éditions Kubner.

Il était à présent deux heures et quart. Le train à grande vitesse aurait dû arriver à deux heures moins sept, mais le tableau annonçait un retard de vingt-cinq minutes. Cela confirmait ce que Karin avait toujours dit : les chemins de fer allemands ne sont à l'heure que lorsque vous êtes vous-même en retard.

Persuader Everding de prendre *Sophie, Sophie* n'avait pas été simple. « Rien que le titre... », avait-il dit après qu'elle eut bruyamment lancé le manuscrit sur la table de conférences lors du comité hebdomadaire, en prononçant un seul mot : best-seller. Comme si l'on ne pouvait pas changer le titre.

Lorsqu'il eut enfin lu le texte, il avait dénigré le pitch. Everding avait découvert le mot pitch à peu près en même temps que la pipe à tabac, et ne savait pas grand-chose ni sur l'un ni sur l'autre.

— C'est une histoire d'amour. Les histoires d'amour n'ont pas besoin de pitch, avait-elle répondu.

— Et pour quelle raison doit-elle se dérouler dans ces épouvantables années cinquante ?

— Parce que dans ces épouvantables années cinquante, on pouvait encore interdire l'amour.

Pour convaincre Everding, elle avait dû le menacer d'aller porter le manuscrit chez Schwarzbusch, leurs concurrents un peu plus heureux, la maison où Everding avait commencé sa carrière et qu'il avait quittée jadis dans des circonstances étranges.

C'est finalement Hannelore Braun, la secrétaire de la maison, qui fit pencher la balance. Avec une remarque subjective :

— Moi, en tout cas, j'ai pleuré.

Lorsque David Kern se trouva enfin devant elle, elle ne s'en aperçut pas. Bien qu'il ait été un peu plus grand qu'elle, bien qu'il ait eu des cheveux courts et bruns, et une veste noire molletonnée. La description ne cadrait pas avec ce jeune homme qui l'empêchait de voir le jeune auteur qu'elle attendait, et qui semblait venir lui demander une petite pièce. Cela tenait à son expression. Même en rêve, elle n'aurait jamais fait le lien entre ce visage de garçon un peu inachevé et *Sophie, Sophie*.

Jusqu'à ce qu'il demande timidement :

— Madame Kohler ?

— Tiens, c'est donc à ça que vous ressemblez ! s'exclama-t-elle en lui serrant la main. Vous avez fait bon voyage ?

Elle lui fit traverser la gare et rejoindre le parking où elle avait garé sa voiture.

— Vous connaissez Francfort ?

— Je ne suis encore jamais venu ici, avoua-t-il.

— Vous n'avez pas perdu grand-chose. Je propose que nous allions d'abord chez moi, vous pourrez laisser votre sac et vous rafraîchir un peu. Vous logerez dans ma chambre d'amis. La plupart de nos auteurs préfèrent ça à un hôtel impersonnel. Cela vous convient ?

David Kern hocha la tête, comme le faisaient la plupart des auteurs la première fois qu'ils étaient confrontés à cette habitude qu'avaient prise les éditions Kubner pour chaperonner leurs auteurs. Elle l'aida à caser son sac sur la banquette arrière, entre les journaux, des sacs de supermarché, un parapluie et deux triangles de signalisation (le hayon arrière était coincé depuis quelques semaines), et ils partirent.

— Vous savez pourquoi je ne vous ai pas reconnu, malgré la description que m'avait faite votre amie ?... C'est bien votre amie ?

Il hésita avant de répondre

— Oui. Tout à fait.

— C'est ce que j'ai pensé. Si elle avait été votre agent, vous l'auriez certainement amenée avec vous. (Elle rit.) Si je ne vous ai pas reconnu, c'est à cause de *Sophie, Sophie*. Quand on lit, on s'imagine l'auteur autrement.

— Comment ça ?

Elle réfléchit. Plus mûr, voulut-elle dire. Ou plus adulte. Mais elle préféra répondre :

— Je ne sais pas. Autrement, c'est tout.

Il ne se montra pas très loquace pendant qu'ils roulèrent vers l'appartement de Karin. Lorsqu'ils arrivèrent, elle savait tout de même qu'il avait vingt-trois ans, qu'il gagnait sa vie la nuit comme serveur et qu'il écrivait pendant la journée.

— Et d'où connaissez-vous si bien les années cinquante ?

— J'ai fait des recherches, répondit-il.

— Et pourquoi les années cinquante ?

Il haussa les épaules.

— Comme ça.

— Comme ça ! répondit Karin Kohler en riant, et en se faisant du souci quant à la capacité de son nouvel auteur à affronter les médias.

Lorsqu'ils furent arrivés dans l'appartement, Karin lui donna un quart d'heure pour se rafraîchir. Elle eut l'impression que David n'avait pas bien compris ce qu'elle voulait dire et qu'il était juste resté assis dans la chambre d'amis à attendre que le délai se soit écoulé.

Puis ils partirent pour la maison d'édition.

— Pourquoi n'avez-vous pas envoyé le manuscrit vous-même ? demanda-t-elle pendant le voyage.

— Il n'était pas destiné à être publié.

— À quoi donc, alors ?

— Juste comme ça. Pour moi.

— Quelque chose de personnel que vous aviez besoin de surmonter ?

— Oui.

Ils étaient arrivés près de la maison. Karin tenta de chercher une place.

— Nous allons rencontrer l'éditeur, Uwe Everding. Ne le lui dites pas.

— Quoi ?

— Qu'en écrivant ce livre, vous aviez envie de surmonter une histoire personnelle. Il déteste ça.

— Que dois-je lui dire d'autre ?

— Vous n'avez pas besoin de dire grand-chose. Seulement ne dites pas ça. C'est juste un truc.

L'unique place qu'elle trouva était celle qui lui avait déjà coûté quarante euros le mois précédent.

— Si quelqu'un passe la tête par la fenêtre depuis cet immeuble, demanda-t-elle à David, débrouillez-vous pour boiter des deux jambes.

L'entretien fut une catastrophe. La première question qu'Everding posa était : « Pourquoi avez-vous écrit ce livre ? » Et le jeune homme répondit tout de même, effectivement : « Parce que je voulais m'en servir pour surmonter une expérience personnelle. »

Karin Kohler avait difficilement réussi à dissuader Everding de tenir sa conférence sur l'abus du lecteur transformé en thérapeute de l'auteur lorsque survint le deuxième incident. Everding déversa de sa pipe un petit tas encore fumant et puant dans le grand cendrier, et dit :

— Et pour être sincère, le pitch me paraît un peu mince.

Lorsque David Kern demanda, en toute innocence : « Qu'est-ce que ça veut dire, un pitch ? », elle connaissait la réponse d'Everding avant même qu'il l'ait prononcée : « Je me suis presque dit que vous ne saviez pas ce que c'était. »

Karin Kohler dut rassembler toute son expérience de gestion des crises acquise en vingt-six années d'éditions Kubner, pour que l'entretien aille jusqu'au moment où l'on dépose le contrat sur la table et où on le passe en revue article par article.

Mais ensuite, lorsqu'il fallut signer, la nouvelle découverte de Karin Kohler demanda :

— Je peux réfléchir encore quelques jours ?

— Dix pour cent sur les vingt mille premiers exemplaires, c'est la norme pour un premier livre, dit Karin Kohler. Vous n'obtiendrez pas plus ailleurs.

Ils étaient assis dans un bar à sushis équipé d'un tapis roulant où les sushis défilaient sans interruption. David parut moins impressionné que les auteurs des anciens pays de l'Est qu'elle faisait toujours déjeuner là. Mais le repas lui plaisait. La pile de petites assiettes vides et colorées – chaque teinte désignant un prix – grimpait de manière inquiétante.

David hocha la tête, la bouche pleine.

— Si nous partons d'un prix de vente de dix-neuf euros quatre-vingt-dix, cela fait tout de même près de quarante mille euros pour vingt mille exemplaires. Pas mal pour quelque chose que vous n'aviez pas l'intention de publier. Et ensuite, on monte à douze pour cent.

— Vous croyez qu'on vendra plus de vingt mille exemplaires ?

David gardait un œil sur le tapis roulant.

— On ne peut jamais le dire à l'avance, mais j'ai un bon pressentiment. Et je suis dans le métier depuis plus longtemps que vous dans ce monde.

David tendit la main vers une petite assiette, changea d'avis et la retira.

— Deux mille euros d'avance, c'est aussi la norme chez nous pour un premier livre. C'est plutôt symbolique. Nous ne sommes pas une maison à gros à-valoir.

J'espère qu'il ne va pas me demander, à présent, quelles sont les maisons qui versent de gros à-valoir, songea Karin.

Mais David avait découvert un sashimi qui lui plaisait et qu'il pêcha sur le tapis. Encore un à assiette rouge, constata-t-elle à regret. Les rouges étaient les plus chères.

15

L'appartement de David ressemblait à l'Esquina, mais en plus authentique. Les canalisations apparentes étaient de vrais tuyaux, et quand on tournait le robinet d'eau chaude dans la cuisine, une légion de petites flammes bleues s'élevait bel et bien dans le chauffe-eau émaillé et réchauffait le mince filet d'eau qui giclait dans le lavabo en pierre couleur coquille d'œuf. Les meubles étaient des pièces rapportées des années cinquante, soixante et soixante-dix. À cela près que ce n'était pas un collectionneur qui les avait rassemblées, mais un fauché. La seule note contemporaine de l'appartement était constituée par un ordinateur de bureau, une imprimante et un scanner récents. Le fait que les toilettes soient dans la cage d'escalier était presque un peu trop authentique pour Marie.

Marie l'avait appelé dans le train, et ils avaient pris rendez-vous pour le dîner. Il avait proposé le Sous-Continent, un restaurant récent avec carte euro-asiatique et prix raisonnables.

— Tu as le contrat ? avait été sa première question.

— Oui, mais je ne l'ai pas signé.

Elle devait l'avoir regardé d'un air totalement ahuri, car il ajouta :

— Je voulais te le montrer d'abord.

— Je n'ai aucune idée de ce que peut être un contrat d'auteur.

— Tu connais certainement ça mieux que moi.

Puis elle le questionna, en mangeant du poulet au gingembre, des yuccas sautés et de la salade de fruits au curcuma, sur son aventure à Francfort.

— Comment est Karin Kohler ?

— Grande, d'un certain âge, gentille, un peu autoritaire.

— Et l'éditeur ?

— Everding ? Petit, il fume de grandes pipes et parle beaucoup.

— Et l'hôtel ?

— Pas d'hôtel. Chez elle, dans sa chambre d'amis.

— Sérieusement ?

— Plutôt que dans un hôtel impersonnel. Ce sont ses propres mots.

— Tu n'as pas dit : J'aime les hôtels impersonnels ?

— J'ai l'impression qu'ils ne roulent pas sur l'or. Leurs bureaux aussi sont un peu miteux.

— Toutes les maisons d'édition littéraires doivent faire attention à leurs sous.

En prenant le café, elle avait dit :

— Bon, montre-moi le contrat.

Et il avait répondu :

— Il est chez moi.

C'est ainsi qu'elle s'était retrouvée dans l'appartement de David.

— Maintenant, je sais pourquoi tu es capable de te replonger dans les années cinquante.

Ce fut sa première remarque lorsqu'elle eut fait le tour de la pièce.

Il leva les bras et les laissa retomber.

— Le loyer n'est pas cher, et de toute façon je ne suis jamais chez moi. Tu veux boire quelque chose ?

120

— Qu'est-ce que tu as ?

Il alla à la cuisine et revint avec une bouteille de cava. La même marque qu'à l'Esquina.

— Ça te va ?

Marie sourit et hocha la tête. Elle le regarda défaire le papier doré, desserrer le fil de fer qui maintenait le bouchon en place, soulever le bouchon, l'ouvrir jusqu'à ce que la pression puisse s'en échapper avec un léger sifflement, l'enlever totalement et remplir les deux verres de champagne – eux aussi, visiblement, de la même marque qu'à l'Esquina. La balourdise qui affectait ses mouvements le reste du temps semblait s'être dissipée.

— À *Sophie, Sophie*, dit-elle lorsque leurs verres s'entrechoquèrent.

— À nous, répondit-il en rougissant un peu.

Ils s'installèrent sur le bord du lit et commencèrent à passer le contrat en revue.

Dès la deuxième page, elle comprit que l'essentiel n'était pas les droits principaux et secondaires, les cessions et les pourcentages, mais la cuisse qu'elle sentait contre la sienne, le bras dont la chaleur se communiquait au sien, la main qui caressait la sienne lorsqu'elle tournait les pages.

Elle vit la naissance de ses cheveux qui commençait bien en dessous de sa nuque, et eut envie de la toucher. Elle vit les petits poils sur la tranche de sa main, épais, comme peignés, et elle eut envie qu'il la touche.

Elle posa sa main sur sa nuque, il tourna la tête et ils s'embrassèrent comme s'ils n'avaient eu aucune autre intention depuis le début.

Ils s'aidèrent mutuellement à sortir de leurs vêtements et s'aimèrent. Là encore, David n'avait plus rien de pataud.

Lorsque Marie s'éveilla, il faisait froid dans l'appartement. David était couché en diagonale sur le lit, comme un homme habitué à dormir seul. Elle se leva, attrapa la couverture par terre et le recouvrit.

Deux verres à champagne à moitié vides se trouvaient sur la plaque de marbre jaune au tiroir endommagé.

Sur une chaise, à côté, on avait posé un peignoir en tissu éponge bleu clair portant l'inscription « Sauna Happy ». Elle le passa et se dirigea en silence vers la porte de l'appartement.

Un interrupteur brillait dans la cage d'escalier. Elle appuya dessus. Un plafonnier rond en verre s'alluma, diffusant une lumière jaunâtre. Il y avait deux portes. L'une était pourvue d'une sonnette et d'un écriteau au nom de « F. Haag-Wanner ». L'autre devait être celle des toilettes. Marie l'ouvrit.

Au bout d'un petit couloir se trouvait une cuvette de WC à lunette de bois. Au-dessus, une chasse d'eau à l'ancienne, avec une chaîne à laquelle on avait fixé un os en caoutchouc à la place de la poignée. Un petit lavabo où l'on pouvait faire couler de l'eau froide et, bien au-dessus de ses yeux, une petite fenêtre. À côté du lavabo, deux serviettes-éponge étaient suspendues à des crochets d'émail blanc. Le mot « invités » était brodé en lettres bleues sur l'une d'entre elles, toute neuve. Marie sourit. S'était-il attendu à sa visite ?

Lorsqu'elle revint dans l'appartement, David dormait encore profondément. Elle éteignit la lumière et se glissa près de lui sous la couverture. Sur la table portant l'ordinateur et dans le meuble hi-fi brillaient de petites lampes vertes et rouges.

Elle ferma les yeux et s'avoua ce qu'elle pressentait depuis quelque temps : elle était tombée amoureuse de ce grand garçon insondable.

16

On le faisait attendre. Depuis près d'une demi-heure déjà, David était assis sur un siège-coque contre le mur, tandis que les employés de la société immobilière faisaient comme s'ils ne le voyaient pas, à leur habitude.

Mais cela lui était égal. Depuis la dernière nuit, rien ne pouvait plus l'énerver.

Pour lui, jusqu'ici, l'amour avait toujours été une affaire unilatérale. Ou bien il avait été amoureux, et elle pas, ou bien c'était l'inverse qui s'était produit. Il ne croyait même plus que l'amour puisse être réci-proque. Et que cela ait justement pu se produire avec une femme comme Marie tenait du miracle.

Tandis que les employés, derrière le comptoir, continuaient à faire comme s'il n'existait pas, il tenta d'imaginer Marie. Pour la première fois, il comprit que l'on puisse se promener avec une photo de sa petite amie, ne pas se laver après une nuit d'amour avec elle ou se faire tatouer son prénom. « Marie » dans un cœur : cela aurait belle allure sur la face inté-rieure et sensible de son bras droit.

David était aussi un peu fier de sa tactique : laisser le contrat chez lui, ranger l'appartement et garder dans son réfrigérateur la marque de cava préférée de Marie.

Un homme venait de se planter derrière le guichet du service du logement et attendait sans un mot qu'il réagisse à sa présence. David se leva et se dirigea vers lui. Il avait la soixantaine et portait en guise de cravate un ruban de cuir tenu par une broche en argent serti de turquoises.

— Les demandes de logement se font le lundi et le mercredi entre neuf et treize heures, dit l'homme derrière le guichet.

— Je veux juste un renseignement sur le 12, Bachbettstrasse.

— Il n'y aura que des bureaux à cette adresse.

— Je ne cherche pas un appartement. Je voudrais seulement savoir à qui appartient le terrain.

— À notre société. La Holdag.

— Et avant ?

L'homme le toisa, méfiant.

— Pourquoi voulez-vous le savoir ?

David s'était préparé à cette question :

— Je dois faire un exposé sur le quartier.

Il en avait déjà fait l'expérience : il pouvait toujours se faire passer pour un lycéen. L'homme décida de le croire.

— Un instant, grogna-t-il en se dirigeant lentement vers une porte à l'arrière-plan. Il revint au bout d'un moment, déposa un classeur sur le comptoir, l'ouvrit et se mit à le feuilleter. David remarqua qu'il portait une chevalière assortie à sa broche, en argent serti de turquoises.

— Indivision Frieda Wetz.

— Qu'est-ce que ça veut dire ?

— Que le terrain appartenait à une certaine Frieda Wetz et qu'après sa mort, ses héritiers nous l'ont vendu.

— Vous avez une adresse dans le dossier ?

Le doigt de l'homme redescendit sur la page.

— Le représentant des héritiers s'appelle Karl Wetz, lui aussi Bachbettstrasse, mais au numéro 19.

Le 19, Bachbettstrasse, se situait de biais par rapport au chantier. Le rez-de-chaussée était occupé par une boutique d'électricien. Des corbeilles d'objets en promotion étaient disposées dans la vitrine : petites lampes de chevet, ampoules colorées, couteaux à pain électriques, guirlandes lumineuses invendues à Noël. L'enseigne de la boutique annonçait « Wetz électricité ». David entra. Un gong signala qu'il franchissait la porte.

Au plafond pendait un maquis de suspensions masquant un roncier d'appliques qui se prolongeait par un bosquet de lampes de bureau et une forêt de lampadaires. Il flottait une odeur d'étain.

Un monsieur d'un certain âge, vêtu d'un tablier de travail gris, sortit de l'arrière-boutique.

— Que puis-je faire pour vous ? demanda-t-il.

— Bonjour, je voudrais parler à M. Karl Wetz.

— Mais vous lui parlez, dit l'homme en souriant. De quoi voulez-vous donc lui parler ?

— Je cherche un certain Alfred Duster, qui a habité, il y a longtemps, au 12 Bachbettstrasse.

— Ça serait vers quelle époque ?

— Dans les années cinquante..

Wetz réfléchit.

— Dans les années cinquante, j'y habitais, moi aussi, l'immeuble appartenait à mes parents. Duster, c'est bien ça ? (Il secoua la tête.)

— Peut-être un sous-locataire ? suggéra David.

— Duster ?... Non. Duster, ça ne me dit rien.

— Et Landwei ? Peter Landwei ?

Wetz leva les yeux vers son maquis de lampes. Puis il secoua énergiquement la tête.

— Jusque dans les années soixante, ce sont les

quatre mêmes familles qui ont toujours vécu au 12. Aucune ne s'appelait Duster ou Landwei. Et dans les mansardes, c'étaient toujours des Italiens. À une exception près. Mais celui-là ne s'appelait pas Landwei, il s'appelait Weiland. Il s'est tué dans un accident de moto.

Sur le chemin qui le ramenait chez lui, David acheta au *thaï-take-away* un curry vert, un rouge et des bâtonnets au satay pour deux personnes.

Il rangea, fit le lit, lava les verres, glissa un CD dans la chaîne et s'installa dans son fauteuil.

Sophie, Sophie était donc une histoire vraie. Peter Weiland l'avait écrite sous le pseudonyme d'Alfred Duster et, par sécurité, avait modifié le nom de son héros. *Et ce Peter Landwei, c'était moi :* cela correspondait à la vérité. *Sophie, Sophie* était une longue lettre d'adieu dont personne n'avait jamais pris connaissance, jusqu'à quelques semaines auparavant.

Était-ce une bonne nouvelle ?

Il y avait un côté rassurant : l'auteur n'était plus en vie, et selon toute vraisemblance personne ne connaissait *Sophie, Sophie.* Et un côté inquiétant : David n'avait pas seulement joué avec le manuscrit oublié d'un écrivain qui avait raté sa carrière, mais avec la lettre d'adieu littéraire et incunable d'un suicidaire.

David ne cessait de s'imaginer comment Marie réagirait à cet aveu. Chaque fois, il parvenait à la même conclusion : elle aurait l'impression d'avoir été flouée. Elle ne lui pardonnerait pas cette imposture. Il la perdrait.

Il tenta d'imaginer ce qu'il ferait alors, et fut d'un seul coup capable de sentir pourquoi Peter Weiland n'avait pas trouvé d'autre issue que de manquer l'entrée du tunnel du Rotwand.

Il quitta son siège et ouvrit sa penderie. L'original de *Sophie, Sophie* se trouvait sous une pile de T-shirts. Il l'emporta à la cuisine et le jeta aux ordures.

Il passa sa veste, noua le sac-poubelle et le porta au rez-de-chaussée.

La nuit était déjà presque tombée. L'arrière-cour sentait la nourriture. Du linge était pendu à de nombreux balcons, tous équipés d'antennes satellites.

Le couvercle des deux conteneurs à ordures était à moitié ouvert. David le souleva entièrement. La puanteur des légumes pourris et des repas avariés lui sauta à la face. Il sortit l'un des sacs-poubelle, puis un autre et un autre encore, jusqu'à ce que la fosse ainsi ouverte lui permette d'y plonger le sien. Il le recouvrit avec les sacs qu'il avait extraits et referma le couvercle autant que possible.

Lorsqu'il leva les yeux vers les balcons, il vit sur l'un d'eux un homme qui fumait accoudé à sa rambarde. Il devait se trouver là depuis un bon moment. David le salua d'un hochement de tête et rentra chez lui.

Il était à peine revenu chez lui que la sonnette retentit. David appuya sur le bouton d'ouverture de la clenche et attendit en haut de l'escalier.

Marie était un peu hors d'haleine. Il la prit dans les bras et ils s'embrassèrent. Ils ne se laissèrent pas déranger lorsque Mme Haag ouvrit sa porte, poussa un petit « Oh ! » et referma.

Lorsqu'il accompagna enfin Marie dans l'appartement, elle demanda :

— Tu as signé ?

— Non.

— Pourquoi ?

Elle avait l'air soucieuse.

— Je voulais que tu sois là.

17

Myrtha n'était pas le genre de mère à laquelle on présente son nouveau compagnon dès que l'on a le sentiment que l'affaire pourrait devenir sérieuse. Au contraire : Marie faisait tout pour éviter les rencontres entre ses amis et Myrtha, qui avait tendance à moins les regarder avec les yeux d'une belle-mère virtuelle qu'avec ceux d'une rivale. Ce n'était pas que Marie eût craint la concurrence de Myrtha. Il s'agissait plutôt, pour elle, d'éviter à sa mère de se rendre ridicule.

C'est la raison pour laquelle Marie et David ne se demandèrent jamais chez lequel des deux ils allaient se retrouver. Lorsque le lycée ou le travail le leur permettaient, ils se rencontraient en fin d'après-midi, jusqu'à ce que David prenne son service. Les soirs où il ne travaillait pas, Marie passait la nuit chez lui. Le vendredi et le samedi, dans la plupart des cas, elle se rendait à l'Esquina et attendait l'instant où il pourrait s'en aller.

Les premiers temps, ses passages à l'Esquina avaient été désagréables. Ralph Grand n'avait pas digéré sa double défaite – amoureuse et littéraire – avec sa nonchalance habituelle. Il appelait haineusement David et Marie « le Flasque et la Prune » et traitait David d'une manière encore plus condescendante qu'avant. Elle ne s'y rendait que pour être près de David.

Le comportement de Ralph, qui contamina naturellement toute la clique, n'affectait apparemment pas David. Marie le soupçonna même de jouir de la situation et de savourer son triomphe avec la retenue qui le caractérisait.

David paraissait étrangement indifférent à la publication de son propre projet de livre. Karin Kohler avait beaucoup travaillé sur le manuscrit et, sans l'intervention de Marie, il aurait accepté toutes ses corrections.

La directrice littéraire faisait par exemple la chasse à tout ce qui ressemblait, même de loin, à un helvétisme. En expliquant que David n'avait pas besoin de « spéculer sur l'effet Émile ». Marie estimait que ces coupes effaçaient une partie de l'atmosphère petite-bourgeoise de la Suisse des années cinquante. David donnait l'impression de s'en moquer.

Karin Kohler élimina aussi les répétitions auxquelles, selon Marie, le roman devait une bonne partie de son intensité. Cela ne sembla pas le déranger non plus.

Marie s'étonnait. David était certes le premier écrivain qu'elle connût personnellement, mais elle avait lu dans de nombreuses biographies que ceux-ci défendaient bec et ongles le moindre de leurs mots. Elle trouvait du reste tout à fait normal qu'un artiste protège l'authenticité de son œuvre. Lorsqu'elle en parla à David, il dit qu'il avait confié le bébé à d'autres mains que les siennes, et que c'était à elles de voir ce qu'elles en feraient.

Elle se contenta de cette explication. Elle l'admirait secrètement pour cette impassibilité. Il faisait peut-être partie des écrivains qui se protégeaient contre la critique de leur œuvre achevée en se plongeant dans la suivante.

Il défendit une seule modification. Elle concernait le nom des protagonistes. Peter Landwei devait être rebaptisé Peter Kramer, et Sophie prendre le prénom de Martha.

— Tu ne peux tout de même pas appeler ton roman *Martha, Martha* ! avait protesté Marie. On dirait un air d'opéra. « *Martha ! Martha ! Tu as disparu !* »

— Elle a effectivement disparu, avait-il répliqué.

Mais ils avaient fini par tomber d'accord pour l'appeler Lila. *Lila, Lila* sonnait encore mieux que *Sophie, Sophie*, estima-t-elle.

Même l'arrivée de la couverture du livre le laissa froid. La grande enveloppe portant le logo de Kubner se trouvait déjà depuis plusieurs jours sur la table de David lorsqu'elle la découvrit.

— Quoi, ça ? C'est la couverture, répondit-il à sa question.

Comme s'il recevait quotidiennement des projets de couverture pour ses romans.

Le motif était une photo des années cinquante, en noir et blanc. Un couple sur une moto. Lui regardait la route, droit devant lui, l'air grave. Elle était assise sur le siège, derrière lui. Elle lui tenait la taille du bras droit ; de la gauche, elle tentait de dompter ses jupons. Ses cheveux battaient au vent, et elle lançait la tête en arrière, elle riait. Dans le ciel, au-dessus de la moto, on lisait en grandes lettres rouges : DAVID KERN. Dans l'asphalte, sous les pneus, dans les mêmes caractères, LILA, LILA. Dessous, en lettres blanches et en demi-corps, ROMAN et KUBNER.

— Et tu ne me la montres pas ? s'exclama-t-elle.

David répondit d'un haussement d'épaules.

L'enveloppe contenait un deuxième projet : la quatrième de couverture. On y voyait David devant un mur d'immeuble maculé de tags. Il portait sa veste molletonnée et affichait son sourire sérieux, celui qui était censé lui donner l'air plus âgé. On lisait, contre la marge droite de l'image : « Photo : Roland Meier / ADhoc. » Marie avait demandé à Rolli qui, à l'instar de nombreux graphistes, nourrissait aussi des ambitions photographiques, de réaliser le portrait de l'auteur. Il avait un peu hésité, craignant sans doute la réprobation de Ralph.

L'illustration accompagnait une brève biographie qui présentait David comme le jeune écrivain peut-être le plus prometteur du pays, et précisait qu'il gagnait sa vie en exerçant différents petits boulots.

C'est le résumé du livre qui occupait la majeure partie de la page :

> « *Lila, Lila* est l'histoire d'un premier amour. Elle se déroule dans les années cinquante, époque où la famille, l'État et la société détenaient et exerçaient encore du pouvoir sur l'amour d'un jeune couple. Peter, vingt ans, tombe amoureux de Lila, qui n'en a que seize. Les parents de la jeune fille s'opposent à cette liaison et placent Lila dans un pensionnat de jeunes filles. David Kern dépeint avec une sincérité bouleversante la douleur de la séparation vécue par Peter, désespéré. Cette douleur se reflète dans les images étouffantes de l'ambiance répressive des années cinquante, et dans des lettres d'amour émouvantes. Lorsque Lila revient enfin du pensionnat, elle n'est plus la même. L'histoire de Peter et Lila prend un nouveau tournant. "Mon Dieu, écrit l'auteur au début de son premier roman, faites qu'elle ne se termine pas tristement." »

Marie sauta au cou de David et l'embrassa. David n'avait aucun mal à aller au-devant de cette manière d'exprimer sa joie.

— « Le jeune écrivain peut-être le plus prometteur du pays », c'est plutôt gênant, dit-il lorsqu'ils se furent détachés l'un de l'autre.

— C'est de la publicité, toutes les quatrièmes de couverture sont comme ça, et personne ne les prend au sérieux, répondit-elle pour le rassurer.

Constater que David gardait, malgré tout, les pieds sur terre ne lui déplaisait pas. D'autres, elle comprise, auraient décollé et risqué un atterrissage brutal. Mais parfois – maintenant, par exemple –, son flegme lui tapait tout de même sur les nerfs. Il donnait l'impression de ne faire tout cela que pour ses beaux yeux à elle. Ils avaient interverti leurs rôles. C'est elle qui perdait son calme au fur et à mesure qu'approchait la date de parution. Et c'est lui qui la tranquillisait.

Par un après-midi qui ressemblait déjà presque au plein été, en ce mois de mai d'ordinaire froid et pluvieux, l'inévitable était arrivé : Myrtha et David s'étaient rencontrés. Marie avait un après-midi de libre, et ils comptaient se rendre au Landegg, un bassin aménagé dans le lac. David passa la prendre chez elle, comme il l'avait déjà fait assez souvent. L'après-midi, en règle générale, Myrtha était au travail.

Mais ce jour-là, elle ne se sentait pas bien et rentra chez elle. Au moment précis où Marie refermait la porte de l'appartement, elle sortit de l'ascenseur. Marie n'eut d'autre solution que de lui présenter David.

— Tiens, l'écrivain ! dit Myrtha. Le voilà enfin en chair et en os. Marie vous cache !

Au bord du lac, David remarqua :

— Elle a une belle allure, ta mère, pour une femme de plus de quarante ans.

133

— Si tu la voyais sans la grippe !

Ce fut un après-midi de plage, comme dans l'enfance de Marie. Ils restèrent couchés sur des serviettes-éponge aux couleurs vives, tantôt au soleil resplendissant, tantôt à l'ombre des saules aux feuilles encore vert tendre, ils étalèrent plus longtemps que nécessaire de la crème solaire sur leurs corps tout blancs, mangèrent des gâteaux aux noisettes achetés à la guérite, burent des Orangina tièdes et écoutèrent, les yeux mi-clos, le brouhaha des voix et des radios portatives. De petits bateaux sillonnaient le lac et dans le ciel de petits avions dessinaient des lignes de vapeur.

— À quoi penses-tu ? demanda Marie.

— À quoi penses-tu que je pense ?

— À ce à quoi pensent tous les écrivains.

— C'est-à-dire ?

— Au prochain livre.

David se tut.

— J'ai raison ?

— Presque.

— Alors à quoi ?

— À ce à quoi je pense tout le temps.

— C'est-à-dire ?

— À toi.

— Je suis là.

— Mais j'ai les yeux fermés.

— Eh bien, ouvre-les.

David ouvrit les yeux.

— Et maintenant ? À quoi penses-tu ? demanda-t-elle.

— À toi.

— Mais maintenant tu me vois.

— Justement.

Elle se pencha au-dessus de lui et l'embrassa longuement.

Le soir, lorsque Marie arriva dans l'appartement, gorgée de soleil, Myrtha, en pyjama, robe de chambre et fichu, attendait que l'eau de son tilleul soit chaude.

— Il n'est pas un peu jeune, ton écrivain ?

— Il a le même âge que moi, quelques mois de moins.

— Vraiment ? Je lui aurais donné dix-huit ans, au maximum.

— Et lui t'aurait donné la cinquantaine.

Marie ne savait pas pourquoi elle avait dit cela. Elle n'avait pas rendu service à David. Désormais, Myrtha ne l'appela plus que « le gamin ».

David ne commença à devenir nerveux que lorsqu'on commença à parler de la réception pour la sortie du livre. Karin proposa de l'organiser non pas à Francfort, mais dans l'environnement personnel de David. Elle escomptait un bien plus grand écho qu'à Francfort, où quelques réceptions de ce type avaient lieu chaque soir en cette saison. Elle lui demanda s'il voyait un bar capable de faire l'affaire. Peut-être justement celui où il travaillait. Peut-être en dehors des heures normales d'ouverture.

Marie trouva splendide l'idée de célébrer le grand triomphe de David sur le lieu de ses nombreuses petites défaites. Elle ne le dit naturellement pas en ces termes.

— Un match à domicile, commenta-t-elle. Rien ne peut t'arriver de mieux que de te produire devant ton propre public. Imagine que tu doives te présenter dans une librairie, devant plein d'inconnus.

David, lui, avait une objection de principe :

— Le contrat ne parlait pas de lectures-signatures à la sortie du livre.

— Parce que ça va de soi. Ces premières lectures font partie de la promotion. Et tu dois y participer dans la mesure de tes possibilités, c'est dans le contrat.

David se tut.

— De sept à neuf. Quelques journalistes, des libraires, des amis, tout cela très familial. Tu fais une demi-heure de lecture, ensuite apéritif et *small talk*.

— Je lis quoi ? Des passages du livre ? Certainement pas !

— Comme tu veux. En tout cas, je trouve que l'Esquina est une bonne idée.

David réfléchit. Puis il secoua résolument la tête.

— Un cocktail sur mon lieu de travail, ça fera définitivement de moi un garçon de café écrivain.

À cela, Marie ne sut pas quoi répondre.

18

La salle n'avait pas de fenêtre, sans quoi David l'aurait empruntée pour s'enfuir. La seule issue était la porte, et elle donnait directement sur la librairie. Partout ailleurs, les étagères montaient jusqu'au plafond. Elles étaient remplies de livres, de dépliants fournis par les éditeurs, de boîtes à fiches, de rouleaux d'affiches, de mobiles et autres serre-livres, le tout défraîchi ou jamais utilisé. Au sol s'empilaient les cartons de livres récemment livrés. Sur l'un d'entre eux, des gobelets de café avaient laissé leur trace. Il n'était pas ouvert et portait cette inscription à l'encre rouge : « Enfin : vos exemplaires personnels gratuits pour l'automne ! »

Assis sur une chaise pliante, David serrait son livre entre ses mains. Il aurait dû suivre l'idée de Marie qui avait proposé d'organiser le vernissage dans l'un des décors de *Lila, Lila*. Au zoo, par exemple. Ou dans le Parc aux Cerfs. Il aurait pu décamper si nécessaire. Mais après avoir victorieusement repoussé le projet d'organiser la lecture à l'Esquina, il avait laissé à Karin Kohler le choix du lieu de la manifestation. Et celle-ci avait dit : « Je ne connais pas vraiment votre ville, mais le représentant chargé de votre secteur a estimé qu'il fallait choisir un cadre réduit et familial. Il a proposé la librairie Graber, vous la connaissez ? »

David ne la connaissait pas, mais il s'y trouvait à présent ; d'un moment à l'autre, la porte allait s'ouvrir, on le ferait sortir, il devrait lire à voix haute les pages dix-huit à vingt et un, puis les pages cent quarante-deux à cent quarante-neuf.

Cette affaire de lecture avait été la source de sérieux débats. D'abord, David avait strictement refusé de lire ne fût-ce qu'une ligne. Mais lors d'une visite à Francfort, il s'était laissé attendrir. Pour être honnête, il n'avait pas fallu longtemps avant que Karin Kohler, qu'il appelait désormais Karin, emportât le morceau.

Il avait peu d'arguments à lui opposer. Même sur la question de son hébergement, il lui avait déjà cédé pendant le trajet de la gare au parking. Bien qu'il ait envoyé à la demande de Marie un courriel où il exprimait son souhait d'être logé à l'hôtel. Un texte un peu codé, peut-être – « Inutile de passer me prendre, je peux me rendre directement à l'hôtel si vous me donnez l'adresse » –, mais sans équivoque.

En rejoignant la voiture, elle lui expliqua :

— Francfort est une ville de foires, tous les hôtels sont complets la plupart du temps. Mais dormir de nouveau chez moi ne devrait pas vous poser de problème, maintenant que vous connaissez les lieux ?

Avant même qu'ils n'arrivent à l'appartement, elle le tenait si bien qu'il ne vit « sur le principe » aucune objection à une brève lecture. La seule résistance qu'il lui opposa concernait le choix des passages. Il l'emporta même sur la question des lettres d'amour. Elle reconnut qu'il n'était pas forcé d'en lire une. Son argument – il était déjà suffisamment gêné comme ça – ne l'avait pas convaincue, mais il l'avait peut-être émue.

Ils étaient tombés d'accord sur un passage situé au début du roman : le premier rendez-vous chez Stauber, au salon de thé. Et sur un autre, vers la fin : la scène où Peter, sous la pluie battante, est assis sur sa moto devant la maison des parents de Lila et imagine ce qu'elle est en train de faire.

Karin le persuada de lui lire les passages en question. Il s'installa à la table de la salle à manger et balbutia son texte. Elle l'écouta depuis son canapé et ne broncha pas.

— Vous voyez bien, maintenant, que ça ne va pas ? demanda-t-il lorsqu'il eut enfin achevé sa lecture.

— Bien sûr que ça va. Lisez-le encore deux ou trois fois à voix haute à votre compagne, et ça ira parfaitement.

Et il avait effectivement trouvé le courage de lire ces extraits à Marie. Elle l'avait inquiété en lui faisant des remarques du type : « Tu es écrivain, pas comédien » ou « Dürrenmatt non plus ne parlait pas un allemand de théâtre classique ».

L'élocution n'était pas le souci principal de David. Ce qu'il craignait, c'était le black-out complet. L'incapacité de desserrer les lèvres. Ou pire encore : la bouche qui s'ouvre mais ne laisse pas sortir le moindre bruit. Rester là, bec ouvert, à regarder fixement les visages. Sans que rien ne sorte. Comme en rêve, lorsqu'il voulait appeler au secours et qu'aucun son ne s'échappait de sa gorge.

Ou bien il lirait et, tout d'un coup, s'entendrait lire comme si c'était un autre. Il ne pourrait plus écouter que celui-là. Au bout de deux ou trois phrases au maximum, il aurait perdu le fil, et ce serait le black-out.

Cela lui était déjà arrivé. Au lycée, quand il faisait un exposé, par exemple. À l'époque, le public était constitué par les élèves de sa classe – et Dieu sait qu'il les connaissait.

Mais ce n'était encore rien par rapport au pire de

ses cauchemars : il lisait sans trou de mémoire, sans s'entendre lire, il lisait aussi bien que possible, jusqu'à ce que tout d'un coup, quelqu'un se lève et dise :

— Eh ! Je connais ce truc-là. Ce n'est pas de lui, c'est d'Alfred Duster.

La porte s'ouvrit et Mme Graber entra. Elle lui lança un sourire encourageant.

— Il va y avoir plus de vingt personnes. C'est très, très bien pour une première lecture. Avec ce temps magnifique. La presse est là aussi. Nous attendons encore cinq minutes pour les retardataires. Nerveux !

Un peu, oui, voulut répondre David, mais rien ne vint. Il toussota :

— Un peu, oui.

— C'est normal pour les trente premières lectures, dit Mme Graber en riant. Reprenez une gorgée de vin, ça aide.

David obéit.

Mme Graber était une femme mince, elle devait avoir la soixantaine. Elle portait sa chevelure grise coupée court et toute plate, comme un bonnet de chauffeur de décapotable. Sa robe noire en forme de sac était tenue à l'épaule droite par une broche en argent assortie à ses grandes boucles d'oreilles.

— Je vous ai préparé de l'eau minérale. Sans bulles, à cause des rots.

Ça, elle l'avait déjà dit une fois. Une idée traversa l'esprit de David : elle est peut-être aussi nerveuse que moi. Son cœur fit un bond. Il lorgna la montre de la libraire, mais il ne put lire l'heure : sur le grand cadran noir, on ne voyait que deux aiguilles, mais ni chiffres ni traits.

Ils restèrent silencieux pendant une ou deux minutes. Lui assis, elle debout. C'est elle, ensuite, qui regarda sa montre. Le pouls de David se mit à battre à toute vitesse.

— Bon, je crois qu'il faudrait y aller. Vous êtes prêt ?

David se leva, étonné de constater que ses jambes le portaient. Avant que Mme Graber n'ouvre la porte, elle se retourna encore une fois et chuchota « *Toï, toï, toï* ». Comme s'il n'était pas déjà assez nerveux comme ça.

La première chose que remarqua David fut le nombre important de chaises vides. Il ne savait pas s'il devait en être déçu ou soulagé. La deuxième, c'était Ralph Grand. Adossé à une étagère, il affichait son sourire le plus narquois. David se dépêcha de regarder ailleurs.

Le premier rang était vide, mis à part une vieille dame. Elle le regarda avec un sourire si bienveillant qu'il sentit ses genoux flancher. Il constata alors qu'ils n'avaient pas décidé s'il devait s'asseoir tout de suite ou attendre, debout, que Mme Graber ait terminé sa petite introduction – « Ne craignez rien, ça ne sera pas un long sermon ».

Mme Graber salua l'assistance et remercia les auditeurs d'être venus malgré ce beau temps. Elle se réjouissait tout particulièrement, dit-elle, d'être la première à pouvoir présenter ce jeune homme prometteur et ses débuts en littérature. Elle avait aussi le plaisir, grâce à la générosité des éditions Kubner, d'inviter toutes les personnes présentes à boire un verre et à manger quelques amuse-gueule. Elle se réjouit ensuite de pouvoir annoncer la prochaine manifestation : une lecture, par le célèbre comédien Ruud Martens, du livre de Wolfgang Borchert *Dehors devant la porte*. Mais elle laissait pour l'instant la parole à David Kern.

Un battement de mains énergique déclencha les maigres applaudissements du public. David en identifia l'auteur : c'était Karin Kohler. Marie était assise à côté d'elle. Une fois de plus, le cœur de David fit un bond. Il prit place et ouvrit son livre au premier marque-page.

> *Le salon de thé Stauber se trouvait tout près de la patinoire, c'est pour cette raison que Peter l'avait proposé. Il était connu pour servir les plus gros gâteaux aux noix de la ville, c'est pour eux que les patineurs passaient devant la boutique. Bien que le propriétaire du kiosque près de la patinoire n'ait pas aimé que l'on apporte son repas.*

David avait lu ce paragraphe d'un seul trait. Il inspira alors profondément. Cela ressembla à un soupir. Il eut l'impression d'entendre un rire réprimé. Il se força à continuer à lire.

> *Peter avait un quart d'heure d'avance. Il voulait être sûr d'avoir une table, et pas une table près de la vitrine, où l'on était exposé comme la pâtisserie.*

— Plus fort !

La voix provenait des derniers rangs où étaient assis la plupart des auditeurs. Pourquoi ces idiots ne se sont-ils pas assis plus près ? se demanda David, l'espace d'un instant. Il tenta de parler plus fort.

> *Mais l'heure était à présent passée depuis cinq minutes, et il était toujours assis, seul devant l'Ovomaltine froide qu'il avait été forcé de commander.*

Le mot « rendez-vous » n'allait pas tarder, il avait buté dessus à chaque essai de lecture. REN-DEZ-VOUS, REN-DEZ-VOUS, y a-t-il un mot plus simple ?

142

« Ici, on ne peut pas venir juste se réchauffer sans rien consommer », lui avait dit la serveuse à coive de tendelle...

Pardon...

La coiffe de dentelle ne lui avait jamais posé de problème.

« Ici, on ne peut pas venir juste se réchauffer sans rien consommer, lui avait dit la serveuse à coi-ffe de den-telle, qui ressemblait à une gratimure de gâteau, gar-ni-ture de gâteau lorsqu'il lui dit pour la troisième fois qu'il attendait encore.

Et si elle le laissait seul ici ? Pour leur premier REN-DEZ-VOUS ?

Ouf.

Ce ne serait pas impossible. Elle n'avait pas dit oui tout de suite. Elle avait dit qu'elle devait encore y réfléchir. Puis il s'était tenu à la palissade et l'avait regardée faire des tours avec ses deux amies qui gloussaient. Il fallut qu'il soit lassé d'attendre et qu'il commençât à ôter ses patins à glace sur le banc pour qu'elle se décide à lui lancer : « Allez, c'est d'accord ! »

Regarder le public, regarder le public de temps en temps, Marie n'avait pas cessé de le lui rappeler pendant les répétitions. Il garda le doigt sur les mots « Allez, c'est d'accord ! » et leva les yeux. Son regard s'arrêta sur une femme qui était justement en train de se pencher vers sa voisine et de lui chuchoter quelque chose. David reprit sa lecture.

143

*Rien de plus : « Allez, c'est d'accord. » Peut-
être n'avait-elle pas considéré ces mots comme
un véritable engagement. Peut-être aurait-il dû
lui confirmer le lieu et l'heure. Peut-être
n'avait-il pas paru très intéressé.*

Qu'avait dit la femme à sa voisine ? Certainement
rien de flatteur.
— Plus fort !
Toujours la même voix.

*Mais il la vit ensuite entrer dans la boutique,
regarder autour d'elle et franchir la porte cin-
trée pour passer dans la salle. Elle portait son
manchon en lapin, et sur l'épaule gauche ses
patins à glace avec leurs housses blanches en
tricot. Il se leva, elle avança vers lui et lui tendit sa main tendre, encore chaude du contact
avec la fourrure de lapin. Elle avait des joues
rouges, elle était un peu hors d'haleine.
« Excuse-moi, dit-elle, j'ai raté le tram. »
Elle déboutonna son manteau et s'assit. « Tu
veux que j'accroche ton manteau ? demanda-
t-il.
— Non, je ne peux pas rester longtemps. En
réalité, je n'aurais même pas dû venir.
— Pourquoi pas ? »
Elle roula des yeux. « Les parents. »*

C'est exactement au mot « parents » que cela se
produisit. David commença à se voir lui-même. Il se
vit penché en avant à cette petite table, il se vit lire
d'une voix trop forte quelque chose qu'on ne pourrait jamais lire assez doucement.

Elle commanda elle aussi une Ovomaltine froide. Il la revoyait encore, il revoyait cette fine moustache de mousse restée sur sa lèvre après la première gorgée et qu'elle laissa en place quelques secondes, comme si elle l'avait fait exprès, avant de l'effacer d'un coup de langue.

Il sentit que sa voix commençait à défaillir. Il lorgna le verre d'eau. Mais lorsqu'il voulut tendre discrètement la main dans sa direction, il constata qu'elle tremblait. S'il voulait se servir de cette main pour tenir un verre, il en renverserait la moitié. Il toussota et reprit sa lecture.

Elle resta plus de quelques minutes. Elle lui parla de sa vie, de ses parents, de l'école et de la musique qu'elle aimait. Au milieu d'une phrase, elle se tut, lui fit avec les yeux des signes qu'il ne comprit pas, se leva et sortit. Peter resta assis, ahuri. Alors seulement, il remarqua deux femmes qui s'étaient installées à la table voisine. L'une d'elles suivit Lila du regard. Puis elle se pencha vers celle qui l'accompagnait et lui chuchota quelque chose, avant qu'elles ne le regardent toutes les deux.

Peter fit signe à la serveuse et paya. Avant de partir, il vida lentement l'Ovomaltine de Lila. Du côté où elle avait bu.

Boire, se dit David, peu importe quoi.

19

Marie n'avait encore jamais vu David ivre. Pour sa première lecture, elle eut besoin de toute la soirée pour comprendre ce qui lui arrivait. Il ne montra aucun des symptômes ordinaires, il ne bredouillait pas, il ne titubait pas, il ne parlait pas fort, ne se montrait pas idiot ou ergoteur. Il ne sortit pas non plus de sa réserve, comme le faisaient les gens timides lorsqu'ils avaient bu un verre de trop. Non, David devint solennel. Il se tenait droit comme un piquet, ses mouvements étaient mesurés, il pesait ses mots.

Elle pensa d'abord qu'il adaptait son attitude à l'importance de cette soirée. Bien qu'on n'en ait pas senti grand-chose, estimait-elle. Elle n'avait certes encore jamais participé à une première présentation de livre, mais s'était rendue de temps en temps à des lectures d'auteur. Et la première de David ne résistait même pas à cette comparaison. Une vingtaine de personnes, employés de la librairie compris, du jus d'orange tiède, du vin rouge d'origine douteuse, quelques petits-fours au fromage. Quant à la presse, elle était représentée par la stagiaire d'un quotidien gratuit.

La libraire, la directrice littéraire et elle-même tentèrent de ne pas laisser transparaître leur déception.

Seul David avait l'air satisfait. Sans doute moins de la manifestation en elle-même que d'avoir enfin accompli son pensum.

Elle avait souffert pendant sa prestation. Un jour ou l'autre, d'ici quelques mois, lorsque cette journée ne serait plus qu'un souvenir et les lectures une simple routine, elle lui dirait à quel point il avait été catastrophique. Il parlait trop bas et trop vite, comme si son unique objectif était de se débarrasser de cette séance aussi vite que possible. La seule chose qui bridât son rythme de lecture, c'étaient ses nombreux lapsus, dont chacun lui faisait piquer un fard. Ce que ce jeune homme pataud, devant elle, avait à voir avec le texte qu'il lisait demeurait pour elle un mystère. On avait envie de lui crier : Allez, laisse tomber, viens boire un verre avec nous, on lira ton livre à la maison.

Un jour ou l'autre, elle lui raconterait tout cela, et ils en riraient.

Elle en voulait à Ralph d'être présent. Il n'était pas venu soutenir David, mais le déstabiliser. Il s'était repu de sa prestation, et elle savait qu'il en donnerait une parodie le soir même à l'Esquina.

Tandis que David signait quelques exemplaires – la plupart destinés à la librairie – et répondait à quelques questions de l'unique représentante de la presse, elle discuta avec Karin Kohler.

— C'est toujours comme ça la première fois ? demanda-t-elle, pleine d'espoir.

La directrice littéraire réfléchit. Elle doit se demander quelle dose de vérité je peux supporter, pensa Marie.

— Disons que, la première fois, ça n'est jamais l'idéal.

Marie la dévisagea et attendit la suite. Karin ricana.

— Mais heureusement, il est rare que ça foire à ce

point-là. J'espère que vous pourrez garder ça pour vous.

La librairie se vida tout d'un coup. Mme Graber avait réservé une table au Jäger, le restaurant « où nous allons toujours après ». La table où s'assirent les deux libraires, David, Karin Kohler et Marie, était dressée pour douze personnes. Un détail que David ne parut pas relever.

Il mangea très soigneusement une gigantesque assiette de spaghettis – la spécialité du Jäger. Lorsque l'une des cinq femmes lui posait une question, il baissait sa fourchette, s'essuyait la bouche, réfléchissait à une réponse et la fournissait avec une élocution particulièrement distincte. Même s'il se contentait, ce qu'il faisait dans la plupart des cas, de dire oui ou non.

Lorsqu'il eut vidé son assiette, il but une grande gorgée dans son verre et constata :

— Je crois que je ne suis pas fait pour cette activité.

— Je ne dirais pas cela, le contredit Mme Graber. Pour une première fois, c'était tout à fait respectable, n'est-ce pas ? (Elle regarda autour d'elle et ne vit que scepticisme. Elle tapota le bras de David.) Les clients avec lesquels j'ai discuté ensuite ont tous trouvé ça très bon. La prochaine fois, vous devriez peut-être lire un peu plus lentement et plus fort, ça sera plus clair automatiquement.

Karin Kohler vint à la rescousse.

— Vous verrez, David, à Markheim, ça se passera déjà mieux.

Il finit son vin rouge, s'essuya la bouche et annonça :

— Je n'irai pas à Markheim.

— Bien sûr que vous irez. Il n'y a pas de meilleur exercice qu'un petit voyage de lectures en province.

Vous y trouverez le public le plus reconnaissant. Pas comme dans les grandes villes où il y a cent manifestations par soirée.

David fronça les sourcils avant de s'enquérir :

— Vous croyez que je pourrais encore avoir un peu de vin ?

À cet instant seulement, Marie comprit qu'il était soûl. Mme Graber lança à Karin Kohler un regard interrogateur : c'est la maison d'édition qui payait ? Voyant la directrice littéraire hocher la tête, elle commanda une demi-bouteille supplémentaire de cuvée de la maison.

En revenant, Marie comprit que David, de son pas mesuré, cherchait uniquement à contrôler sa démarche. Il n'y parvenait plus tout à fait. Il lui passa le bras autour des épaules et parut croire qu'elle ne remarquait pas qu'il se servait d'elle comme appui.

Dans son appartement, lorsqu'il dut se tenir sur une jambe pour enlever son slip, il perdit l'équilibre et s'étala de toute sa longueur sur le lit. Marie le couvrit. Elle s'était imaginé ce grand jour d'une tout autre manière.

David murmura :

— Et je n'irai pas à Markheim.

Puis il s'endormit.

20

Markheim n'était pas situé près de l'une des grandes lignes de train. David dut prendre trois correspondances, manqua l'express régional et dut attendre le suivant quarante-cinq minutes.

Mme Bügler, de la librairie, aurait dû passer le prendre à la gare. « Inutile de me chercher, je vous connais par votre photo », avait-elle garanti. Mais lorsque le quai se fut vidé, David y resta seul.

Il prit son portable et composa le numéro de Marie, comme il l'avait toujours fait depuis son départ. Il tomba sur son répondeur. « Voilà, je suis enfin dans ce putain de Markheim, et personne ne vient me chercher. Appelle-moi, tu me manques », laissa-t-il en guise de message.

Il mit son sac de voyage sur l'épaule et descendit vers le hall de la petite gare. Un kiosque, une baraque à saucisses, deux guichets, une boutique aux vitrines vides barrées de l'inscription « À louer » !

Sur un banc était assis un homme en imperméable noir, avec un grand chien. À côté de lui, quelques bouteilles de bière vides. Sur un autre banc, deux jeunes garçons obèses. Chacun mangeait, penché en avant, une pizza dégoulinante.

David emprunta la sortie. Un taxi attendait devant la gare. Adossé à la porte de la voiture, le chauffeur lisait le journal. Il leva brièvement les yeux en voyant David sortir et reprit sa lecture. Personne sur la place de la gare ne ressemblait à une libraire attendant un auteur.

Il s'assit sur un banc et fouilla sa poche pour y retrouver le planning que Karin Kohler lui avait envoyé. Elle avait tout simplement ignoré son refus d'aller faire cette lecture. Et il avait cédé. Surtout à cause de Marie. Il avait le sentiment qu'elle considérait la carrière de David comme son mérite personnel, et son manque d'enthousiasme comme une marque d'ingratitude, d'arrogance ou, ce qui aurait été le pire à ses yeux, de manque d'amour.

L'écho modéré qu'avait suscité la parution de *Lila, Lila* l'avait encouragé. Mis à part l'entrefilet dans le journal gratuit, on avait pu lire dans les pages locales de l'un des grands quotidiens de la ville un petit article et une critique qui reprenait presque mot pour mot le texte de quatrième de couverture. On avait juste eu la miséricorde d'oublier la phrase sur « le jeune écrivain peut-être le plus prometteur du pays ».

Ils s'en tireraient probablement à bon compte. *Lila, Lila* serait noyé parmi les nombreuses autres parutions et retomberait d'ici quelques semaines dans l'oubli où il était resté au cours des cinquante dernières années. Seuls Marie et lui penseraient encore de temps en temps à cette histoire, parce que c'est à elle qu'ils devaient leur amour. Un jour, dans un avenir lointain et commun, il lui avouerait la vérité sur *Lila, Lila*. Et ils en riraient cordialement tous les deux.

Une tournée de lectures en l'absence de tout public lui paraissait constituer un risque mesuré. Car autant il n'avait guère envie de partir, autant il lui plaisait de savoir qu'à l'Esquina, David Kern ne servait pas ces temps-ci pour cause de tournée.

Le fait que celle-ci connaisse un raté dès sa première étape lui parut aussi être un bon signe. Moins il avait de succès, plus il avait de chances que toute cette histoire tombe à l'eau.

Il trouva le numéro de la librairie « Le Monde des Livres ». Une voix de femme lui répondit à l'autre bout de la ligne : « Mme Kolb, Le Monde des Livres, bonjour... »

— Monsieur Kern ? demanda une autre voix de femme, à côté du téléphone.

David leva les yeux. Il avait devant lui une blonde trapue vêtue d'une robe d'été démodée.

David hocha la tête.

— Je crois que je l'ai trouvée, dit-il au téléphone, et il raccrocha.

— Je vous imaginais beaucoup plus petit, expliqua-t-elle en lui serrant la main. Je vous ai vu sur le quai de la gare, mais vous étiez si grand que je n'ai pas fait attention à votre visage. C'est juste maintenant, comme vous étiez assis, que je vous ai reconnu. Je vous propose de vous conduire d'abord à l'hôtel.

Ils montèrent dans une Subaru pleine de poils de chien blancs et rejoignirent l'hôtel Hermann.

— L'hôtel préféré de nos auteurs, précisa Mme Bügler.

La chambre de David se trouvait sous le toit. Depuis sa mansarde, il voyait quelques façades, des toits et un petit fragment du ciel d'été. Une vue similaire à celle qu'il avait de chez lui.

Et quelque chose d'autre lui rappelait son appartement : la salle de bains et les toilettes se trouvaient dans le couloir.

Lorsqu'il descendit à sept heures précises dans le hall d'entrée, bourré de bibelots en cuivre, Mme Bügler attendait déjà.

— La chambre vous convient ? fut sa première question.

— Elle est très bien, répondit-il.

Ils allèrent à pied jusqu'à la librairie. Ce qui lui permettrait de découvrir encore un peu Markheim, commenta Mme Bügler. Elle le guida à travers un enchevêtrement de rues qui menait d'une zone piétonne secondaire à une zone piétonne principale et de là, par une zone piétonne latérale, à la librairie « Le Monde des Livres ». En chemin, elle se plaignit du climat :

— Pour une fois que nous avons un temps d'été, ça tombe le soir où j'ai une lecture.

Lorsqu'ils arrivèrent dans la boutique, elle dit :

— J'espère que ça s'est un peu rempli depuis tout à l'heure.

David sursauta. Une affiche était apposée sur la vitrine, à côté de l'entrée de la boutique. Elle reprenait la photo de la couverture, sans doute agrandie au photocopieur. Et on lisait au-dessus, en lettres manuscrites, chacune d'une couleur différente : « Aujourd'hui, lecture ! ! ! » Et en dessous : « David Kern lit des extraits de *Lila, Lila*. Début à 19 h 30. Entrée libre. »

Lorsqu'ils entrèrent dans la librairie, une femme qui se présenta comme « Mme Kolb, nous nous sommes parlé au téléphone » était en train de replier une rangée de chaises. Un homme qu'elle présenta à la même occasion (« Et voici Karl, mon mari ») l'aidait à les ranger. Mme Bügler conduisit David dans l'arrière-boutique. En passant, il vit un pupitre réglable, avec un verre d'eau et une petite lampe. Les rangées étaient vides, mis à part deux vieilles dames au premier rang.

— Quelques-unes de nos plus belles lectures se sont déroulées dans un cadre très intime, fit Mme Bügler en fermant la porte de la petite pièce qui servait de bureau, d'entrepôt, de salle de repos et de vestiaire du personnel. C'est pour cela que nous réduisons le nombre de chaises lorsqu'il n'y a pas trop de monde.

— Je comprends, dit David.

Après un instant de silence, il lui adressa un sourire encourageant. C'en était trop pour elle.

— Les gens de Markheim sont des veaux, laissa-t-elle échapper. Toute l'année, ils se plaignent qu'il ne se passe rien, et quand on met quelque chose sur pied, ils préfèrent faire griller des saucisses dans leur jardin !

David pouvait comprendre les gens de Markheim. Si « mettre quelque chose sur pied » signifiait le faire venir pour une lecture, lui aussi aurait préféré faire griller des saucisses.

— Cela ne me dérange pas de lire devant un petit public, fit-il pour la consoler.

Mais un peu plus de public n'aurait tout de même pas fait de mal. Hormis les deux vieilles dames, il n'y avait que Mme Kolb et son époux, deux jeunes filles dont David soupçonna qu'elles étaient des employées de la librairie, un jeune homme qui se comportait comme l'ami de la première, et un couple d'âge mûr, l'air intellectuel.

David s'installa devant le pupitre. Il lui arrivait juste au-dessus des hanches : Mme Bügler l'avait réglé à la taille du petit homme qu'elle s'était attendue à accueillir. D'un regard, il implora son aide.

Mais il n'avait aucun secours à attendre de Mme Bügler. Il était en train de lui arriver ce que David avait le plus redouté pour lui-même : elle tenait à la main une feuille sur laquelle elle avait noté sa « brève introduction, n'ayez pas peur, je ne parlerai pas longtemps », et ne parvenait pas à produire le moindre son.

David la regarda de côté et vit de minuscules perles de sueur sur sa lèvre supérieure. Elle regardait fixement sa feuille de papier, la bouche entrouverte. Puis elle se tourna vers lui et le désigna, pitoyable, de sa main libre, comme l'aurait fait un conférencier. Mais sa voix ne fonctionnait toujours pas.

Devait-il sauver la situation en se mettant à lire, tout simplement ? Il ouvrit le livre au premier passage et constata que lui non plus ne pourrait pas prononcer le moindre mot.

— D'habitude, je n'ai pas la larme facile, mais le passage où Lila et son amie passent devant Peter sans lui accorder un regard... J'ai failli me mettre à sangloter.

L'épouse à l'air intellectuel regarda son mari jusqu'à ce que celui-ci hoche la tête.

— J'ai rarement vu Gudrun lire un livre les larmes aux yeux. Moi, je ne voulais pas le lire. Je n'aime pas les histoires tristes.

Gudrun reprit la parole :

— Mais je lui ai dit : Bien sûr, c'est triste, mais c'est beau. Triste mais beau.

— Triste mais beau, confirma Mme Kolb.

Son mari à elle ne l'avait pas encore lu, mais comptait s'y mettre le soir même.

Ils étaient installés à la Cave Profonde, le bistrot préféré des auteurs de Mme Bügler, buvaient un peu de vin et mangeaient des broutilles. Mme Bügler avait commandé une assiette de la cave pour six, « on n'en a pas plus quand on commande pour dix ». L'assiette de la cave était un plateau de charcuterie agrémenté de quelques fumaisons. C'était tout juste ce qu'il fallait pour six personnes, estima David, qui n'avait encore rien mangé.

Le public de la lecture de David était presque rassemblé au grand complet dans la crypte enfumée. Il n'y manquait que les deux dames âgées du premier rang. Deux vieilles filles qui ne manquaient jamais une lecture, avait expliqué Mme Bügler. Elles avaient créé un peu d'hilarité au début de la soirée, lorsque la plus sourde des deux avait hurlé à l'autre : « Ça recommence, je ne comprends pas un mot ! » et que sa sœur lui avait répondu en criant : « C'est normal, il ne dit pas un mot ! »

Ce dialogue avait délivré la langue de David de sa paralysie, et il avait lu d'une manière qui lui paraissait très supportable. En tout cas, il franchit sans incident les écueils de la coiffe de dentelle, de la garniture de gâteau et du rendez-vous.

Mme Bügler avoua à David qu'il lui arrivait assez souvent de ne pas pouvoir prononcer le moindre mot quand elle présentait un auteur. Elle organisait des lectures depuis près de quinze ans, mais le trac ne cessait d'empirer.

David aurait aimé qu'elle garde ça pour elle. Il aurait aussi apprécié d'autres choses. Par exemple que l'épouse intellectuelle cesse de lui expliquer *Lila, Lila*. Ou que quelqu'un dise à Mme Kolb qu'elle avait un morceau d'œuf au coin des lèvres. Ou que la jeune stagiaire potelée et esseulée cesse de le regarder comme un insecte rare. Ou que l'époux intellectuel – il enseignait au lycée professionnel de Markheim – n'avale pas la dernière des six tranches de viande fumée. Ou que Mme Bügler n'ait pas apporté son livre d'or.

Sur la double page précédant celle réservée à David, on avait collé une coupure de presse. Un assez long article intitulé « Salle comble pour Georg Rellmann », illustré par le portrait d'un fumeur de pipe grisonnant prenant une pose songeuse. La légende indiquait : « G. Rellmann est venu communiquer gravité et gaieté en racontant ses souvenirs d'une vie de comédien bien remplie. » L'article commençait par cette phrase : « Pour des raisons liées aux règles de sécurité contre les incendies, la propriétaire des lieux, K. Bügler, n'a pas voulu indiquer le nombre précis des visiteurs qui, par cette magnifique soirée de juillet, se pressaient à la librairie "Le Monde des Livres" de Markheim... »

Face à la coupure de presse, l'auteur, d'une écriture pleine d'allant, avait porté ces mots : « S'il m'avait été donné, dans ma carrière de comédien, d'avoir toujours un public comme celui qui m'a accueilli en tant qu'écrivain à Markheim ! Merci, merci ! Georg Rellmann. »

Désespéré, David cherchait une idée sous les regards de l'assistance. L'époux intellectuel prit la dernière tranche de viande fumée en prononçant la phrase « Si ça ne trouve pas preneur... ». Lorsque David lui lança un regard, il lui répondit avec un sourire : « Ce n'est pas moi qu'il faut observer. L'écrivain, c'est vous ! »

Mme Bügler tenta de l'aider :

— Ça n'est pas forcément quelque chose de littéraire, juste ce qui vous vient à l'esprit.

David écrivit : « En souvenir d'une lecture inoubliable. Cordialement, David Kern. »

L'épouse intellectuelle – elle travaillait dans le secteur pédagogique, David n'avait pas compris ce qu'elle y faisait exactement – regarda par-dessus son épaule et dit :

— Une belle pensée. Se souvenir de quelque chose d'inoubliable. Très subtil.

À onze heures, David était revenu à l'hôtel. On lui avait donné une clef du portail, au cas où il reviendrait après vingt-deux heures.

Il entra dans le hall obscur et alluma la lumière.

L'odeur du cendrier plein qui se trouvait à côté de la réception emplissait la pièce. Il fallait traverser la salle du petit déjeuner pour rejoindre l'escalier. Les tables étaient mises et le buffet à moitié préparé. Deux cruches de jus de fruit en verre étaient posées à côté d'un plateau de fromage recouvert d'un film de protection.

Il monta les quatre marches qui conduisaient à sa chambre et s'assit sur le lit court et étroit, le seul endroit où il pût s'asseoir.

Il ne lui restait plus que quatre bourgades à faire, Bornstadt, Staufersburg, Plandorf et Mitthausen. Ensuite, il pourrait de nouveau serrer Marie dans ses bras.

21

Une vieille femme portant un sac en plastique usé se tenait sur la rive ; elle tentait d'en répartir équitablement le contenu entre les canards. Elle négligeait les plus insolents, ceux qui se hasardaient jusqu'à ses pieds, et lançait les morceaux de pain aux plus timides, ceux qui se dandinaient au bord de la rivière et qui, à peine avaient-ils attrapé un morceau, se le faisaient disputer par les plus aguerris.

Main dans la main, David et Marie passèrent devant la femme et répondirent à son sourire, l'air compréhensifs. L'étroit chemin sur la berge était jalonné de peupliers. Ils devaient constamment se ranger sur le bord pour laisser passer les vélos. La voie était pourtant réservée aux piétons.

C'est David qui avait eu l'idée de la promenade au bord de la rivière. Il connaissait ce chemin depuis l'époque où il faisait encore du jogging et où il pestait contre les promeneurs qui prenaient toute la largeur du chemin. Le lieu lui paraissait idéal pour l'entretien qu'il désirait avoir avec Marie. Il s'agissait de sa carrière d'écrivain. Il voulait l'informer avec précaution du fait qu'il n'avait pas l'intention de la prolonger. Et en fonction de sa réaction, il lui dirait peut-être même toute la vérité.

Il avait fourni à Marie un rapport réaliste sur sa

petite tournée de lectures; elle l'avait écouté avec un mélange de compassion et d'amusement. Ils marchaient à présent en silence, l'un à côté de l'autre.

— Ça n'est pas fait pour moi, Marie.

— Les tournées de lectures? Ça fait partie du métier.

— Écrivain.

Elle éclata de ce rire rauque qui avait tellement manqué à David au cours des journées précédentes. Puis elle lui souleva la main jusqu'à sa bouche et lui en embrassa le revers. Elle considérait manifestement qu'elle avait ainsi fait le tour de la question.

— Je suis sérieux, ça n'est pas un métier pour moi.

Un couple vint à leur rencontre, lui aussi main dans la main. David voulut lâcher celle de Marie et continuer à avancer derrière elle. On ne pouvait pas se croiser à plus de trois. Mais Marie lui tint fermement la main.

— Pourquoi toujours nous? Que les autres nous laissent la place, pour une fois!

Les autres étaient plongés dans une conversation et ne faisaient pas mine de libérer le chemin. David ne résista pas. Lorsqu'ils furent presque à la même hauteur, il quitta le côté de Marie. Le couple continua son chemin sans faire attention à eux. Lorsqu'il reprit la main de Marie, il dit:

— Voilà la différence entre un écrivain et un garçon de café. L'écrivain n'aurait pas cédé la place.

Marie leva les yeux vers lui et secoua la tête en souriant:

— On reconnaît un écrivain à ce qu'il écrit. Pas à la manière dont il se promène.

Lorsqu'ils s'étaient réveillés, aux alentours de dix heures, ce dimanche matin, le soleil brillait. Mais depuis, le ciel s'était couvert de nuages qui annonçaient la pluie. Une famille pique-niquait au bord de la rivière et faisait comme si le climat ne la concernait en rien. La mère étalait le contenu d'une glacière sur une nappe tigrée, le père attisait le charbon de bois, un enfant en bas âge, dans une poussette, suçotait ses orteils, et un petit garçon lançait des cailloux dans l'eau.

— Écrivain, ça n'est pas un métier comme architecte ou électricien. Il n'y a pas de stage d'essai qui te permettrait de faire autre chose si ça ne te plaisait pas. On est écrivain parce qu'on est forcé d'écrire.

Ça ferait une bonne maxime, songea David.

— Je sais.

Marie s'arrêta, passa les bras autour du cou de David et le regarda dans les yeux.

— Excuse-moi, j'oublie à qui je parle. Bien sûr que tu le sais.

Ils s'embrassèrent jusqu'à ce que la sonnette d'un vélo les force à se détacher l'un de l'autre et à se ranger sur le bord du sentier. Un couple passa devant eux, sur des vélos neufs, vêtu de tenues de cycliste identiques.

— Le chemin est interdit aux deux-roues! cria Marie dans leur dos.

David passa le bras autour de ses épaules et ils reprirent leur marche. Deux hommes au visage cramoisi se tenaient sur un ponton et consacraient toutes leurs forces à faire remonter une grosse embarcation à contre-courant de la rivière, le long du rivage. Sur le talus, un gros homme armé d'un chronomètre criait : « Hooo-hop! Hooo-hop! »

— Tu n'as pas le droit de te décourager. C'est toujours comme ça avec les premiers livres. Il faut qu'on les découvre. On n'a toujours pas découvert *Lila, Lila*. Mais je suis sûre que ce n'est qu'une question de temps.

Pourvu qu'elle se trompe, songea David.

Devant eux, un couple de personnes âgées avançait

encore plus lentement qu'eux. La femme s'était accrochée à son mari, et ils discutaient en observant de longues pauses.

— Depuis combien de temps sont-ils ensemble, ces deux-là ? demanda Marie.

— Trente ou quarante ans, certainement.

— Et ils continuent à se parler.

— Nous le ferons aussi, dit David.

Marie passa le bras autour de ses hanches et le serra contre elle.

Ils traversèrent la rivière près d'un petit barrage. « Baignade interdite ! Danger de mort ! » lisait-on en lettres rouges sur un panneau blanc. Ils s'appuyèrent sur la rambarde et regardèrent les embruns marron clair à la sortie de l'écluse. Un vêtement bleu, une veste ou un pull-over, émergea du tourbillon, dansa au-dessus pendant quelques instants avant d'être de nouveau entraîné vers le bas.

— Continuons, demanda Marie.

Sur l'autre rive, ils remontèrent à contre-courant et se dirigèrent de nouveau vers la ville. Ils passèrent devant quelques jardins ouvriers et devant le club-house en bois de l'association nautique à laquelle appartenaient, sans doute, les pilotes du ponton qu'ils avaient croisés tout à l'heure. Un homme tirait de la bière d'un petit fût en aluminium. Il flottait une odeur de saucisses grillées.

— Ça tombe ! s'exclama quelqu'un, et déjà de lourdes gouttes claquaient sur l'asphalte poussiéreux du chemin des berges, devant David et Marie.

Ils prirent leurs jambes à leur cou.

David voulut d'abord courir à un rythme retenu et réfléchi. Mais Marie était rapide. Elle ne courait pas comme une jeune fille, mais filait à grandes enjambées. Il ne la rattrapa que devant l'entrée de la buvette. Ils atteignirent une table avant l'afflux des clients installés dans le jardin, qui tentaient à présent de sauver de la pluie leur personne, leur verre, leur bouteille et leur assiette.

— Je ne savais pas que tu t'entraînais au sprint, fit David, le souffle court.

— Il y a encore beaucoup de choses que tu ne sais pas.

Marie, elle aussi, était hors d'haleine. Ses cheveux lui collaient à la tête, formant des mèches trempées, et l'effort lui avait teint les joues en rouge. L'un et l'autre lui allaient admirablement, estima David. Il lui prit la main.

— Mais moi, je veux tout savoir.

— Tout ?

— Tout.

— Ça va durer une éternité.

— Tant mieux.

Marie sourit.

— Mais moi aussi, je veux tout savoir.

— Ça durera aussi une éternité.

— Dans ce cas mieux vaut commencer tout de suite. Aucun secret ?

— Aucun.

Ils se turent tous les deux.

Tandis que David cherchait encore la bonne entrée en matière, un serveur s'approcha de la table et prit leur commande.

— Une Ovomaltine froide, demanda Marie.

— La même chose, dit David.

Lorsque le serveur se fut éloigné, Marie commenta :

— Un petit hommage à Lila et Peter. Sans eux, nous ne serions pas ici maintenant.

Cela suffit à dissuader David.

C'est ainsi que Marie et lui passèrent la journée où parut la critique de *La République du dimanche*.

22

Entre cinq heures et cinq heures et demie, Jacky disposait de la salle d'eau pour lui tout seul. Il se faufila hors de la pièce avant que les autres ne se mettent à tousser.

Si on lui avait demandé ce que lui inspirait le mot « foyer pour sans-abri », il aurait répondu « la toux ». On s'endormait au bruit de la toux de ses compagnons de chambrée, on se réveillait avec leur toux, on prenait son petit déjeuner au rythme de la toux de ceux qui prenaient le leur.

Jacky était toujours heureux de se réveiller avant les autres. Pas seulement à cause de la toux. Il pouvait alors choisir la plus propre des huit cuvettes de WC séparées par une planche montant à hauteur de mollets, et vaquer à son occupation sans être dérangé par des odeurs et des bruits inconnus. Il pouvait se raser et se laver les dents sans avoir à détourner constamment le regard des expectorations de ses voisins de lavabo. Et surtout : il pouvait prendre une douche brûlante. Le foyer Saint-Joseph avait en effet été construit à une époque où l'on prenait rarement des douches dans ce genre d'établissements, et où un chauffe-eau de cent litres suffisait amplement.

Jacky prenait une douche par jour. Il était déjà assez pénible d'habiter dans un foyer pour sans-abri, il n'était pas nécessaire d'en donner aussi l'impression. L'institut Saint-Joseph offrait la possibilité de faire laver son linge, et il en profitait régulièrement. Et comme il était en bons termes avec Mme Kovacic, elle le laissait se servir du fer à repasser.

Repasser des chemises, Jacky savait le faire. Sa vie durant, il avait porté des chemises impeccables, même s'il n'avait pas toujours eu de quoi s'offrir le teinturier. Ou de quoi se payer un boy, comme dans le bon vieux temps, au Nigeria, au Kenya et en Rhodésie.

Il se rasa devant le miroir de son lavabo préféré, près de la fenêtre. De si bonne heure, un matin de septembre, la vitre dépolie ne laissait certes pas filtrer beaucoup de lumière, mais il pouvait ouvrir la fenêtre et laisser entrer de l'air frais, une denrée rare dans les foyers pour sans-abri.

Depuis toujours, Jacky se rasait à la mousse. Il aimait le contact du blaireau et le parfum du savon à barbe. Il prenait toujours plaisir à faire apparaître à coups de rasoir, sous cette tête blanche de mousse aux lèvres rouges, le visage de Jakob Stocker, dit Jacky. Même s'il était déjà assez vieux et s'il lui fallait toujours plus de doigts pour étirer sa peau distendue.

Mais un matin comme celui-là, il avait une allure tout à fait acceptable. La soirée précédente avait été raisonnable. Il n'avait pas mélangé les boissons, rien que du vin rouge, le même cru, et pas le plus mauvais. Offert par une tablée de nouvelles relations, au restaurant Mendrisio. Ensuite, même les trois petites bières de bonne nuit au buffet de la gare n'avaient pas pu lui faire de mal.

Jacky prit sa douche, se sécha et se frotta les cheveux jusqu'à ce qu'ils soient presque secs. Il était convaincu que ce massage quotidien de la tête lui avait permis de garder une chevelure encore assez dense. Il ne connaissait pas beaucoup de septuagénaires dotés d'une tignasse pareille.

Il se glissa dans ses pantoufles, ôta son peignoir rouge vin, jeta sa serviette-éponge sur ses épaules, coinça sa trousse de toilette sous son bras et quitta la salle d'eau.

Dans le couloir, on entendit les premières quintes de toux, il flottait une odeur de café au lait. Mme Kovacic préparait le petit déjeuner compris dans le prix d'une nuitée, qui s'élevait à trente francs en chambre à trois personnes, et que les services sociaux prenaient en charge dans le cas de Jacky. Ces mêmes services lui versaient aussi quinze francs quotidiens d'argent de poche, qu'il pouvait passer prendre chaque matin à partir de sept heures trente dans le bureau du directeur du foyer. C'était peut-être l'aspect le plus humiliant de sa situation momentanée. Mais cela valait toujours mieux que toutes les alternatives proposées par le bureau d'aide sociale.

Jacky entra dans la salle du petit déjeuner, mit la tête en biais et pleurnicha. Mme Kovacic rit et lui remplit une grande tasse de café au lait. Il fit une révérence et dit « *khvala lepo* », merci beaucoup. Les seuls mots qu'il connût en serbe, mis à part « *izvolite* », je vous en prie, ce qu'elle lui répondait chaque fois.

Il s'installa à la table de cuisine et lut le journal gratuit que Mme Kovacic apportait chaque matin. Il était six heures et demie. Dans un quart d'heure au plus tard, ses compagnons de chambrée passeraient à la salle d'eau, et il aurait la chambre pour lui tout seul pendant quelques instants. Suffisamment longtemps pour aérer et s'habiller sans être dérangé.

Mais aujourd'hui, il n'avait pas de veine : le nouveau était encore au lit et dormait. Normalement, ils regroupaient les alcooliques. Ce qui ne signifiait pas que Jacky en fût. Mais de tout ce que l'on pouvait être à Saint-Joseph, il était plutôt ça qu'autre chose. Ça lui allait très bien. Les alcooliques présentaient l'avantage de devoir sortir de bonne heure pour se procurer quelque chose à boire, car il n'y avait bien sûr pas d'alcool à Saint-Joseph. Jacky, lui, buvait rarement avant dix heures et pouvait donc prendre plus de temps le matin.

Mais le nouveau était un junkie. Les junkies traînaient dans leur lit jusqu'à ce que la direction du foyer les fiche dehors.

Jackie détestait les junkies. Pas seulement parce qu'ils ne sortaient pas de sous leurs couvertures le matin. Il ne leur faisait pas confiance. On ne savait jamais s'ils n'allaient pas vous fracturer votre armoire pendant la nuit. Ou vous piquer votre porte-monnaie dans votre poche. Tout cela était déjà arrivé à Saint-Joseph.

Et puis ils racontaient tellement de salades. Jacky lui-même ne manquait certes pas d'imagination lorsqu'il s'agissait d'inventer les raisons pour lesquelles il devait absolument emprunter quelques francs pour une brève période. Mais comparé aux junkies, c'était un débutant minable. Ils étaient tellement géniaux dans ce domaine que lui-même, Jacky Stocker, s'était fait avoir à deux reprises.

Le plus souvent, c'étaient des jeunes. Entre dix-huit et vingt-cinq ans. On en aurait même trouvé de plus jeunes si on les avait admis au centre. Mais dix-huit ans était l'âge minimum pour avoir une place à Saint-Joseph.

Celui-là semblait pourtant plus vieux. Il était certes difficile d'estimer l'âge des junkies, mais ce spécimen-là avait pas mal de cheveux gris, par rapport à la quantité globale qui lui était restée.

Il ne faisait pas mine d'ouvrir les yeux. Jacky prit une clef dans sa trousse de toilette et ouvrit le rideau de son armoire. Devant celle qui appartenait au junkie se trouvait un sac de voyage noir, ouvert, qui contenait quelques vêtements. Avant que le nouveau ne puisse les y ranger, il devrait attendre que la direction du foyer ait ouvert l'armoire de Pablo et mis ses affaires à la consigne.

Pablo était l'alcoolique qui dormait auparavant dans le lit du junkie. On ne l'avait plus revu depuis la semaine passée. Dans ce genre de cas, le Saint-Joseph attendait quatre jours puis attribuait le lit si l'on en avait besoin.

On ne savait pas ce qui était arrivé à Pablo. Ça n'aurait pas été la première fois qu'il ait disparu pour quelques semaines avant de resurgir d'un seul coup et de réclamer ses affaires.

Pablo était un cas lourd. Il faisait les conteneurs. Cela signifiait qu'il allait repêcher dans les conteneurs de recyclage les bouteilles intactes où restait encore quelque chose. Il lui était assez souvent arrivé de revenir avec de sévères coupures, et d'ensanglanter tout son lit.

Jacky attrapa dans son armoire le cintre portant la veste de coton. La température allait être torride, une journée faite pour porter ce tissu.

Le junkie dormait sur le dos, la bouche grande ouverte. À chacune de ses respirations, on entendait un léger grattement. Pas un ronflement, plutôt le bruit que produit le frottement de quelque chose de grossier sur quelque chose de fin. Il était livide. Une autre différence entre les junkies et les alcoolos.

Sur sa table de chevet se trouvait un livre. *Lila, Lila*, de David Kern. Jacky avait déjà lu quelque chose là-dessus. Ces temps-ci, on ne pouvait pas ouvrir un journal ou une revue sans tomber sur le livre ou son auteur. Une histoire d'amour des années cinquante.

Jacky se rappela. Lire les journaux et revues abandonnés était l'une de ses activités principales. Quand on avait besoin d'impressionner de nouvelles personnes avec ses connaissances, il fallait être à jour. On ennuie vite avec de vieilles lunes.

Jacky gagnait sa vie en jouant le vieil homme divertissant. C'était le pilier de plusieurs bistrots. Il était toujours au courant des affaires les plus récentes, et surprenait en exposant des points de vue que l'on n'aurait pas attendus d'un homme de son âge. Il pouvait, pendant quelques soirées, raconter un nombre pas trop élevé d'histoires et d'anecdotes de sa vie réelle et fictive, sans se répéter de manière notable.

Une activité fatigante, surtout devant un public dans la force de l'âge. Ça buvait certes du bon vin, mais c'était plus exigeant. Deux fois la même histoire, et l'on commençait déjà à leur peser.

Il était plus simple d'impressionner les jeunes. Ceux-là s'étonnaient déjà de voir un homme de sa génération sortir encore, surtout dans leurs restaurants à eux. Et d'avoir en plus une opinion – dévastatrice, par-dessus le marché – sur le dernier CD d'Eminem.

Même les jeunes finissaient cependant par voir clair dans son jeu et le laissaient payer ses boissons tout seul. Il était donc forcé de changer de bistrot sans arrêt et de se faire découvrir par d'autres personnes.

Jacky ôta sa robe de chambre et passa son slip. Il évita de regarder vers le bas. Quelques années plus tôt, il avait décidé qu'il lui suffisait d'éprouver les sensations de son corps, et que rien ne le forçait à en supporter la vision. Son corps nu, cela s'entend :

habillé, il était encore tout à fait regardable. Avec une chemise fraîche, une cravate et une veste comme celle qu'il était justement en train de passer.

— Quelle heure est-il ?

Le nouveau était réveillé. Peut-être depuis un moment ; dans ce cas, il avait regardé Jacky pendant qu'il s'habillait.

— L'heure de se lever.

— Et merde, un shérif adjoint, grogna le junkie en s'asseyant au bord du lit. Ça te dérange si je fume ?

— Il est interdit de fumer dans les chambres.

— Ce que je veux savoir, c'est si ça *te* dérange, toi.

Jacky aurait dit oui si Ouate, le troisième habitant de la chambre, n'était pas entré à ce moment-là. Lui allait s'en allumer une d'un instant à l'autre.

Ouate était un alcoolique honnête. L'un de ces marginaux intègres pour lesquels on avait inventé les foyers pour sans-abri. Une épaisse barbe blanche lui avait valu son surnom, teintée de jaune nicotine autour de la bouche. Et son nez était aussi rouge que s'il arrivait à dos d'âne de la Forêt-Noire.

Ouate se rendit en toussant à son armoire, l'ouvrit, en sortit un petit paquet de cigarettes, en alluma une, prit une profonde bouffée et cessa de tousser. Il prit le livre sur la table de nuit du junkie, lut le titre et le reposa.

— J'ai connu une Lila dans le temps, fit-il avec un sourire. Elle avait de beaux... (il esquissa des deux mains une paire de gros seins)... yeux.

Son rire dégénéra en quinte de toux. Lorsqu'il eut fini, le junkie expliqua :

— Ça fait quatre fois que je le lis.

— De quoi s'agit-il ? demanda Ouate.

— D'un type qui s'est fait baiser comme moi.

— Comment ça ?

173

— Une salope le laisse tomber, et il se dézingue. Comme moi.

Il désigna d'un regard dénonciateur le pli de ses bras, le dos de ses mains et ses pieds percés de trous.

Ouate et Jacky se détournèrent.

— C'est de loin la méthode la moins appétissante d'élargir sa conscience, nota Jacky.

C'était une tirade puisée dans son répertoire. Mais il se promit de regarder ce livre un jour, si ce type restait plus longtemps.

S'il existait un livre que même un junkie était capable de lire plusieurs fois de suite, il allait peut-être falloir qu'il ait son mot à dire sur le sujet.

23

— S'il a besoin d'argent, mp, mp, mp, qu'il fasse des lectures.

Le coude levé au-dessus de son épaule, Uwe Everding dirigeait la flamme de son briquet vers le foyer de sa pipe.

Karin Kohler soupira. Ils s'étaient déjà retrouvés une fois à ce point de la discussion.

— Il travaille comme garçon de café, comment veux-tu qu'il fasse des lectures ?

— Mp, mp, pourquoi est-il toujours garçon de café ?

La pipe avait pris. Everding recracha la fumée et adopta la pose classique de l'intellectuel fumeur de pipe : le foyer dans la main droite détendue, l'embouchure en contact avec la lèvre inférieure, le front légèrement baissé, les yeux toisant, d'en bas, son interlocuteur.

— Parce qu'il a besoin de vivre.

— Qu'est-ce qu'on lui verse par lecture ? Quatre cents euros ? Au moins. De la main à la main. Et avec la presse qu'il a, il peut faire autant de lectures qu'il le veut.

Karin Kohler compta jusqu'à cinq, respira profondément et expliqua une fois de plus, lentement, en articulant :

— David déteste les lectures. Chaque fois qu'on lui demande, il prend son travail comme prétexte pour refuser. Et lorsque je lui dis que les lectures font partie du métier, il répond : pas du mien, mon métier à moi, c'est serveur. Et d'une certaine manière, je le comprends. Il a vendu un peu plus de cinquante mille exemplaires, on le traite comme une jeune star de la littérature. Mais à part deux mille euros d'avance et un peu moins de mille euros d'honoraires pour les lectures en province, il n'a pas encore vu un centime.

Everding l'interrompit :

— Les comptes sont réglés une fois par an, c'est la norme.

Karin Kohler glissa sur l'objection :

— Si je pouvais lui dire maintenant : voilà vingt mille euros pour commencer. Quittez votre boulot et vivez comme un écrivain. Dans ce cas-là, il ne pourrait plus me refuser toutes les propositions de lectures.

— Kubner n'entre pas dans la course aux à-valoir.

Combien de fois avait-elle déjà entendu cette phrase idiote ?

— Je ne parle pas d'à-valoir. Les droits dus à David Kern s'élèvent déjà à environ cent mille euros. Et tu sais aussi bien que moi que ça va continuer à monter. Nous en sommes au quatrième tirage.

— Tu es quoi, au juste ? Ma directrice littéraire ou son agent ?

Il lui lança un regard provocateur. Il était content de sa question. Il se rappela sa pipe. Il aspira violemment, mais aucune fumée n'en sortait plus.

Il n'est même pas capable de parler en gardant sa pipe allumée, songea Karin.

— Pour l'instant, je suis encore conseillère littéraire *free lance*. Mais si je deviens son agent, je lui conseillerai de changer d'éditeur.

Elle se leva et se tourna vers la porte.

— Bon, d'accord, vingt mille, mais pas un centime de plus. Et à une condition : lectures, lectures, lectures.

Dès le lendemain, Karin Kohler prenait le train à grande vitesse. Le téléphone ne se prêtait pas au sujet de la conversation qu'elle devait avoir avec David. Elle devait pouvoir le regarder dans les yeux et lui glisser le chèque dans la main.

Après tout, l'idée de devenir l'agent de David lui plaisait. Que faisait-elle d'autre ? Elle s'occupait du service de presse et des droits, elle organisait les lectures et défendait les intérêts de David face à l'éditeur. Mais pour beaucoup moins d'argent. Et avec la charge supplémentaire d'avoir à jouer en plus la directrice littéraire. Elle manageait le livre et elle manageait l'auteur. Il fallait peut-être qu'elle y réfléchisse sérieusement.

Le contrôleur passa devant elle et lui demanda si elle désirait quelque chose. Désirer ? Café, eau minérale, vin, bière.

Karin commanda un café. Elle ignorait qu'en première classe, en Allemagne, les contrôleurs servaient aussi à boire. Elle ne voyageait jamais en première. Mais on ne prend pas un billet de seconde lorsqu'on a en poche un chèque de vingt mille euros qu'on va remettre à une jeune star de la littérature, surtout quand on l'a soi-même découverte.

Car elle revendiquait cet honneur. Bien que Klaus Steiner, le conseiller littéraire de chez Draco, fasse désormais comme s'il avait su quel joyau il avait confié aux éditions Kubner. Il laissait entendre qu'il l'avait fait en raison de sa vieille amitié avec Everding. Et lors d'un repas à prix d'or qu'il avait réclamé comme récompense pour ses services d'intermédiaire auprès d'Everding, il demanda que ne soit jamais révélé à Draco qu'il avait refusé le manuscrit. Et pria que l'on veuille bien transmettre aussi sa requête à l'auteur.

Les premières semaines qui avaient suivi la parution de *Lila, Lila* avaient été dégrisantes. Aucun critique un peu important ne s'était donné la peine d'écrire un papier. Quelques résumés anodins qui se contentaient le plus souvent de reproduire le texte de quatrième. Un éreintement superficiel en vingt lignes. Rien qui n'eût pas justifié les pitoyables commandes passées par les librairies avant la parution. Everding, dont l'activité essentielle consistait – outre à fumer la pipe – à étudier les chiffres de vente, avait déposé sur le bureau les photocopies des listings concernant ceux de Kern, pourvues de commentaires sarcastiques.

Mais un matin, le vent avait tourné.

Karin venait d'allumer sa cigarette du petit déjeuner et ouvrait le cahier « culture » du gros paquet formé par *La République du dimanche*.

À la première page du cahier, le portrait un peu gauche de David la regardait. Avec cette légende : « David Kern : il n'a rien du dandy postmoderne. »

L'article, qui occupait une bonne partie de la page, était intitulé : « La fin du postmoderne. »

Karin retint son souffle et se mit à lire.

> « À peine remarqué par la critique, un premier roman dont on va sûrement beaucoup parler vient de paraître aux éditions Kubner, à Francfort : *Lila, Lila*, de David Kern, l'histoire d'un amour interdit, et peut-être le début de la fin du postmoderne en littérature. »

Elle avait oublié de respirer. Ce qu'elle fit alors profondément.

« *Lila, Lila* est la chronique d'un amour entre Peter, vingt ans, et Lila, qui en a seize. La timidité du premier rapprochement, le bonheur des rencontres secrètes, la douleur pendant la séparation imposée par les parents, et le désespoir sans issue qu'inspire la distance creusée pendant cette période. L'auteur, David Kern, vingt-trois ans, raconte ces événements et décrit ces émotions avec une immédiateté, une force et un naturel que l'on ne rencontre jamais que dans les premières tentatives de jeunes auteurs – et même là, assez rarement.

Mais ici s'arrêtent aussi les caractéristiques typiques de ces premiers romans que la jeune génération d'auteurs nous a infligés au cours de ces dernières années. Dans *Lila, Lila*, on perçoit certes le besoin de communiquer et la naïveté littéraire qui caractérisent les premiers livres, mais le roman renonce à s'enticher du temps présent et à proclamer l'esprit "tendance" : *Lila, Lila* se déroule dans les années cinquante !

En utilisant ce procédé, ce jeune auteur témoigne d'une maturité littéraire qui en fait, d'un seul coup, l'un des rares porteurs d'espoir de la nouvelle littérature allemande. »

— Youppie ! s'exclama Karin.

« En situant cette histoire d'amour tragique dans l'atmosphère étouffante et inhibée des années cinquante, avec tous leurs blocages, il lui donne une crédibilité émotionnelle qu'aucune histoire d'amour allemande n'a possédée ces dernières années. »

— Youppie ! Youppie !

« *Lila, Lila* n'est pas l'une de ces histoires rela-
tionnelles et post-relationnelles consacrées à la
tristesse qu'éprouve le protagoniste après avoir
perdu sa petite amie, et à ses tentatives d'en sortir par le *sex and drugs and drum' n base* ».

— Alléluia !

« Terminé, l'absence de position et la quête
simultanée d'identification. Fini, la gratuité, la
platitude et la présomption. Dehors, l'adoration
des marques et le pouvoir des images. Adieu à
la superficialité du monde de la consommation
et à son affirmation. »

— Terminé ! s'exclama Karin. Fini ! Dehors !
Adieu ! Youppie !

« *Lila, Lila* est un livre radical. Un livre sur
l'amour, la fidélité, la trahison et la mort. Ce
n'est pas une littérature pour les maniaques de la
jeunesse. Il n'est pas écrit sur le mode *parlando*
négligé des magazines de *lifestyle*. *Lila, Lila* est
le roman que nous attendions si impatiemment :
la fin de la prose en couche-culottes. »

Signé : Joachim Landmann !
Karin Kohler sortit sur son petit balcon orné de
pots de fleurs et de jardinières, serra le poing, le
brandit vers le ciel et hurla :
— Yeah !
M. Petersen, qui engraissait sa thunbergia jaune à
points noirs sur le balcon voisin, la regarda avec un
brin d'effroi.

— Qu'est-ce qu'on fête ?

— La fin de la prose en couche-culottes, répondit Karin rayonnante.

Elle lui souhaita un bon dimanche, rentra dans son salon et s'autorisa une cigarette surnuméraire.

Cette percée, cette réussite, c'était bien son œuvre à elle ! Si Landmann, le grand critique redouté de *La République du dimanche*, écrivait un hymne pareil à *Lila, Lila*, les autres responsables des pages culturelles ne pourraient ignorer le livre plus longtemps. Ils devraient confirmer son jugement ou le compléter, le corriger ou le réfuter. Mais ils ne pourraient pas le passer sous silence.

Le merveilleux, c'était que Landmann ne s'était pas contenté de vanter les mérites du livre. Il avait lancé un débat. Après la fin de la société de divertissement et la fin de la pop, c'était donc à présent la fin de la littérature postmoderne. Le retour aux anciennes valeurs et aux grands sujets.

Karin Kohler ne s'était pas trompée. Moins d'une semaine plus tard, Anja Weber apportait la contradiction dans la *Chronique berlinoise*, et sa thèse était à son tour réfutée le dimanche suivant par Günther Jakobsen dans *Sept Jours*. Detlev Nauberg, de *L'Hebdomagazine*, pointait du doigt l'aspect néoconservateur de *Lila, Lila* que le cadre choisi, les « fifties », ne dissimulait qu'imparfaitement. Et le *Journal de la Bavière* saluait le retour du bon Dieu dans la littérature contemporaine.

Cet écho médiatique subit paraissait ne pas affecter David. Ce fut seulement quelques jours après que le principal quotidien de sa ville eut consacré un grand article à *Lila, Lila* qu'il l'appela pour se lamenter :

— Voilà qu'ils s'y mettent ici aussi !

Au début, la timidité de David à l'égard de la

presse l'avait inquiétée. Mais elle comprenait à présent qu'elle s'insérait parfaitement dans le tableau : ce qui préoccupait David Kern, c'était son livre, pas sa présence dans les médias. En cela aussi, il était postmoderne.

Il l'était tout autant avec ses prestations maladroites lors des lectures. Avec Kern, c'était de nouveau le livre qui faisait l'événement, et pas l'auteur. Avec lui, les lectures redevenaient ce qu'elles avaient été : un auteur, un livre et un verre d'eau. Pas une performance, pas un show multimédia, pas un coup de publicité sans lendemain.

Les gens se bousculeraient pour assister aux lectures de David parce qu'ils voudraient voir l'homme qui les avait émus avec *Lila, Lila*. Et ils seraient heureux de constater qu'il était authentique. Il ne restait plus qu'une seule chose à faire : le convaincre d'accepter des lectures.

Karin Kohler s'enfonça dans le fauteuil de cuir bleu et laissa les faubourgs de Mannheim défiler devant elle. Le moment était peut-être venu de proposer à David de devenir son agent. Désormais, il avait vraiment besoin de quelqu'un pour défendre ses intérêts. Y compris face à la maison d'édition.

Et pour elle, ce serait une possibilité – peut-être la dernière – de sortir du circuit formé par Kubner et quelques autres maisons malingres. Si le succès atteignait ne fût-ce que la moitié de ce qu'elle imaginait, l'agent de David Kern n'aurait aucune difficulté à trouver d'autres auteurs intéressants.

Lorsque le contrôleur passa devant elle, elle commanda une petite bouteille de vin.

24

Accoudée sur son lit, Marie étudiait David qui dormait enroulé sur le côté. Il tenait ses poings sous le menton, serrés contre sa poitrine comme deux petites peluches. Une mèche de cheveux humide lui collait au front. Il était rasé de près pour mettre en valeur la petite moustache à la David Niven qu'il se faisait pousser depuis trois jours. Marie discernait encore au lobe de son oreille la petite protubérance à l'endroit où le piercing avait été fait. L'un des longs cils du garçon était tombé dans le petit creux à la racine de son nez. Elle aurait volontiers humecté son doigt pour soulever doucement le petit poil, mais elle ne voulait pas le réveiller. Elle voulait le regarder pendant qu'il dormait. Car c'était au moment même où il dormait qu'elle parvenait le plus facilement à imaginer qu'il se passait en lui les choses qui se déroulaient forcément en l'homme qui avait écrit *Lila, Lila*. Lorsqu'il dormait et lorsqu'ils s'aimaient. Alors il laissait percer un peu de ce tissu mêlé d'innocence et de passion dont était fait *Lila, Lila*. (Une formule empruntée à la critique qu'elle avait préférée entre toutes, celle du magazine *ReSensations*.)

C'était la seule manière de faire coïncider les images de son David et celles du David de *Lila, Lila*. On aurait dit qu'il prenait volontairement ses distances avec son œuvre. Comme s'il avait honte des sentiments qu'il y avait livrés au public.

Lorsque la critique avait paru dans *La République du dimanche*, il ne lui en avait rien dit. Elle ne l'apprit que par une remarque moqueuse de Ralph Grand. « Le porteur des espoirs de la nouvelle littérature allemande accepterait-il, éventuellement, de m'apporter aussi un canon de rouge ? » avait-il demandé.

Et lorsqu'elle avait répondu : « Mon Dieu, tu es encore dans une journée connard », il avait expliqué : « La formule n'est pas de moi, elle est signée Joachim Landmann en personne. »

Alors seulement, David lui avait fait voir la coupure de presse que Karin Kohler lui avait télécopiée. Elle avait été vexée. Que David n'ait pas voulu partager ce triomphe avec elle l'avait blessée. C'était tout de même aussi un peu le sien. Cette histoire avait provoqué une dispute, pas leur première, mais la plus longue à ce jour. Et elle aurait duré encore plus longtemps si elle n'avait pas jugé que l'hymne composé par l'un des principaux critiques littéraires allemands à l'œuvre de l'homme qu'elle aimait constituait un prétexte idiot pour une querelle.

Depuis, David l'avait informée de tous les articles qui paraissaient désormais à brefs intervalles dans la presse. Mais il l'avait fait d'un ton détaché. Seule l'accusation de néoconservatisme lancée par Detlev Nauberg dans *L'Hebdo* l'offensa et lui arracha ce commentaire :

— Moi, néoconservateur ! Quelle connerie !

Elle sortit du lit avec d'infinies précautions et se rendit à l'armoire. Elle en avait réquisitionné un compartiment, car il arrivait souvent qu'elle dorme chez David. Elle en sortit un sarong, s'en entoura, noua les extrémités au-dessus de ses seins et quitta l'appartement. « Quand je me trouve dans tes toilettes sur le palier, il m'arrive tout de même parfois de souhaiter que tu sois un dandy postmoderne », avait-elle avoué un jour à David.

Lorsqu'elle revint, David se tenait toujours dans la même position, nu, dans la lumière crémeuse de la petite lampe à l'abat-jour en parchemin, qui se trouvait sur la caisse de vin vide. La table de chevet à plaque de marbre jaune et tiroir défectueux avait disparu un jour. Lorsque Marie lui avait demandé ce qu'elle était devenue, il avait répondu : aux encombrants. L'objet, ajouta-t-il, lui tapait sur les nerfs.

Marie ramassa le drap par terre et en recouvrit David. Elle passa à la cuisine, prit une bouteille d'eau minérale dans le réfrigérateur, se remplit un verre à ras bord et s'assit. Sur la table de la cuisine reposaient la fermeture en fil de fer, le bouchon et la protection dorée de la bouteille de cava que David avait ouverte pour célébrer l'occasion. À côté, du papier à cigarette, un sac en plastique contenant de l'herbe et un cendrier recelant les restes du joint que David avait roulé. Là encore, pour célébrer l'occasion.

Ce jour-là était en effet le premier de la carrière d'écrivain professionnel de David. Il l'avait invitée au Thaï Gardens, un restaurant aux murs couverts d'orchidées, à l'éclairage mystérieux, où l'on servait une sorte de nouvelle cuisine thaïlandaise. Puis ils avaient fait un saut à l'Esquina. Une idée commune, pour des motifs différents. David voulait tout simplement éprouver un bref instant la sensation d'être un client à l'Esquina, et pas un serveur au moment de la pause. Il s'était senti comme autrefois, lorsque, au bout d'une semaine de cours préparatoire, il avait rendu visite à son ancienne école maternelle, lui confia-t-il plus tard.

Marie avait un autre mobile : elle voulait voir comment Ralph avait digéré l'hymne à *Lila, Lila* qui avait paru le jour même dans *Édition spéciale*, son magazine préféré. Il s'était montré un peu penaud, elle avait pu le constater avec satisfaction.

Puis elle avait raccompagné David chez lui, comme presque toujours depuis que sa mère avait « quelque chose de sérieux », c'est ainsi qu'elle appelait sa relation avec un programmeur au chômage, de dix ans son cadet, qui avait pratiquement emménagé chez elle.

Ils avaient continué à faire doucement la fête, ils s'étaient aimés, soûlés et avaient un peu plané. Il était quatre heures du matin, et Marie n'avait pas dormi une heure. Il lui en restait trois avant de partir.

Elle but son eau minérale et décida de sécher les cours. Pour célébrer la journée passée.

Cela lui arrivait plus souvent depuis qu'elle était avec David. Leur liaison faisait fléchir sa moyenne. Elle espérait que cela allait changer à présent qu'il ne travaillait plus la nuit. Il partirait souvent en tournée de lectures, et elle profiterait de ce temps-là pour rattraper son retard. Ils pourraient peut-être aussi chercher un appartement commun. Avec ce que lui rapportaient ses lectures et l'argent qu'elle versait à sa mère pour le loyer de l'appartement, ils pourraient s'offrir quelque chose de mieux.

David ne savait encore rien de ce projet. Il était encore trop neuf, même pour elle. Le simple fait d'envisager d'emménager quelque part avec un homme la surprenait. Sa première et unique tentative dans cette direction à ce jour avait rapidement capoté, un échec complet et peu spectaculaire.

Mais avec David, elle pourrait peut-être courir le risque une deuxième fois. Elle l'aimait. Contrairement à lui, elle ne le lui avait certes pas dit. Mais elle était à peu près sûre d'elle. Surtout maintenant, à le regarder couché devant elle, dormant comme un enfant satisfait.

Elle se faufila près de lui sous le drap.

— C'est déjà le matin ? demanda-t-il.

— Non, loin de là.

Elle humecta son doigt et attrapa le cil sur l'aile de son nez.

— Un cil ?

— Oui.

Il ouvrit les yeux et inspecta la pointe de l'index de Marie. Puis il pressa dessus le bout du sien. C'est elle qui lui avait appris ce jeu. Celui qui gardait le cil verrait un de ses vœux s'exaucer. Elle fit le vœu qu'ils restent ensemble.

Ce fut David qui hérita du cil.

— Je t'aime, chuchota-t-elle.

— C'est le vœu que j'avais fait.

25

« Lorsque les organisateurs sont plus nerveux que toi, c'est que tu as fait le plus dur. » Cette phrase, c'est un confrère qui la lui avait lancée lors d'un petit festival de littérature dans l'ancienne Allemagne de l'Est, auquel Karin Kohler l'avait envoyé dès le début de sa nouvelle carrière. Ledit confrère était un auteur renommé, plus âgé que lui d'une quinzaine d'années ; David ne connaissait pas son nom avant, et l'avait oublié immédiatement après. C'est ce qui lui arrivait avec la plupart de ses confrères. C'est alors seulement qu'il remarqua à quel point il manquait de culture ; il se mit à bûcher sur les auteurs, comme il avait potassé, jadis, les fleuves du cours de géographie.

Mais la prophétie du confrère ne s'accomplit pas. David ne se tranquillisait pas lorsque les organisateurs étaient nerveux. Cela marchait peut-être pour des auteurs qui ne se promenaient pas avec des textes volés. Qui ne s'ornaient pas d'une plume d'emprunt et ne s'enrichissaient pas grâce au malheur d'un désespéré.

David était nerveux avant chaque lecture. Il se sentait comme autrefois à l'école, quand il copiait. Il pouvait se faire prendre et démasquer à n'importe quel moment. Il s'attendait toujours à ce que, de la pénombre de la salle, une voix s'exclame : « Imposteur ! »

Cela devint le label de David Kern : il lisait son roman comme un criminel repentant aurait lu ses aveux : honteux, hésitant, multipliant lapsus et pauses déplacées.

Mais les gens l'écoutaient, captivés, et applaudissaient frénétiquement lorsqu'il finissait par se lever, confus, et s'incliner.

Il lisait, qui plus est, à guichets fermés, même si c'était encore dans de petites salles. Son record était de trois bonnes centaines d'auditeurs, mais l'organisatrice de cette manifestation n'avait cessé de le répéter ensuite, pendant le « verre de l'amitié » : « Si j'avais eu la salle Otto-Liebmann, je vous le jure, nous l'aurions remplie aussi. » Il ne sut malheureusement pas combien la salle Otto-Liebmann pouvait accueillir de personnes, sans cela David aurait retenu ce chiffre comme sur record personnel officieux.

Car son succès non mérité ne le faisait pas seulement souffrir. Il appréciait aussi de se tenir au premier plan. Il y avait des moments où il se mettait totalement dans la peau de l'auteur de *Lila, Lila* tant il avait assimilé le texte. Il lui arrivait d'éprouver une sincère fierté après la parution d'une bonne critique. Et d'être personnellement touché par une attaque en règle.

Il appréciait aussi la hausse de son niveau de vie. Le temps des toilettes sur le palier était révolu, et pas seulement pendant ses tournées. Depuis deux semaines, il partageait avec Marie un deux pièces avec salle de bains et toilettes séparées. Concrètement, ils partageaient l'appartement et lui assumait les deux tiers du loyer. La moitié aurait été au-dessus des moyens de Marie, et c'est lui qui avait choisi l'appartement le plus cher. Il avait vécu trop longtemps dans le bon marché.

Son cachet était rapidement monté à cinq cents euros par lecture, plus les frais. Il pouvait gagner trois mille euros en une semaine, et ne dépensait rien. Mis à part les effroyables factures de téléphone que lui valaient ses heures de conversation par portable avec Marie. Elle lui manquait tellement.

Ce soir-là, il se sentait encore plus vaseux que d'habitude. Il revenait d'Allemagne et lisait devant son propre public sur la petite scène du théâtre municipal. Devant quatre cent quatre-vingts personnes, si tous les billets partaient, ce dont l'organisatrice, la plus grande librairie de la ville, ne doutait pas un seul instant. Mme Rebmann, responsable des manifestations de la librairie, était installée avec lui dans la loge et tentait de masquer sa propre nervosité. Elle riait beaucoup et David ne pouvait pas se décider à lui dire qu'elle avait les dents rouges.

— Vous êtes sur autre chose ? demanda-t-elle pour tuer le temps.

Ça n'était pas précisément la question préférée de David. Il lui livra la réponse qu'avait fournie un confrère écrivain pendant un débat :

— En tant qu'écrivain, on est toujours sur autre chose.

— Je m'en doute. Vous observez, vous remarquez des détails. C'est ce qui vous rend tellement incertain en présence d'un écrivain. On a toujours peur de se retrouver dans son prochain livre.

Mme Rebmann fit résonner son rire aigu et montra le rouge à lèvres sur ses dents. Puis elle demanda :

— On peut savoir de quoi il s'agit ?

Jusque-là, personne n'avait encore posé la question aussi directement. Même pas Marie, à qui il l'aurait pardonnée – il lui pardonnait tout. Mais elle se retenait. Bien sûr, elle faisait parfois des allusions. « Je te laisse un peu travailler, aujourd'hui », lui disait-elle lorsqu'elle ne passait pas avec lui un après-midi sans cours, et restait à bachoter avec une camarade de classe. Ou encore : « Tu as bien avancé ? » lorsqu'elle revenait. Mais elle n'avait encore jamais demandé : « De quoi parle ton nouveau livre ? » Lui n'avait jamais affirmé non plus être sur autre chose. Il trouvait déjà suffisamment difficile de vivre avec ce premier mensonge. Il ne prétendait pas avoir travaillé lorsqu'elle revenait auprès de lui. Mais il ne disait pas non plus explicitement qu'il ne s'était pas attelé à un nouveau projet. Il laissait la question en suspens.

Et voilà que quelqu'un voulait savoir de quoi parlait son prochain livre.

La question fut réglée par l'arrivée d'un technicien son qui accrocha un émetteur à la ceinture de David et glissa, ce qui paraissait très compliqué, un câble sous sa chemise, jusqu'au deuxième bouton supérieur. Là, il le fit réapparaître et le relia à un minuscule microphone qu'il lui accrocha au col de chemise.

Entre-temps, Mme Rebmann s'était esquivée par la porte ; elle revint avec une mimique prometteuse.

— *Full house*, chuchota-t-elle.

Le cœur de David se mit à battre la chamade.

Pendant les quelques mots d'introduction de Mme Rebmann, il se tenait derrière le rideau et tentait de retrouver un peu de calme en écoutant la voix tremblante et les lapsus de l'oratrice. Mais l'idée qu'il allait revoir quelques visages connus parmi tous ceux qui, d'ici un instant, allaient se lever dans sa direction le plongea dans la panique. Il s'agrippa à son livre et attendit le : « Mesdames et messieurs, je vous demande d'applaudir David Kern ! » Sur ces mots, deux techniciens entrouvriraient le rideau, et

David apparaîtrait sur la scène, s'inclinerait brièvement et s'assoirait devant la petite table, au milieu du plateau.

Les mots devaient avoir été prononcés : les techniciens se mirent soudain en mouvement, et le rideau s'ouvrit devant David. Il avança, regarda un projecteur et tint son livre au-dessus des yeux pour se protéger, comme un curiste dans un solarium. Quelques rires se mêlèrent aux applaudissements du public.

David s'inclina, s'installa et ouvrit son livre. Il avait devant lui un gouffre noir où l'on ne distinguait que les silhouettes de la première rangée. On ne reconnaissait pas un seul visage, *a fortiori* un visage connu.

Parmi tous ceux qui étaient assis devant lui, quelqu'un savait-il qu'il était un imposteur ?

Mme Rebmann fraya à David, encore abasourdi par les applaudissements, un chemin dans la foule qui le séparait du foyer et de la table où il devait signer ses livres. Çà et là apparaissait un visage familier qui le saluait d'un hochement de tête et disparaissait avant que son nom ne lui soit revenu.

Une longue file attendait déjà devant la table. David s'assit, tira de la poche de sa veste le stylo à plume que Marie lui avait offert à cette fin, dévissa le capuchon et prit le premier livre. Il appartenait à une vieille dame qui avait apporté trois exemplaires.

— Pour Sonia, demanda-t-elle, avant d'ajouter : C'est ma petite-fille, elle a dix-huit ans.

David le savait par expérience : si la première lectrice demandait déjà une dédicace personnelle, la deuxième en voudrait une aussi. Il se prépara à une longue séance de signatures.

Au bout d'une bonne demi-heure – un maigre à lunettes d'écaille venait de lui dicter la dédicace « À mon cher petit escargot pour son quarantième anniversaire » –, il leva les yeux et vit le visage souriant de Marie.

— Quelque chose, demanda-t-elle.

David écrivit :

> « Marie, Marie
> je t'aime
> tu es toute ma vie !
> David. »

Marie lut la dédicace, pointa les lèvres pour esquisser un baiser et dit :

— On se retrouve au Zèbre.

David suivit des yeux la silhouette souple dans sa robe courte et étroite, jusqu'à ce qu'elle ait disparu par la sortie, et pensa : Je suis le seul à savoir ce qu'elle porte dessous.

— Pour Alfred Duster, s'il vous plaît.

Devant lui se tenait un petit homme âgé, en veste de coton usée. Son visage avait une légère teinte rouge et le blanc de ses yeux aqueux virait au jaunâtre. Son sourire dévoila une rangée trop régulière de dents trop blanches.

— Pour qui, je vous prie ? demanda David.

— Alfred Duster, répéta l'homme.

Comme en transe, David continua à signer, peut-être une demi-heure, peut-être juste dix minutes. Il se rappela seulement que Silvie Alder, la professeur de dessin de l'Esquina, était de ceux qui avaient fait la queue en attendant une dédicace, que son nom ne lui était pas revenu et qu'il avait trouvé une issue en écrivant : « En souvenir de l'Esquina, cordialement, David. » Et qu'elle avait demandé : « Vous allez quelque part après ? »

Lorsque le dernier lecteur eut enfin reçu sa dédicace, Mme Rebmann traîna une caisse de livres jusqu'à lui.

— Encore du travail, fit-elle, rayonnante.

Elle s'était remaquillé les lèvres et les dents, et se mit à empiler des exemplaires sur la table.

— Juste votre nom, expliqua-t-elle pour le rassurer.

Mme Rebmann sortait les livres de leur feuille de cellophane, David les ouvrait à la bonne page et signait.

Le foyer s'était vidé, mis à part la dame du vestiaire et un gardien. Quelque part, à l'extérieur, attendait l'homme qui connaissait Alfred Duster.

— À une autre fois, avait-il lancé avec un sourire lourd de sous-entendus. À une autre fois.

Cela pouvait-il être un hasard ? Le vieux pouvait-il vraiment être quelqu'un qui s'appelait Duster ? Ou était-ce le nom qu'il s'était donné ? Était-il possible que vienne à sa lecture quelqu'un qui, par hasard, portait pour nom le pseudonyme de l'auteur mort que David était seul à connaître ?

Non, ce genre de hasard n'existait pas. La pire des éventualités venait de se produire. Celle pour laquelle il n'y avait pas de scénario : David était démasqué.

— Qui est Alfred Duster ? demanda Mme Rebmann.

Son rire paraissait cette fois un peu déconcerté.

David sursauta. Encore quelqu'un qui connaissait la vérité.

— Qui ? laissa-t-il échapper.

— Alfred Duster.

Elle désigna la dédicace qu'il venait de signer. On y lisait les mots « Alfred Duster ».

Le gardien accompagna David et Mme Rebmann jusqu'à la sortie et verrouilla la porte derrière eux. La lecture avait débuté par une douce soirée d'été. Mais, entre-temps, un vent soufflant en rafales s'était levé, et avait apporté une froide pluie d'automne.

Ils restèrent un moment, indécis, sous l'auvent du théâtre municipal. Mme Rebmann envisagea d'y entrer pour emprunter un parapluie. Mais l'enseigne et les vitrines s'éteignirent, et ils décidèrent de prendre le chemin le plus court pour rejoindre le Zèbre, à l'abri des corniches.

David s'attendait à ce que le vieil homme le guette à chaque entrée d'immeuble, à chaque coin de rue. Il se sentit extraordinairement soulagé lorsqu'ils arrivèrent au restaurant, dont l'enseigne lumineuse reprenait schématiquement le dessin d'un zèbre.

Les personnes installées à la longue table qu'avait réservée Mme Rebmann l'accueillirent par des applaudissements. David était heureux qu'on lui ait gardé la place à côté de Marie. Elle lui fit signe d'approcher et dit quelque chose à son voisin. C'est à ce moment-là que David le remit : c'était l'homme qui connaissait Alfred Duster.

David s'assit et donna un baiser à Marie. Elle le tira vers lui et lui chuchota à l'oreille : « Tu as été merveilleux. »

Elle attrapa une bouteille de vin rouge et remplit son verre. Tous, à la table, levèrent le leur dans sa direction. Il brandit le sien, hocha la tête à la ronde et but. Il évita le regard du voisin de Marie.

— Tu savais que Max Frisch et Ingeborg Bachmann étaient des habitués du restaurant ?

David ne le savait pas.

— M. Stocker vient de nous le raconter. Tu connais M. Stocker, je suppose ?

Marie désigna son voisin.

— Jacky. Tout le monde m'appelle Jacky. M. Stocker, ça fait tellement guindé. Je peux vous appeler David ? Et...

Il interrogea Marie du regard.

— Marie, bien sûr, volontiers.

— Mais dans ce cas il me faut encore quelque chose pour fêter ça.

Marie lui remplit son verre presque vide, et ils trinquèrent.

— Combien de livres as-tu signés ?

David n'en avait aucune idée.

— Cent quatre-vingt-trois livres ont été écoulés à la table de vente. Et beaucoup avaient apporté leur exemplaire personnel, raconta Mme Rebmann.

— Joli.

Jacky hocha la tête, admiratif, et David lut sur son visage qu'il était en train de faire des comptes. Il n'aurait pas été surpris de l'entendre brailler le résultat.

David tenta de se concentrer sur Silvie, assise de biais en face de lui. Son prénom venait de lui revenir, et il le glissa de temps en temps dans la conversation pour effacer le faux pas commis un peu plus tôt.

Mais Jacky ne tarda pas à capter aussi l'attention de Silvie. Il divertissait la tablée avec ses anecdotes, ses considérations et ses faits divers.

— Comment t'en sors-tu avec le trac ? lança-t-il à David. Quand Thomas Mann était jeune, il avait une telle pétoche que, pour lire, il fallait qu'il soit ivre mort.

— On a du mal à imaginer ça de Thomas Mann, fit Mme Rebmann avec étonnement. Correct et guindé comme il l'était.

— Ça, c'est exact. Quand j'étais jeune, je l'ai rencontré un jour à une soirée. De tout le repas, il n'a pratiquement pas prononcé un mot. Et à la fin, il a dit : « Le dessert était délicieux. »

Jacky versa dans son verre et celui de Marie le reste de la bouteille de vin, et fit signe au garçon d'en apporter une autre.

— Comment se fait-il que tu aies été invité à un repas avec Thomas Mann ? s'enquit Marie.

— Oh, là ! c'est une longue histoire. Dans le temps je frayais pas mal dans les milieux littéraires. (Et, avec un regard à David :) Je voulais moi-même devenir écrivain.

— Et qu'est-ce qui vous en a empêché ? voulut savoir Silvie.

— Ce qui fait échouer tous les projets : la vie.

Jacky rit, et le reste de la tablée l'imita.

Le garçon apporta une nouvelle bouteille et montra l'étiquette à Jacky. Qui donna son accord d'un mouvement nonchalant de la main.

— A-t-on jamais publié quelque chose de vous ? demanda Mme Rebmann.

— De toi, la corrigea Jacky. Tout dépend de ce qu'on entend par là.

Il prit le verre où le garçon avait versé un peu de vin et le dégusta en connaisseur. Puis il donna, d'un hochement de tête, le signal autorisant à le consommer. Au grand soulagement de David, il ne commenta pas sa dernière phrase. Mais Marie demanda :

— Qu'est-ce que tu as donc écrit ?

Jacky avala une grande gorgée et toisa David.

David avait entendu dire que l'on était parfois d'une tranquillité absolue lorsqu'on était confronté au pire. Des passagers se prenaient la main, muets, lorsque tous les réacteurs s'arrêtaient et que l'avion piquait désespérément vers l'Atlantique fouetté par la tempête. Des patients acceptaient avec nonchalance le diagnostic histologique qui signifiait leur arrêt de mort. C'est ainsi que David se sentait à présent. Parfaitement calme.

Jacky répondit enfin.

— Des choses tout à fait semblables à ce qu'écrit David.

Il continuait à le regarder dans les yeux.

Allez, dis-le, songea David. Finissons-en.

— Mais c'est loin d'être aussi bon, fit Jacky avec un sourire et en levant son verre.

Après un bref instant d'hésitation, David leva également le sien.

26

Marie détestait les mannequins de vitrine. Elle connaissait mille meilleures manières d'exposer des vêtements que de les passer à une Barbie grandeur nature. Elle était malgré tout en train d'en habiller une dans la vitrine du Coryphée. Gaby Jordi, la propriétaire de la boutique, y tenait :

— Ça n'est peut-être pas aussi esthétique, mais pour l'instant je ne peux pas me le permettre. Ces temps-ci, j'ai besoin de braves clientes. Celles qui veulent voir à quoi ressemble une robe portée, dans le meilleur des cas. On recommencera à faire de l'art quand la crise sera terminée.

Gaby Jordi était sa meilleure cliente. Marie ne pouvait pas prendre le risque de la contredire. Mieux valait interpréter cela comme une nouvelle confirmation – sa décision était la bonne : elle allait raccrocher.

Elle était donc en train de faire passer les bras rigides dans les manches et les jambes fixes dans le pantalon, et tentait d'ignorer les regards scabreux des passants masculins. C'était une autre raison pour laquelle elle avait perdu le goût de ce métier : l'obligation de s'exposer elle-même. Chez d'autres clients, on pouvait masquer les vitrines quand on changeait le décor. Mais il n'y avait pas de rideaux à celles du

Coryphée. Gaby Jordi estimait que le processus de changement de présentation faisait lui aussi partie de la publicité.

Un peu plus tôt, quelqu'un avait frappé à la vitre. Elle l'avait d'abord ignoré. Mais il avait insisté. Elle avait fini par regarder. C'était Jacky. Le nouvel ami de David. Il lui montra le bar, en face, et fit le geste de boire. Elle secoua la tête. Il désigna le septième chiffre de sa montre. Et lorsqu'elle répondit de nouveau par la négative, il fronça les sourcils, joignit les mains devant la poitrine et inclina la tête sur le côté, comme un petit chien quémandant une friandise.

Elle se laissa attendrir et but un verre avec lui. Jacky lui raconta l'une de ses aventures au Kenya.

— En 1963, peu avant l'indépendance, la rumeur a commencé à courir : les Kenyans allaient régler leurs comptes dans le sang avec les *expats* – c'est comme ça que les Anglais appelaient leurs compatriotes qui vivaient là-bas. J'ai demandé à mon boy s'il aurait vraiment le cœur de me tirer dessus. Il a été terrifié par cette idée : «*No Massa, I could never kill you. I will kill neighbour. And boy of neighbour will kill you.*»

Depuis la lecture de David au théâtre municipal, Jacky faisait des apparitions partout. À l'Esquina où David revenait assez régulièrement, Jacky contestait souvent à Ralph son rôle d'amuseur en one man show. David l'amenait de plus en plus souvent lorsqu'ils avaient envie de manger tous les deux. Et il était toujours plus fréquent qu'il les fasse sortir de leur lit d'un coup de sonnette et qu'ils ne puissent pas s'en débarrasser tant que David n'avait pas mis son pantalon et n'était pas descendu lui prêter un peu d'argent. Personne ne savait de quoi vivait Jacky, ni où. Mais il était fauché en permanence – à titre provisoire, comme il n'arrêtait pas de le dire.

Au début, elle l'avait trouvé amusant. Mais ces derniers temps, il commençait à lui taper sur les nerfs. Ce n'était pas le cas pour David, qui riait chaque fois que le vieil homme lançait l'un de ses bons mots, même si ce n'était pas la première fois qu'il l'entendait. Il ne le laissait jamais payer, même quand il arrivait à Jacky, parfois, de faire mine de régler l'addition. Et il semblait ne jamais être perturbé par la présence de Jacky.

— Considère-le comme une mascotte, avait-il dit un jour. Il nous a porté bonheur à tous les deux.

27

— Mais il vient tout juste de toucher vingt mille euros.

— Tout juste, n'exagérons rien. C'était il y a deux mois.

— Et combien a-t-il gagné avec ses lectures ?

Everding ouvrit le couvercle d'une nouvelle boîte et déplia vers l'extérieur le papier qui entourait le tabac comme un plastron amidonné.

— Environ quinze mille, une trentaine de lectures à cinq cents euros pièce, admit Karin Kohler.

— Trente-cinq mille euros en deux mois.

— C'est beaucoup. Mais dans le même temps, il a vendu à peu près deux fois plus de livres.

Everding attrapa une pincée de tabac dans le contenu compressé de la boîte.

— Et de quoi compte-t-il vivre, s'il se met à en écrire un nouveau et qu'il n'a plus le temps de faire de lectures ?

— David a déménagé, il a dû acheter quelques meubles, des rideaux, bref : ce dont on a besoin dans un nouvel appartement. Et puis il s'est sans doute offert quelques trucs dont il rêvait depuis longtemps, et deux ou trois vêtements à porter en public. Il ne vit pas comme un prince.

Everding tenait à présent son tabac entre le pouce

et l'index et le vissait méticuleusement dans la tête de sa pipe en bruyère.

— Quarante mille euros, ça vous fait tout de même un sacré petit pactole. Qu'est-ce que gagne un serveur en un an, là-bas ?

Karin commençait à perdre patience.

— Pourquoi devrait-il vivre comme un garçon de café, s'il a les revenus d'un écrivain à succès ?

— Pour ne pas oublier comment on s'en sort. Pour les futures périodes de vaches maigres.

Il appuya fermement sur le tabac avec son pouce et attrapa son briquet.

— Ne pas penser aux périodes de vaches maigres est le privilège de la jeunesse.

Karin le regarda pousser ses nuages de fumée comme la locomotive d'un train en modèle réduit.

Enfin, Everding s'adossa à son fauteuil et suçota sa pipe comme s'il l'avait définitivement allumée pour les deux années suivantes.

— Trente mille ? demanda-t-il comme si le montant exact venait de lui revenir.

Karin Kohler hocha la tête.

— Je ne pose jamais la question, mais avec un auteur aussi jeune on a une certaine responsabilité : qu'est-ce qu'il compte en faire ?

Karin haussa les épaules.

— Il veut peut-être les placer. Nous, nous ne lui versons pas d'intérêts.

Everding poussa un profond soupir.

— Bon, d'accord, mais dis-lui que ce sera la dernière fois avant les comptes du début d'année.

Karin se leva, mais Everding lui fit signe de rester.

— J'ai autre chose.

Elle se rassit dans le fauteuil des visiteurs. Everding se raidit.

— Ne tournons pas autour du pot : tu n'as pas envie de revenir chez nous comme permanente ?

Il lui sourit, fier de cette idée.

Karin n'était pas surprise de cette proposition. Depuis le jour où elle lui avait dit, plutôt pour plaisanter, que son idée de devenir l'agent de David n'était pas si mauvaise que ça, elle avait l'impression qu'il était un peu plus prévenant avec elle. Ce qui, dans le cas d'Everding, signifiait : un peu moins insolent. Il avait sans doute compris d'un seul coup que l'avoir comme salariée lui coûterait un peu moins cher que ce qu'elle soutirerait en tant qu'agent de David. Et il ne pouvait même pas être sûr qu'elle ne ferait pas passer son protégé dans une maison qui lui offrirait plus.

Comme Karin ne répondait pas tout de suite, il ajouta :

— Bien entendu, nous adapterions l'élément financier à la hausse du coût de la vie et aux nouvelles circonstances.

Elle n'avait encore jamais entendu Everding faire allusion à une augmentation de salaire. Il devait être passablement nerveux.

— Je vais réfléchir à ta proposition, Uwe, dit-elle avant de se lever.

Il demeura muet un moment. Puis il lui lança une mise en garde :

— Mais pas trop longtemps.

Comme s'il était en négociation avec une rangée d'autres candidats.

Lorsque Karin arriva à la porte, la pipe d'Everding s'était éteinte.

Le sol du couloir était couvert d'une feuille de plastique, le cadre des portes, les interrupteurs et les prises recouverts de ruban adhésif. Ça sentait la peinture.

Les peintres étaient aussi présents dans le bureau. Les étagères murales étaient couvertes de draps, le fauteuil des visiteurs n'était plus là, l'affreuse moquette aiguilletée était protégée par un film plastique et sur une échelle se trouvaient déjà les draps dont on recouvrirait sa chaise et son bureau dès qu'elle aurait quitté les lieux.

Elle s'assit et commença à lire son courrier. Des demandes de lectures, d'interviews, de droits, de photos. Le battage autour de David Kern était encore loin d'avoir atteint son apogée.

Ces derniers temps, il lui arrivait de s'inquiéter : supportait-il tout ce ramdam aussi bien qu'elle l'avait cru au début ? Tout cela n'allait-il pas lui monter à la tête ? Même si elle ne l'avouait pas à Everding, les besoins financiers de David commençaient aussi à lui causer du souci. Ce n'était pas tant ses dépenses. Le fait qu'un jeune homme se retrouvant en possession d'une somme inespérée l'utilise avec un peu de légèreté lui paraissait encore normal. Ce qui la déconcertait, c'était son intérêt soudain pour ses revenus. Il ne s'était jamais préoccupé des ventes de ses livres ; désormais, il s'enquérait chaque semaine du chiffre que l'on venait d'atteindre.

Le fait qu'il la pressait, ces derniers temps, d'augmenter le cachet demandé pour ses lectures étonna aussi Karin. Quelque temps plus tôt, il refusait presque de croire que quelqu'un pouvait verser cinq cents euros plus les frais pour bénéficier de sa prestation. Et à présent il demandait avec le plus grand sérieux si l'on ne pouvait pas en tirer un peu plus.

Si elle s'inquiétait, ce n'était peut-être pas tellement en voyant David se comporter comme la plupart des gens qui ont senti l'odeur de l'argent, mais en constatant qu'elle ne pouvait plus se fier à sa connaissance du genre humain. Elle avait toujours cru, jusqu'ici, que celle-ci s'améliorerait au fur et à mesure qu'elle prendrait de l'âge.

28

Adossé à une balustrade près de la ménagerie des éléphants, David attendait un signe du cameraman. Lorsque celui-ci lèverait le bras, il devrait descendre tout à fait normalement, ni trop vite, ni trop lentement, le sentier étroit, passer devant l'enclos des dromadaires et aller jusqu'au petit banc devant le cochon ventru vietnamien. Il s'y assoirait et attendrait que le cameraman crie « OK ! »

« Elle était parfaite. On en refait une dernière, *safety* », avait crié le cameraman après la prise précédente. Mais il avait déjà promis cela un certain nombre de fois.

David n'avait pas un don naturel pour le cinéma. Depuis que le cameraman lui avait demandé de ne surtout pas regarder la caméra, son regard était attiré par l'objectif comme par un aimant. Il avait entendu le journaliste dire au preneur de vues : « Je préfère qu'il regarde de temps en temps la caméra plutôt que le voir sans arrêt s'efforcer de regarder ailleurs. »

Pour marcher aussi, David avait du mal. Dès que la caméra tournait, il prenait tellement conscience de chacun de ses mouvements qu'il avait le sentiment de ne plus savoir comment les accomplir. Comment balance-t-on les bras ? Le droit parallèle à la jambe gauche ? Ou le bras droit en même temps que la jambe droite, comme le dromadaire devant lequel il venait de passer ?

C'est le journaliste qui avait eu l'idée de filmer une partie du reportage dans le zoo. Il voulait tourner dans les décors de *Lila, Lila*.

Un sifflement strident sortit brutalement David de ses réflexions. Le technicien du son avait sifflé entre ses doigts, et toute l'équipe (journaliste, cameraman et preneur de son) battait des bras. David se mit à marcher.

Ne pas regarder la caméra, ne pas regarder les dromadaires, ne pas penser à ses pieds, ne pas penser à ses bras, se disait intérieurement David. Voici l'écrivain David Kern qui, tout à fait normalement, se rend de la ménagerie des éléphants à l'enclos du cochon ventru vietnamien, sous l'objectif d'une équipe de la télévision allemande qui se trouvait là par hasard. Perdu dans ses pensées, l'auteur tout en longueur de *Lila, Lila* passe devant l'enclos des dromadaires et devant les enfants qui crient « Maman, maman, un chameau ! ».

Sans se soucier de la position de la caméra, le grand espoir de la nouvelle littérature allemande se rapproche du banc, plus que trois, plus que deux mètres. Il se penche déjà en avant et, détournant son regard de la caméra, vérifie qu'il ne va pas s'asseoir à côté. Puis... il s'assoit, pose la jambe gauche sur la droite, non, la droite sur la gauche, appuie la tête sur sa main et observe, songeur, le cochon ventru qui cligne des yeux au soleil, à demi enfoui dans la boue.

— Cette fois-ci, c'était très bon. On pourra couper le moment où il s'assoit, dit le journaliste.

— *Sorry*, cassette, dit le cameraman d'un air affligé.

— Merde. Avant ou après le moment où il s'assoit ?

— En haut, près des enfants !

— Oh non !

David, sans qu'on lui ait rien demandé, remonta le chemin jusqu'à la balustrade, près de la ménagerie des éléphants.

Au moins ici, au soleil de septembre, il ne faisait pas aussi froid que le matin sur la patinoire artificielle. Le journaliste avait convaincu David de mettre des patins à glace. Il n'avait jamais été un bon patineur et n'avait plus été sur la glace depuis son enfance. Il parvint tout juste à avancer le long de la palissade, les jambes raides, à s'accrocher et à répondre lorsqu'on lui demanda si la patinoire, lieu où Peter et Lila faisaient connaissance, devait être interprétée comme un symbole de la froideur de la société à l'égard des sentiments de la jeunesse.

À cette question-là, David avait répondu un coup par « Oui, cela aussi », un coup par « Non, pas forcément ». Jusqu'à ce que le journaliste lui demande de se décider pour une réponse. À cause de la question qui ferait le raccord avec le plan suivant.

La question de raccord concernait les années cinquante. Cela lui fut moins difficile. C'était l'une des questions standard pour lesquelles il disposait désormais de réponses standard. La plupart provenaient du fonds des critiques parues sur son livre, celles qu'il avait eu le temps de lire.

— Vous avez situé l'action en 1954. Croyez-vous à une renaissance de l'esprit des années cinquante ?

Ce à quoi il répondait :

— L'histoire n'est crédible que dans un champ social étriqué, conservateur et prude. Voilà pourquoi elle se déroule dans les années cinquante.

La réponse fonctionnait aussi pour : « Monsieur Kern, comment un auteur de vingt-trois ans a-t-il, au XXIe siècle, l'idée d'écrire une histoire d'amour qui se déroule dans les années cinquante ? »

211

Et aussi pour : « Pourquoi cette nostalgie des *fifties* ? »

Ou encore pour : « Monsieur Kern, auriez-vous aimé être né plus tôt ? »

Ils avaient encore tourné quelques scènes dans le Parc aux Cerfs, entre la patinoire et le zoo. Avec l'autorisation du jardinier municipal, ils filmèrent plusieurs traversées de la pelouse interdite. Dont la version « ombre d'écrivain » – la caméra ne suit que l'ombre de l'auteur qui flâne sur le gazon, profondément absorbé par ses pensées – et la version « pieds d'écrivain » – le cameraman le suit, penché, l'objectif dirigé vers les pieds, la caméra à la main comme une pierre de curling juste avant le lâcher. « Ça donne toujours du bon matériau pour les commentaires *off* », avait dit le journaliste.

David était désormais de nouveau adossé à la balustrade, près de la ménagerie, et observait de loin l'équipe de télévision. Au moment précis où le cameraman voulut lever la main pour lui faire signe, un groupe de cours préparatoire croisa son chemin en rang par deux. Le cameraman battit des bras, mais le journaliste, d'un signe, intima à David l'ordre de se mettre en marche.

David démarra. Ne pas regarder la caméra, ignorer les dromadaires, ne pas marcher l'amble, ne pas rentrer dans les enfants, ne pas s'approcher du banc en tâtonnant comme un aveugle.

Au bout de quelques pas, il sentit que quelqu'un marchait derrière lui. Il résista à l'envie impulsive de se retourner. Même lorsque son accompagnateur fut à sa hauteur, il garda le regard rivé sur le banc, entre la caméra et les dromadaires.

— Relax, relax, fit la voix de Jacky à côté de lui.

— Fous le camp, tu es dans le champ, lui chuchota David sans détourner le regard de sa cible.

212

— Et alors ? Tu te promènes au zoo et tu rencontres un fan, comme dans la vraie vie. Souris et dis quelque chose, sans ça les gens penseront que tu as déjà la grosse tête.

David baissa les yeux vers lui. Jacky portait son nouveau trois-pièces gris souris et lui lança un regard rayonnant. David dit avec un sourire aimable :

— Ne regarde pas la caméra, ne regarde la caméra sous aucun prétexte, c'est simple, sans ça je te bute.

Côte à côte, ils se dirigèrent vers le banc, près du cochon ventru.

— Moi, il faut que je m'assoie sur ce banc. Toi, tu continues, dit David en souriant.

Encore quelques pas, et il s'assit.

Jacky lui serra cordialement la main, sourit à la caméra et continua son chemin.

— OK ! s'exclama le journaliste avant de se diriger vers le banc. Très bien, très naturel, on peut couper le regard du monsieur vers la caméra. Une relation ? Un lecteur ? Ça vous arrive souvent de vous faire aborder comme ça ? Quel effet cela fait d'être tout d'un coup devenu une personnalité ? Comment vous en sortez-vous ?

Jacky s'était arrêté quelques mètres après le banc et il les rejoignit.

— Vous êtes une relation de David Kern, demanda le journaliste, ou simplement un lecteur ?

Encore une de ces situations qui coupaient le souffle à David. Jacky la savoura, comme toujours.

— Eh oui, qu'est-ce que je suis ? Un lecteur ? Un fan ? Un ami et mentor ? On pourrait dire ça comme ça, David ?

David hocha la tête.

— Et puis une sorte de collègue, renchérit Jacky.

— Tiens, vous écrivez aussi ? demanda le journaliste, intéressé.

Jacky fit un signe négatif.

— Dans le temps. Ça fait longtemps que j'ai arrêté, pas vrai, David? Je me contente d'assister depuis le banc de touche au succès de mon poulain. (Il envoya à David une bourrade à l'épaule.) Pas vrai?

David hocha la tête.

— Vous verriez une objection à ce que nous utilisions la scène dans le sujet? s'enquit le journaliste.

— Quelle scène? répondit Jacky, l'air ingénu.

— Mais votre rencontre avec M. Kern, à l'instant, nous l'avons filmée.

— Oh non, vous m'avez filmé? Qu'est-ce que je viens faire, moi, un vieil homme, dans un film sur un enfant prodige de la littérature? Tu n'y tiens certainement pas, David?

David fit un geste vague.

— Dans ce cas j'aimerais encore enregistrer quelques propos de vous sur David Kern, monsieur...?

— Stocker. Jacky Stocker.

David suivit les deux hommes du regard. Ils se dirigèrent vers la caméra, et l'on appareilla Jacky.

Il ne fut pas surpris de voir Jacky apparaître dans ce qui était à ce jour son plus important passage à la télévision. Depuis leur première rencontre, il avait surgi presque chaque jour où David n'était pas en tournée de lectures.

Après la lecture au théâtre municipal, David avait passé une nuit blanche. À deux reprises, il avait failli réveiller Marie et tout lui avouer. Mais il avait ensuite préféré attendre de savoir ce que lui voulait le vieux. S'il avait voulu le démasquer, le pot qu'ils avaient pris ensemble au Zèbre aurait été l'occasion idéale. La représentante de la plus grande librairie de la ville, deux critiques littéraires, quelques personnalités culturelles et Marie auraient constitué un bon public. Au lieu de cela, il s'était contenté de quelques propos brumeux et ambigus que seul David avait pu comprendre. Il lui avait arraché son adresse sous prétexte de lui envoyer l'édition épuisée d'un recueil de poèmes écrit par un clochard mort dans les années soixante-dix.

À sept heures, le réveil de Marie avait sonné. Il ne s'était enfin endormi qu'une demi-heure plus tard, lorsqu'elle lui avait dit au revoir et donné un baiser pressé. C'est à huit heures que le téléphone avait sonné.

Le vieux se présenta sous le nom de Jacky Stocker, *alias* Alfred Duster, et proposa qu'ils se rencontrent pour un petit déjeuner tardif. À neuf heures et demie à l'hôtel du Soleil, qui gardait un beau buffet ouvert jusqu'à onze heures.

David accepta. L'apparition du vieil homme l'emplit d'une résignation de plomb. Ce qui devait arriver tôt ou tard était arrivé, voilà tout. Il n'y pouvait rien. Il était soumis sans défense aux projets que Duster avait pour lui.

L'hôtel du Soleil était un trois étoiles situé près de la gare. Il portait les traces des nombreuses petites rénovations effectuées à l'économie au cours des quarante dernières années. Il vivait grâce aux VRP de deuxième catégorie, à la clientèle de plusieurs agences est-européennes d'excursions en car, et de gens qui voulaient prendre leur petit déjeuner jusqu'à onze heures.

« Buffet de petit déjeuner copieux, ouvert à tous », lisait-on sur un panonceau, devant l'entrée. Et dans le hall, une poule rieuse indiquait de l'aile droite la « salle du petit déjeuner ».

Le vieux était déjà installé à une table, et il fit signe

à David de le rejoindre. Il avait devant lui une assiette d'œufs brouillés et de jambon. À côté, un coquetier portant une coquille d'œuf vide et tachée de jaune. Il désigna le buffet et, d'un geste, l'invita à se servir.

« Dix-neuf quatre-vingt-dix, *à discrétion.* »

David n'avait pas faim. Il attrapa une coupe de céréales et un café. Lorsqu'il revint, Jacky avait devant lui une assiette de saumon et de blinis. À côté, un verre de vin blanc. Ils mangèrent en silence.

Jacky attendit d'avoir vidé son assiette pour demander :

— D'où tiens-tu le manuscrit ?

David entreprit une dernière tentative pour se défendre.

— Quel manuscrit ?

Jacky but une gorgée dans son verre et se désigna du pouce.

— Le mien. Je suis Alfred Duster.

David secoua la tête.

— Alfred Duster est mort.

C'est Jacky, cette fois-ci, qui secoua la tête.

— Non. Peter Weiland est mort. Alfred Duster est vivant.

— Peter Weiland était Alfred Duster.

Jacky vida son verre, se rendit au buffet et revint avec un verre plein. Il désigna le muesli dont David avait laissé la moitié :

— Ça ne coûte pas moins cher si tu en manges moins.

— Peter Weiland était Alfred Duster, répéta David.

Jacky croisa les jambes et se cala contre le dossier de sa chaise.

— En 1954, je suis revenu de Paris où j'avais fait une année d'études. Le jour à la Sorbonne, la nuit comme portefaix aux Halles. On n'imagine plus ça aujourd'hui. J'ai trouvé un poste de reporter local, j'ai loué une mansarde bon marché, je me suis acheté une machine à écrire d'occasion et j'ai commencé à chercher un sujet pour mon premier roman.

Jacky repassa au buffet et revint avec une assiette de fromage : « Ça va bien avec le vin », expliqua-t-il.

— Un jour, j'ai discuté avec l'occupant d'une chambre voisine. Il m'a raconté l'histoire du précédent locataire, Peter Weiland. Ce jour-là, j'ai su que je tenais mon sujet.

Jacky engouffra un morceau de brie trop fait, s'essuya la main sur la nappe, prit le verre de vin et fit descendre le fromage.

— J'ai écrit *Lila, Lila* en moins de deux mois.

— Et pourquoi sous un pseudonyme ?

— Alfred Duster aurait dû devenir mon nom de plume. Ça sonne mieux que Jakob Stocker.

Jacky continua à savourer le fromage et avala chaque bouchée avec du vin.

— D'où tiens-tu le manuscrit ?

David ne répondit pas.

— Allez, dis-le-moi, je n'ai pas l'intention de te balancer.

— C'est quoi, alors, ton intention ?

— Je voulais simplement faire la connaissance de l'homme que mon roman a rendu célèbre.

— Et maintenant que tu le connais ?

— J'aimerais avoir ma petite part de notre succès commun. C'est légitime, non ?

— Pourquoi n'as-tu pas publié le roman à l'époque ?

— Personne n'en voulait, il a atterri dans un tiroir. D'où tiens-tu le manuscrit ?

— Trouvé.

— Où ?

David parvint à sourire.

— Dans le tiroir.

— Et comment as-tu mis la main sur le tiroir?

David le lui raconta.

— Et ensuite tu l'as recopié et signé de ton nom.

— Scanné.

— Qu'est-ce que c'est que ça?

— Enregistré électroniquement, avec l'ordinateur.

— Je ne connais rien aux ordinateurs. Et où est passé l'original?

— À la poubelle.

Jacky eut un moment de silence. Puis il dit:

— Heureusement, j'ai encore le carbone.

C'est David, alors, qui dut chercher ses mots pendant un moment.

— Qu'est-ce que tu vas faire d'une copie carbone si tu n'as pas l'intention de me balancer?

— Au cas où tu ne voudrais pas me faire participer à notre succès commun.

— Je comprends maintenant. Tu veux dire: participer financièrement.

Jacky sourit.

— Aussi. Juste un peu. Je n'ai pas besoin de beaucoup pour vivre.

David savait qu'il devait dire non à présent. Se lever, déposer vingt francs suisses sur la table pour son petit déjeuner. Quoi qu'il se passe après, cela ne dépendrait plus de lui.

Mais il resta assis. L'apparition de l'auteur avait aussi du bon. Son incertitude s'était dissipée. Il n'avait plus à s'attendre, à chacune de ses prestations publiques, à voir quelqu'un se lever dans la salle et se présenter comme le véritable auteur. Le véritable auteur s'était fait connaître. Et l'avait fait à peu près discrètement.

— Juste une petite part, répéta Jacky, et personne n'en saura rien.

David hésitait encore.

Comme s'il avait deviné ses pensées, Jacky ajouta :

— Marie non plus.

Le matin même, Jacky se rendait avec lui à la banque et se faisait verser cinq mille francs suisses. En signe de la bonne volonté de David, disait-il. Depuis, beaucoup de signes de bonne volonté avaient suivi celui-là.

David n'avait aucune idée de ce à quoi Jacky dépensait son argent. Il ne l'avait encore jamais vu sortir son portefeuille. Bien qu'il en eût souvent l'occasion. Jacky apparaissait de plus en plus régulièrement dans les lieux que fréquentaient David et Marie. Et chaque fois, il se faisait inviter.

Une partie de l'argent passait visiblement dans les vêtements – de temps en temps, il surgissait avec un nouveau costume et demandait à David comment il le trouvait. Ses problèmes de logement le forçaient eux aussi à opérer quelques dépenses imprévues, pour reprendre son expression. David n'apprit rien de plus précis.

Il savait juste que la majeure partie de son avance et des honoraires de ses lectures était allée à Jacky. C'est cela qu'il entendait par les mots « participer à notre succès commun ».

— Excusez-moi de vous avoir fait attendre. L'entretien avec votre ami était très instructif.

Le journaliste se tenait à côté du banc, derrière lui le cameraman et le technicien du son avec le matériel emballé. Et Jacky, serviable, qui portait un grand microphone hirsute.

— Si cela vous convient, nous allons faire une petite modification pour ce soir : nous vous filmerons en même temps que M. Stocker, pendant l'un de vos repas – vous me rappelez le nom du restaurant, monsieur Stocker ?

— Le Prélude, précisa aimablement Jacky.

Le Prélude était l'un des restaurants les plus cotés de la ville. David n'y avait encore jamais mangé. Surtout pas avec Jacky Stocker.

— Que dites-vous de cette idée, monsieur Kern ? s'enquit le journaliste.

— Remarquable, répondit David.

29

Les premiers temps, Jacky avait continué à habiter au foyer Saint-Joseph.

Il ne voyait pas pour quelle raison il aurait dû offrir à l'État l'argent qu'il lui devait au titre de l'aide sociale. Même lorsqu'il prit pension à l'hôtel Caravelle – un deux étoiles des années soixante, une grande chambre avec kitchenette pour deux mille cent cinquante francs suisses par mois –, il passait chaque jour à la direction du foyer pour récupérer ses vingt francs d'argent de poche. Il fallut que Saint-Joseph informe le bureau d'aide sociale que Jakob Stocker n'y logeait pratiquement plus jamais pour que l'on supprime son allocation.

Jacky pouvait s'en passer. Les virements réguliers de David lui avaient procuré une autonomie financière et avaient transformé son existence. Il n'avait plus à faire le guignol à des tables de restaurant toujours identiques, en espérant que ses boissons passeraient dans le flot de l'addition finale. Il n'avait plus à demander à de vagues connaissances de l'aider à sortir de ses ornières financières. Il ne dépendait plus de la charité : il recevait son argent de quelqu'un qui le lui devait.

De tous les bistrots où il avait ses habitudes, il ne fréquentait plus que le Mendrisio, de temps en temps. Et même cela, il ne le faisait que pour montrer, à l'occasion, un nouveau costume aux piliers du bistrot et à son personnel. Ou pour prouver qu'il était désormais en mesure de boire et de payer un ou deux gin tonics.

Pour le reste, il évoluait dans d'autres milieux. Le plus souvent dans celui de David et de ses amis. Un monde nouveau s'était ouvert à lui. Terminé les gargotes à l'air vicié avec leurs cartons à bière ramollis et leurs boulettes froides. Terminé les je-sais-tout colériques et les buveurs hébétés. Terminé l'air saturé par l'odeur de vieille huile de friture et de fondue froide.

Désormais Jacky fréquentait les restaurants branchés et les clubs. Il discutait avec des gens de lettres, des artistes, des enseignantes de dessin, des graphistes, des publicitaires, des *flight attendants*, des architectes et des gens de télévision.

On l'avait accueilli aimablement dans le cercle de David. Il n'y avait qu'une seule personne avec laquelle il ne parvenait pas à briser la glace : la petite amie de David. Elle le battait froid. Elle incitait David à partir quand Jacky discutait avec lui, ne disait plus un mot lorsque David l'emmenait déjeuner, et faisait tout ce que font les femmes jalouses lorsqu'elles veulent torpiller une amitié masculine.

Marie lui faisait sentir qu'elle désapprouvait la générosité de David à son égard. Celui-ci avait déjà fréquemment regretté de ne pouvoir lui en révéler les motifs. Cela aurait valu un peu de respect à Jacky.

Jacky prenait son petit déjeuner à l'Acropole et attendait qu'un journal se libère. Bien entendu, il aurait pu s'en acheter un, mais dépenser de l'argent pour quelque chose qu'il pouvait obtenir gratuitement allait contre sa nature.

Entre dix heures et dix heures et demie, il n'y avait

pas grand monde à l'Acropole. Mais ceux qui, à cette heure-là, pouvaient s'asseoir devant un café avaient beaucoup de temps. Il fallut deux espressos et deux croissants avant qu'un jeune homme, deux tables plus loin, ne dépose l'argent à côté de sa tasse libre, ne roule le journal autour de son support et ne s'en aille.

Jacky prit le journal et l'ouvrit au cahier livres qui publiait tous les mercredis la liste des best-sellers. Il y avait eu quelques changements dans le classement, mais *Lila, Lila* se trouvait toujours à la première place. C'était la même chose depuis des semaines dans la plupart des listes de best-sellers germanophones. En Allemagne et en Autriche, David n'avait certes pas encore atteint le sommet, mais il s'était solidement installé dans le Top Ten.

Jacky guetta le garçon du regard, arracha discrètement la liste et la glissa dans son portefeuille. Plus tard, il la collerait sur une page blanche, la daterait et la classerait dans son dossier best-sellers. Il avait aussi un classeur pour les critiques, rangées par date et pourvues de zéro à quatre étoiles, selon qu'elles évoquaient l'œuvre sur un ton critique, bienveillant ou enthousiaste.

Il en avait un également pour les portraits d'auteur et un pour les articles généraux sur la littérature dans lesquels il surlignait le nom de David Kern au stylo fluorescent. La fréquence des critiques avait certes diminué. Les journaux importants avaient publié les leurs ; de temps en temps seulement, une feuille de chou de province découvrait la fin du postmoderne littéraire, ou bien une revue aux délais de fabrication importants replaçait un papier en retard dans un contexte totalement artificiel, par exemple « Back to the fifties », ou « La redécouverte du véritable amour ».

223

Mais l'intérêt des médias se concentrait plutôt, à présent, sur la personne de David. Cela contredisait certes l'idée que, dans le cas de *Lila, Lila*, l'événement n'était pas l'auteur mais l'œuvre ; en revanche, cela faisait monter la valeur de David sur le marché. Une évolution tout à fait conforme aux projets de Jacky.

Les coupures de presse qu'il ne trouvait pas lui-même, il les prenait chez David, à qui la maison d'édition les envoyait. Ce détour provoquait des retards qui mettaient la patience de Jacky à rude épreuve. Il avait pris à cœur la constitution des archives David Kern. Il connaissait bien les systèmes de classement depuis qu'il avait été délégué en Afrique orientale par une société internationale de transport. Mais la revue de presse de David Kern constituait les premières archives de Jacky sur sa propre personne. Il la menait avec un engagement dédoublé et ne supportait pas de se trouver à la fin de la chaîne de diffusion. Il demanderait à David de prier la maison d'édition de lui envoyer chaque fois une copie des articles.

Il devait être dix heures et demie, car le garçon déposa devant lui un verre de Campari. Jacky réagit par un « Oui ? Merci, Oscar » étonné.

Cela aussi faisait partie de sa nouvelle vie : pas d'alcool avant dix heures et demie. Ce retard tenait, bien sûr, au fait qu'il n'avait plus à se lever à six heures depuis qu'il détenait sa propre salle de bains. Mais il était surtout lié au mode de vie plus élégant qu'il avait adopté.

Il était par exemple devenu un habitué de l'Acro-pole, un café traditionnel dans le style viennois. C'est là que les banquiers buvaient leur espresso debout, que les propriétaires de magasin faisaient leurs pauses, que les artistes soignaient leur gueule de bois, que les modèles attendaient devant un jus d'orange et leur portable un appel de leur agence, et que de belles femmes sans obligations professionnelles se préparaient à faire tranquillement les boutiques.

Dans ce genre d'établissement, on ne commandait pas une cuvée de la maison à huit heures, on se laissait surprendre à dix heures et demie par un Campari.

Jacky s'enfonça dans le dossier rouge capitonné et but à petites gorgées disciplinées.

Devant les grandes vitrines de l'Acropole, les passants avaient ouvert leur parapluie. La bruine s'était transformée en une ondée d'automne qu'il convenait de prendre au sérieux.

D'ici quelques jours débuterait la Foire du livre de Francfort. Jacky attendait beaucoup de cette manifestation. David en serait l'une des stars. Les médias se battraient pour lui. Les maisons d'édition du monde entier s'efforceraient d'obtenir les droits de traduction. *Lila, Lila* était certes déjà vendu dans six pays, mais combien y en avait-il dans le monde ?

Jacky paya et laissa un pourboire généreux. Aussi économe fût-il, il faisait une exception pour les pourboires. On ne savait jamais quand on aurait un service à demander à un garçon.

Il passa son nouveau Burberry et la cape imperméable assortie, et quitta le restaurant. Les passants marchaient tout près des maisons pour ne pas être atteints par les éclaboussures des voitures qui fonçaient à leur hauteur. Deux cents mètres plus loin, Jacky entrait dans la librairie Winter, pour y faire son inspection régulière. *Lila, Lila* était exposé en vitrine et se trouvait aussi sur l'étagère la plus haute du présentoir des dix meilleures ventes. Il était également bien visible dans le rayon des romans, à la lettre K, la couverture tournée vers les acheteurs.

Mais sur la table des best-sellers, la pile de *Lila, Lila* était presque recouverte par deux piles de *Harry Potter*.

Jacky déplaça discrètement les piles jusqu'à ce que la justice littéraire fût rétablie.

Sa prochaine étape était le bar de l'hôtel du Lac. À onze heures. L'heure du deuxième Campari à la santé de David Kern.

30

David portait pour la première fois son nouveau
costume sombre. Hugo Boss, veste à deux boutons,
cool wool, coupe classique. Il aurait certes préféré
prendre celui de Comme des Garçons, mais Marie,
qui l'avait accompagné pendant ses achats, s'y était
opposée. « Dans un costume Comme des Garçons, tu
vas avoir du mal à incarner la fin du dandy postmoderne. »

Marie, elle, avait passé sa nouvelle robe noire à
décolleté arrondi. David était sûr que c'était la plus
belle femme de la salle. Et c'était une grande salle
avec beaucoup de belles femmes.

Les éditions Kubner les avaient logés dans un hôtel
qui ne correspondait pas totalement à l'hébergement
qu'ils avaient imaginé pour l'une des stars de cet
automne littéraire. On trouvait dans leur chambre
une table, une armoire, une fenêtre donnant sur une
arrière-cour et, ce qui les dérangea le plus, deux
alcôves abritant deux lits à une personne que l'on
ne pouvait pas réunir. Ils devraient donc se serrer
dans l'un des lits ou dormir chacun de son côté. Ou
commencer par l'un avant de faire l'autre.

Marie protesta contre ces conditions de logement
en jetant par terre chacune des serviettes-éponge dès
qu'elle l'avait utilisée, malgré l'autocollant qui, sur

la paroi carrelée jaune clair de la minuscule salle de bains, priait les invités, sous le dessin d'un globe terrestre souriant avec reconnaissance, de ne pas agir ainsi.

Ils étaient à la réception donnée par un grand éditeur allemand ; David n'avait pas compris duquel il s'agissait. Sur son emploi du temps, on lisait simplement : « À partir de 18 h 30, réceptions diverses, Frankfurter Hof. »

Karin Kohler était passée les prendre à l'hôtel ; depuis, elle ne les avait plus lâchés d'une semelle. Elle veillait sur eux comme un maître de cérémonie, leur présentait les gens qui se pressaient autour d'eux et les menait discrètement aux autres, ceux qui ne le faisaient pas.

David serrait des mains et souriait courtoisement lorsqu'on lui faisait des commentaires du type : « Ah, votre livre, je l'ai dévoré. » Ou bien : « Savez-vous que j'ai pleuré à cause de vous ? » Ou : « Je viens de commencer votre roman. Soyez gentil, ne me dites pas la fin. » Ou encore : « Ma femme a lu votre livre et me harcèle pour que je le lise moi aussi. » Ou enfin : « Votre livre est sur ma table de chevet. Tout en haut de la pile. »

Il tenait depuis quelque temps un bâtonnet de satay d'où coulait de temps en temps un peu de sauce à l'arachide – vraisemblablement sur son pantalon, il n'osait pas baisser les yeux. Le bâtonnet était en équilibre, comme le filtre d'une cigarette, entre l'index et le majeur de sa main gauche, avec laquelle il tenait aussi son verre. Il avait coincé sa serviette sous son bras gauche. Chaque fois qu'il voulait attraper le bâtonnet avec la main droite et le porter à sa bouche, il lui fallait serrer une main. À cet instant précis, c'était celle du lauréat du Booker Prize, Jeremy Steward, que Marie lui présenta un peu hors d'haleine. David n'avait encore jamais rien lu de lui, mais il savait que Marie aimait ses livres. « *You're one of my heroes* », venait-il de l'entendre dire lorsqu'il fut emmené par Karin Kohler pour être présenté à quelqu'un d'important : Jens Riegler, le directeur littéraire de Luther & Rosen.

Riegler était un gros homme, un trait moqueur autour de la bouche. Lorsque Karin les présenta l'un à l'autre, il dit :

— Je vous rencontre enfin. Je dois vous dire que je vous en veux.

— Pourquoi ? demanda David, effrayé.

— Parce que vous ne m'avez pas envoyé votre manuscrit.

Karin intervint :

— C'est l'amie de M. Kern qui a posté le manuscrit. Il n'était même pas au courant.

— Dans ce cas j'en veux à votre amie. Elle est jolie, au moins ?

David le toisa de haut en bas et chercha une autre réponse à lui faire que « connard ».

Une fois de plus, Karin répondit à sa place :

— C'est une beauté.

Riegler souleva les sourcils.

— Vous l'avez amenée ?

— Non.

Dans le silence qui suivit la réponse abrupte de David, une voix se fit entendre :

— Quelqu'un aurait-il vu le serveur avec le vin ? Apparemment, il n'y en a qu'un ici.

La pire crainte de David s'était réalisée : Jacky.

Il portait un costume noir lustré et un nœud papillon pourpre. La peau sur ses pommettes était d'un rouge fébrile, ses yeux brillaient, vitreux, et il passait nerveusement d'une jambe sur l'autre.

— Donner une réception pour en mettre plein la vue et ne même pas servir assez à picoler.

— Je vais te chercher quelque chose, dit David avant de disparaître dans la foule.

Marie discutait toujours avec le Booker Prize. David posa le bras sur ses épaules et l'attira contre lui. Par chance, quelques phrases plus tard, Jeremy Steward se laissa entraîner dans une conversation avec un éditeur français qui les avait abordés.

— Jacky est ici, murmura David.

Marie le regarda comme si elle ne l'avait pas bien compris.

David désigna une direction avec le menton.

— Avec Karin Kohler et le directeur littéraire de Luther & Rosen. Ivre, vêtu d'une sorte de smoking.

Marie avait l'air prête à fondre en larmes.

— Désolé, dit David.

— Fiche-le dehors.

— Je ne peux pas.

— Alors dis-lui au moins qu'il nous laisse tranquilles.

David haussa les épaules.

— Qu'est-ce que tu lui trouves ?

David réfléchit. Il finit par répondre :

— Il me fait de la peine.

— De la peine ? Jacky ?

— Tous les vieux me font de la peine.

— Sérieusement ? Pourquoi donc ?

C'est une idée qui n'était encore jamais venue à David. Mais elle semblait toucher Marie.

— Parce qu'ils sont vieux. Parce qu'ils ont leur vie derrière eux. Parce que tout le monde les néglige. C'est pour cette raison que je ne peux pas envoyer Jacky au diable.

Marie posa la main sur la nuque de David et le serra contre elle.

— Et puis il me rappelle mon grand-père.

David n'avait connu aucun de ses grands-pères. Sa mère était brouillée avec le premier depuis qu'elle était majeure. L'autre était mort quand David avait quatre ans.

— Ton grand-père picolait autant ?

Marie avait posé la question pour s'amuser, mais David resta de marbre.

— Oui. Hélas. Mais quand il n'était pas soûl, il me racontait des histoires. Comme Jacky.

— Toujours les mêmes, lui aussi ?

Marie n'était pas d'humeur sérieuse.

— Oui, toujours les mêmes. Mais les enfants aiment ça. Quand on est petit, on ne veut pas de nouvelles histoires. On ne veut même pas qu'on raconte les anciennes d'une autre manière.

Marie sourit, songeuse.

— Bon, dans ce cas je vais tenter de me faire à papy Jacky.

David lui donna un baiser.

Au cours de la soirée, la vie de David se compliqua encore un peu.

À la réception de Draco, ils rencontrèrent de nouveau Karin Kohler qui les emmena à la soirée Leopardi. Une réception connue des seuls initiés, qui se déroulait dans une suite au premier étage ; mais la foule était telle que Marie et David furent séparés de Karin Kohler et qu'ils ne purent, une heure durant, quitter la salle de bains où les avait poussés le flot de la foule. Ils partagèrent ce destin avec un groupe d'auteurs italiens qui leur détaillèrent en français l'identité des personnalités qu'on apercevait dans la mêlée par la porte ouverte de la salle de bains.

C'était la seule pièce où l'on avait de quoi s'asseoir : les toilettes, le bidet et le rebord de la baignoire remplie de glace, de bière et de vin blanc. David et Marie durent attendre la fin de la fête pour accéder à la sortie. Karin Kohler avait disparu.

Pendant qu'ils attendaient l'ascenseur, un journaliste ivre, rédacteur dans une revue littéraire autrichienne, présenta David à une importante directrice littéraire new-yorkaise. Dans l'ascenseur plein à craquer qui les conduisait du premier étage au rez-de-chaussée, elle demanda « *So, what's your book about* ? » Lorsqu'il ouvrit la bouche pour le premier « Hum », la porte de l'ascenseur s'ouvrit et l'importante lectrice américaine se dissipa dans l'air ambiant.

Il fut heureux de pouvoir proposer à Marie de conclure la soirée par un verre au bar de l'hôtel. Dans le pire des cas, ils y rencontreraient Jacky, et David pourrait dire qu'ils l'avaient cherché. Dans le meilleur des cas, ils ne le rencontreraient pas, et le lendemain David pourrait dire qu'ils ne l'avaient pas trouvé.

Le meilleur des cas ne survint pas. Dès qu'ils se furent frayé un chemin parmi les clients qui bloquaient l'accès au bar et qu'ils se tinrent entre les personnes installées avec l'indécision des nouveaux venus, quelqu'un cria à voix haute :

— David Kern !

Quelques dizaines de visages se tournèrent d'abord vers la voix, puis dans la direction qu'indiquait le petit homme à nœud papillon. C'était donc lui, David Kern.

David lança à Marie un regard interrogateur.

— Non, sans moi. Mais je ne t'en voudrai pas si tu restes.

David regarda alternativement les signes de Jacky et le sourire de Marie, sans savoir ce qu'il devait faire. Marie l'embrassa :

— Ne sois pas trop long.

Il la suivit du regard jusqu'à ce qu'elle s'éclipse dans le hall d'entrée.

Jacky avait conquis une place sur un divan. À côté de lui était assis un homme que David ne connaissait pas. Ils avaient laissé entre eux un espace sur lequel Jacky tapait à présent du plat de la main.

David s'installa entre Jacky et l'inconnu.

Jacky avait la langue pâteuse et utilisait l'index pour donner plus de signification à ses phrases, ou pour dissuader ses interlocuteurs de l'interrompre.

— Les réceptions, affirma-t-il, les réceptions, tu peux les oublier. C'est ici que ça se passe. Ici qu'ont lieu les *deals* importants. Tu n'as besoin d'aller nulle part ailleurs. Sur le stand ? Oublie ça ! Les lectures ? Oublie ça ! Les débats ? Oublie ça ! (Il prit une gorgée de bière.) Ici ! C'est ici que tu rencontres les gens importants. C'est ici que tu crées les contacts.

Il lui fallut s'y reprendre à trois reprises pour articuler correctement « crées les contacts ».

— Puis-je te présenter... (Jacky chercha le nom de l'homme).

— Klaus Steiner, compléta l'autre.

— Klaus Steiner, des éditions Draco. Un homme très important.

Steiner fit un signe de dénégation et tendit la main à David.

— Votre agent exagère.

31

Plus Jacky se couchait tard, plus il se réveillait tôt. Le plus souvent, c'étaient des brûlures gastriques qui le sortaient du sommeil. L'acide lui jaillissait de l'estomac comme un flot de lave et lui brûlait l'œsophage.

Ce fut aussi le cas ce matin-là. Il s'arracha de son lit et tenta de retrouver ses repères. Une petite chambre. À la lumière des réverbères, qui passait par la fenêtre – il avait dû oublier de tirer les rideaux –, il put discerner une armoire. À côté se trouvait une chaise, sur celle-ci une valise ouverte. La chambre avait deux portes. Dans la serrure de la première, une clef accrochée à une patère rustique. Cette porte-là donnait sans doute sur l'extérieur.

L'autre porte était ouverte. C'était forcément la salle de bains. Jacky se dirigea vers elle et trouva un interrupteur. Un néon s'alluma au-dessus d'un miroir. Il était dans une minuscule salle d'eau. Un rideau de douche à fleurs, un petit lavabo, des toilettes dont la lunette était levée, et où l'eau était teintée de jaune. Il tira la chasse.

Sa trousse de toilette était posée sur le réservoir. Il fouilla à l'intérieur, trouva ses pastilles Rennie, fit sortir deux cachets de leur coque en plastique et se les glissa dans la bouche. Il n'accorda pas le moindre regard au vieil homme boursouflé qu'il voyait dans le miroir.

Il rentra dans la chambre et ouvrit la fenêtre. L'air frais de l'automne emplit la pièce. Trois étages en dessous de lui, la rue noire reluisait ; une voiture y passait de temps en temps. Au-dessus d'une vitrine étincelait une enseigne lumineuse qu'il ne pouvait distinguer sans lunettes et à cette distance.

Jacky alla à la porte de la chambre et sortit la clef de la serrure. Sur l'étiquette, il lut le numéro 36 et les mots « Hôtel Rebe, Bad Nauheim ».

Il se rappelait, à présent. Lorsqu'il était arrivé, la veille, à Francfort, et qu'il avait demandé un hôtel au service d'information de la gare, on avait commencé par lui rire au nez, puis on l'avait envoyé à Bad Nauheim. À trente-trois kilomètres de Francfort. Et il pouvait s'estimer heureux qu'il reste une chambre.

Il ne savait plus comment il était arrivé jusque-là la nuit précédente.

Jacky ferma les rideaux et alluma la lampe de chevet. Il baissa les yeux. Il portait des chaussettes et une chemise blanche. Il tâtonna vers son bouton de col et toucha quelque chose en soie. Son nœud papillon pourpre. Il comprit comment on l'ouvrait et s'en débarrassa. Puis il ôta sa chemise et son slip. Lorsqu'il leva la jambe gauche pour enlever sa chaussette, il perdit l'équilibre et s'étala de tout son long sur la descente de lit. Dans sa chute, il emporta la lampe de chevet. Elle s'arrêta à côté de lui, près de sa tête, sa lumière devint claire, presque blanche, et s'éteignit ensuite avec un bourdonnement discret. Jacky resta couché un moment. Lorsqu'il se fut persuadé qu'il ne saignait pas et qu'il n'avait rien de cassé, il se plaça sous la douche.

Une heure et demie plus tard, il avait fait ses bagages et payé sa chambre ; assis dans un taxi qui le conduisait à Francfort, il reconstituait la soirée précédente.

Mis à part le fait qu'il avait trop bu, celle-ci s'était bien déroulée pour lui. Il avait quitté la place en vainqueur. Il ne savait plus à quelle heure, mais il avait été l'un des derniers. David était peut-être parti un peu avant lui. Mais le type des éditions Draco – comment s'appelait-il, au juste ? – était resté jusqu'au bout. Ils étaient convenus d'un rendez-vous. Ils voulaient parler de l'avenir de David. Il n'avait plus qu'à se rappeler où et quand.

C'était pour un déjeuner, il en était presque sûr.

Il chercha la fermeture de sa ceinture de sécurité, la trouva, l'ouvrit, déplaça son poids sur sa fesse gauche et sortit son portefeuille de sa poche arrière droite. Le chauffeur l'observait du coin de l'œil.

Jacky feuilleta les notes de restaurant et les petites cartes de visite dans les différents compartiments et tomba sur une carte des éditions Draco. « Klaus Steiner, directeur littéraire », lut-il à voix haute. Au verso, il trouva quelques mots écrits à la hâte : « Jeudi, 12 h 30, restaurant Steffens Stube, premier étage. » Cela aussi, il le lut à voix haute. Il rangea la petite carte, puis son portefeuille, et tripatouilla la boucle de sa ceinture jusqu'à ce que le chauffeur écarte la main de Jacky et fasse cliqueter la fermeture.

Jacky se fit conduire jusqu'à la gare. Il y déposa sa valise à la consigne et chercha un restaurant qui semblât en mesure de fournir un petit déjeuner décent.

Des jours comme celui-là, cela signifiait du café au lait, des petits pains, deux œufs à la coque, beaucoup d'eau minérale et un ou deux verres de vin rouge pour se débarrasser du tremblement.

Après le petit déjeuner, il prit un taxi pour rejoindre la foire. Au contrôle, il montra la carte d'exposant qu'il avait extorquée la veille, au bar, au directeur commercial d'une maison d'édition anglaise spécialisée dans le jardinage. Il prit, avec l'assurance d'un homme qui aurait fréquenté la foire depuis des années, le bus-navette qui le conduisit dans le hall où se trouvait le stand des éditions Kubner.

Assis à sa petite table, David parlait à une journaliste. Il avait l'air un peu livide, et les contours de sa barbiche s'étaient estompés, mangés par les poils de deux journées sans rasage.

Jacky ignora le regard désapprobateur de Karin Kohler, se dirigea vers David et lui tendit la main.

— Tout va bien ? demanda-t-il.

David hocha la tête.

Puis il se présenta à la journaliste :

— Jacky Stocker, l'agent de David Kern. (Et, de nouveau à David :) J'ai quelques rendez-vous, et ensuite le déjeuner dont je t'ai parlé avec... tu sais qui. À plus tard.

— À plus tard, marmonna David en lançant un regard oblique à Karin Kohler, assise à portée de voix sur sa petite chaise, mais qui était justement en conversation avec un visiteur.

Jacky sortit du stand Kubner et se dirigea tranquillement vers les stands des éditeurs importants.

Chez Luther & Rosen, il se rendit au comptoir d'information et demanda à parler au directeur littéraire.

— M. Riegler est occupé pour le moment, je peux peut-être vous aider ? proposa la grande enfant aux lèvres rouges.

— Non, j'attends.

— Je dois vous dire tout de suite que si vous n'avez pas de rendez-vous avec M. Riegler, vous avez peu de chance qu'il trouve le temps de vous recevoir.

238

— Dites-lui simplement que je représente David Kern. Il dénichera peut-être une minute.

Elle alla voir Riegler et lui parla. Celui-ci leva les yeux un bref instant. Jacky le regarda et hocha la tête. Riegler dit quelque chose et se tourna de nouveau vers son interlocuteur.

— M. Riegler sera là d'une minute à l'autre. Puis-je vous proposer quelque chose en attendant ? Un café ? Un verre d'eau ?

Jacky demanda du café et s'installa sur la chaise qu'on lui proposait. Riegler arriva en même temps que le café.

— Je n'avais pas compris hier que vous êtes l'agent de David Kern. J'espère que vous avez réussi à obtenir votre verre de vin.

Ils se serrèrent la main.

— Je ne voudrais pas vous retenir longtemps. Je me disais juste que nous pourrions nous rencontrer en marge de la foire, pour un *drink* ou un petit en-cas, et avoir une conversation confidentielle.

Riegler sortit son agenda et le feuilleta en fronçant les sourcils.

— Je pourrais m'absenter un peu d'ici à quatre heures. Où nous retrouvons-nous ?

— Au bar de l'hôtel, devant.

— Au bar du Marriott ?

— Exactement.

— Pas très discret.

— Mais très proche.

Le Steffens Stube était un restaurant traditionnel. Au rez-de-chaussée, on trouvait une simple brasserie ; au premier étage, les tables étaient couvertes de nappes blanches. Lorsque Jacky entra, Steiner était déjà à une table et lui faisait signe. Jacky avait pris un peu de retard : il s'était arrêté en chemin pour avaler un apéritif. Il ne voulait pas faire mauvaise impression, et comptait retenir un peu sa consommation d'alcool en présence de Steiner.

Mais il fut très heureux de constater qu'on avait déposé un Campari à côté des couverts de Steiner. Il aurait été discourtois de ne pas en commander un aussi.

— C'est ce qu'il y a de plus terrible dans cette Foire du livre, il est toujours si tard, gémit Steiner.

— Oui, les choses se télescopent un peu.

— Depuis combien de temps faites-vous ça, monsieur Stocker?

— Jacky. Je crois qu'hier, nous nous tutoyions.

— Klaus. Je n'en étais plus sûr. (Steiner eut un sourire un peu embarrassé.) Depuis combien de temps fais-tu ça, Jacky?

— La Foire du livre?

— Non, en général. Le business, l'édition. Agent, tout ça.

— Ah! ça, ça ne fait pas très longtemps. Autrefois, j'ai été plus actif dans la vie littéraire. Mais tu n'étais pas encore de ce monde. C'est David qui m'a fait revenir. Il lui fallait un homme de confiance qui s'occupe un peu de lui, quelqu'un pour assurer ses arrières. Et j'avais du temps.

— Et de l'expérience.

L'intonation n'était pas celle d'une question, mais Jacky savait que c'en était une. Steiner voulait savoir à qui il avait affaire.

— Oh! pour ça, un peu de savoir-faire commercial suffit. Qu'on négocie du savon de Marseille ou les droits d'un livre, les lois sont les mêmes. L'acheteur veut toujours moins payer que ce que le vendeur veut recevoir. C'est l'offre et la demande qui décident lequel de nous deux l'emporte.

— Mais il faut connaître le marché et les usages.

— Ça s'apprend vite. J'ai le contrat de David avec Kubner, et je peux supposer que toutes les clauses auraient pu être plus avantageuses.

— Avez-vous déjà choisi ? demanda un serveur en veste blanche trop étroite.

— Nous n'avons pas encore regardé, répondit Steiner.

Ils ouvrirent la carte et l'étudièrent en silence. Sans lever les yeux du menu, Steiner demanda :

— Quels sont les projets de David Kern pour l'avenir ?

— Ceux de tous les écrivains, répondit Jacky. Un nouveau livre.

— Il a déjà commencé ?

— Jusqu'ici, il manque encore un peu de motivation.

Steiner baissa la carte.

— De cela, on pourrait discuter.

L'entretien avec Klaus Steiner fut très constructif. Tout comme celui avec Jens Riegler au Marriott. Tous deux comptaient faire une offre au cours des jours qui suivraient.

Mais Riegler était en mesure de proposer un petit bonus. Jacky lui parla de son problème d'hôtel, et Riegler fit en sorte qu'il obtienne une chambre sur le contingent de Luther & Rosen. Elle était réservée pour toute la semaine, à l'intention d'un de leurs auteurs qui n'arriverait que le surlendemain.

Après la discussion, Jacky alla chercher ses bagages à la gare et prit ses quartiers au Frankfurter Hof.

32

Marie avait été prise de court par le coup de téléphone de Karin Kohler. Elle avait d'autres projets
pour la soirée. C'était la dernière qu'elle passerait à
Francfort, elle devait revenir le lendemain, elle avait
un examen important à passer le jour suivant.

Ce soir, à huit heures, la télévision enregistrait une
lecture de David. Marie voulait être dans le public et
comptait passer d'abord à l'hôtel pour se reposer et
se faire belle.

Mais Karin Kohler avait tellement insisté pour la
rencontrer qu'elle n'avait trouvé aucune échappa-
toire. Et puis Marie était très contente d'avoir cette
occasion de lui parler en particulier.

Elle trouvait en effet que David faisait trop de lectures. Elle s'était promis de lui dire, dès qu'elle le
pourrait, que la maison lui en demandait trop. Lui-
même partageait cette opinion, mais il était incapable
de dire non. Il trouvait que laisser tomber son éditeur
ne serait pas loyal. Et puis il avait besoin d'argent.

Elle se disait parfois que c'était l'inverse, qu'il faisait plus cela pour l'argent que pour l'éditeur. Avant
chaque tournée de lectures, il était de mauvaise
humeur, il maudissait Karin d'avoir accepté, et lui-
même de ne pas avoir refusé. Lorsqu'il revenait, il
était fatigué, lessivé, mais son humeur s'améliorait à

chaque fois qu'il ouvrait les enveloppes contenant son cachet et comptait les billets. Il les attachait avec un trombone et y ajoutait un petit morceau de papier mentionnant la somme globale.

Mais il ne jetait pas l'argent par les fenêtres. Dès qu'il le pouvait, il apportait son butin à la banque. Il faisait à Marie l'effet d'un petit garçon qui économisait en vue d'une grande dépense et plaçait tout son argent de poche dans sa petite tirelire en forme de cochon. Mais quelle était la grande dépense de David ?

L'idée qu'il puisse être avare lui était déjà venue. Mais si tel était le cas, son avarice ne touchait que lui-même. Elle, il l'invitait dans des restaurants de luxe, et en dépit de ses protestations, c'est lui qui prenait en charge la majeure partie des dépenses de leur foyer commun. Lorsqu'elle voyait avec quelle indolence il se laissait utiliser par Jacky, l'avarice cessait tout simplement d'être un motif possible. David comptait peut-être tout simplement au nombre des gens qui prenaient plus de plaisir à avoir de l'argent qu'à en dépenser.

Marie était assise à une petite table du bar kitsch plongé dans l'obscurité, et attendait la directrice littéraire devant un Schweppes. Le bar se remplit très rapidement d'exposants et de visiteurs de la Foire. À chaque nouveau client, le nombre de décibels et la teneur de l'air en substances nocives augmentaient. Marie ne connaissait aucune branche d'activité où l'on fumait autant que sur le marché littéraire. Lorsqu'elle montait dans une navette, le matin, sur la vaste aire de la Foire, les vêtements des autres passagers sentaient le cendrier. La nuit passée, lorsque David était arrivé dans la chambre, ivre, à plus de trois heures du matin, l'odeur de tabac froid qu'il dégageait était plus forte qu'elle ne l'avait jamais été du temps où il servait à l'Esquina.

Marie regarda l'horloge. Karin Kohler avait déjà dix minutes de retard. Un groupe de Danois bruyants installés au bar ne cessaient de lever les yeux vers elle. Ils étaient juste dans le champ de vision de Marie, et il eût été difficile de les ignorer. Elle regarda encore une fois sa montre, pour que tous comprennent qu'elle attendait quelqu'un.

Pour être sincère, Marie était très heureuse de pouvoir repartir le lendemain. Elle en avait plus qu'assez de cette mêlée. Les stands des maisons d'édition ne se distinguaient que par leur taille ou leur design. Cela valait aussi pour les livres.

Et puis la quantité de volumes la déprimait. À quoi bon faire des études de lettres ? Pour finir un jour fonctionnaire de cette industrie de masse ? Journaliste, lectrice, libraire, représentante, collaboratrice d'une maison d'édition ? Comme tous les autres, ceux qui marchaient au rythme frénétique des allées, le badge épinglé à la poitrine, ou spéculaient, dans un bar d'hôtel bruyant, sur l'identité de celui qui, le lendemain, obtiendrait le prix Nobel de littérature ?

À la déception que la Foire inspira à Marie s'ajouta celle que lui causa David. Elle ne s'était pas attendue à ce qu'il ait plus de temps que cela à lui consacrer. Elle avait même prévu que, lorsqu'il n'aurait pas d'obligations officielles, il traînerait avec des gens intéressants, des confrères écrivains, des journalistes, des éditeurs. Mais elle n'avait jamais pensé qu'il pourrait se présenter avec Jacky dans son sillage, comme il le faisait chez eux. Son incapacité absolue à s'imposer lui tapait sur les nerfs. Ce matin, elle lui avait dit, en ne plaisantant qu'à moitié :

— David, un jour où l'autre il va falloir que tu choisisses entre Jacky et moi, et le plus tôt sera le mieux.

Il l'avait implorée :

— Je t'en prie, Marie. Ce sont déjà des journées stressantes. Ne me stresse pas encore plus. S'il te plaît.

Comme elle la détestait, cette ficelle-là ! Tous les hommes l'utilisaient. Ne complique pas encore les choses. Surtout maintenant. Autrement, quand tu veux. Mais s'il te plaît, ne me fais pas une scène maintenant. Ne me tombe pas dessus à un moment aussi important pour moi. Un moment où j'ai un tel besoin de ta loyauté et de ta collaboration.

Elle regarda de nouveau sa montre. Six heures et quart. Elle allait faire signe au serveur, payer et s'en aller.

— Pardonnez-moi mon retard. Je n'arrivais pas à quitter mon stand.

Karin Kohler avait les joues rouges, elle était hors d'haleine. Elle ôta son manteau et le posa sur le dossier de la banquette.

— Je voulais être à l'hôtel au plus tard à sept heures, répondit Marie, un peu désappointée.

— Vous y serez. Nous commanderons un taxi à la réception. À la borne, près de la sortie, vous aurez quarante-cinq minutes d'attente à cette heure-là. Je vais droit au but : Marie, j'ai besoin de votre aide.

— Pourquoi donc ?

— David vous a parlé de ma proposition ?

— Quelle proposition ?

— Devenir son agent.

— Pas un mot.

— Hier midi. Il voulait vous en parler d'abord.

— Il ne l'a pas fait.

— Peut-être pas à vous. Mais à M. Stocker. Lequel clame à présent sur tous les toits qu'il est l'agent de David.

Marie secoua la tête.

— Ne prenez pas ça au sérieux. Jacky est un ivrogne qui raconte n'importe quoi.

Karin marqua une pause dramatique.

— David me l'a confirmé.

— Je vous demande pardon ?

— Je l'ai pris en tête à tête, aujourd'hui. Il a un peu tourné autour du pot, et il a fini par l'admettre.

Un serveur vint prendre la commande de Karin.

— La même chose.

Karin désigna le verre de Marie.

— Un Schweppes ?

— Je pensais que c'était un gin tonic.

— Un gin tonic, alors ?

— Oui, il me faut quelque chose d'un peu plus fort.

Marie avait eu peu de temps pour reprendre contenance.

— David a dit que Jacky était son agent ?

— Pas en ces termes, mais c'est ce que ça voulait dire. Il semblait certes le regretter, mais il ne songeait pas à revenir sur sa décision.

— Je vais lui parler.

— C'est ce que je comptais vous demander. Il faut lui sortir cette idée de la tête. Pas seulement à cause de moi. Il se nuit à lui-même. Il va être la risée de tout le marché du livre.

— Je sais.

— Et puis je vais être tout à fait honnête : il s'agit aussi de moi. J'ai cinquante-deux ans, et c'est ma dernière chance de prendre un nouveau départ. Je sais, ça paraît égoïste. Mais tout ce que je ferai pour redémarrer profitera à David. Je pourrais le faire entrer dans la maison d'édition qui lui conviendrait et lui obtenir les meilleures conditions possibles. Je me battrais pour lui comme une lionne, vous pouvez me croire.

Marie la croyait.

Le serveur apporta le gin tonic de Karin. Elle paya tout de suite.

— Pour que vous soyez à l'heure à l'hôtel, expliqua-t-elle à Marie.

Elle but deux grands gorgées et alluma une cigarette.

— Est-ce que David a des obligations envers ce Jacky?

Marie haussa les épaules.

— Je me suis déjà posé la question. David dit qu'il lui fait de la peine. Et qu'il lui rappelle son grand-père.

— Son grand-père? (Elle vida son verre en secouant la tête.) Vous prendriez votre grand-père comme agent, vous?

33

— Vous voulez prendre comme agent un ivrogne à la retraite qui n'a pas la moindre idée de ce qu'est le marché du livre ? Vous m'excuserez, mais vous êtes devenu fou !

Au retour d'une lecture, Karin Kohler avait conduit David Kern dans une cage d'escalier utilisée comme issue de secours, et lui avait fait la leçon.

Elle avait d'abord fait preuve de diplomatie :

— Vous devriez éviter que votre ami Stocker se présente comme votre agent auprès de la presse, lui avait-elle conseillé sur un ton maternel.

David n'avait pas répondu. Elle avait insisté :

— Il n'y a rien de vrai là-dedans, je suppose ?

David avait haussé les épaules.

— Pourquoi ne m'en avez-vous rien dit à la Palmeraie ?

— À ce moment-là, ça n'était pas encore le cas.

La veille, Karin l'avait arraché du stand. À midi et demi précis, elle était allée chercher un manteau, s'était installée à côté de David qui parlait avec une journaliste, assis à l'une des minuscules tables du minuscule stand Kubner, et avait dit :

— Désolée, je dois vous enlever M. Kern.

Ils avaient pris un taxi – à cette heure-là, ils étaient

suffisamment nombreux devant le portail de la Foire – et étaient partis pour la Palmeraie.

Un vent froid soufflait sur les platanes. Les promeneurs étaient rares dans les chemins du parc public. Quelques retraités qui amortissaient leur abonnement annuel. Une poignée de mères et leurs enfants emmitouflés qui s'étaient sentis à l'étroit chez eux.

Dans une baraque où l'on servait des plats végétariens, ils commandèrent un steak de soja, une pizza aux pommes de terre, une eau minérale et une bière à emporter, et se rendirent dans la forêt tropicale. Il y régnait toujours une chaleur agréable.

La touffeur d'une fin d'après-midi en Amazonie les accueillit dans la serre. Cela sentait la terre noire et humide, la vase et le feuillage en putréfaction.

Ils s'installèrent sur un banc, sous un petit groupe de palmiers de Juraça – « *Euterpe Edulis*, États du sud du Brésil », lisait-on sur l'écriteau. Au-dessus de leurs têtes, les frondes des palmiers étaient collées au plafond en verre.

Ils déballèrent leur casse-croûte et Karin prononça sa première phrase. Elle avait choisi celle-ci :

— Je suppose que vous avez conscience du fait que les conditions que vous avez chez Kubner ne sont pas les meilleures.

David observa sa tartiflette comme s'il ne pouvait pas se décider à en croquer une bouchée.

— Non, je ne savais pas.

— Maintenant, vous savez.

David se reprit et mordit dans la pizza. Il mâcha, avala et dit :

— C'est meilleur que ça n'en a l'air. Dans ce cas, pourquoi m'avez-vous offert de mauvaises conditions ?

— Parce que, dans votre cas, je représente Kubner.
Mais ça ne sera pas forcément toujours le cas.

— Autre solution? demanda David la bouche
pleine.

— Je pourrais aussi vous représenter.

Elle lui donna un peu de temps pour réfléchir et
mordit la première bouchée de son steak haché au
tofu. Elle en avait gardé un meilleur souvenir.

Elle recommença à parler après avoir avalé.

— Je pourrais négocier les conditions à votre
place, les ventes de droits, les droits sur les livres de
poche, les pourcentages, les avances, les honoraires
pour les lectures, les catégories des hôtels. Tout ce
que je fais en ce moment. Mais je le ferais à votre
profit.

David avala une gorgée de bière.

— Tiède, constata-t-il. Mais j'ai déjà un contrat.

— Pour ce livre, oui. Mais pour le suivant, vous
êtes encore libre. Nous pouvons choisir nous-mêmes
un éditeur.

— Et Everding?

— Everding peut faire une offre, bien entendu.

David buvait sa bouteille à petites gorgées. Deux
moineaux s'étaient posés sur une palme et commençaient à se disputer en langue d'Europe centrale.

— Des moineaux de l'Amazonie, fit David avec
un rictus, avant de demander : et qu'est-ce que ça me
coûtera?

— Vingt pour cent de vos revenus.

— Une jolie somme.

— Mais avec moi comme agent, vous gagneriez
beaucoup plus.

David but la dernière gorgée et réfléchit.

— Je peux prendre le temps d'y réfléchir?

C'était pour Karin le deuxième plus mauvais scénario après le refus spontané.

— Pas trop longtemps, objecta-t-elle. C'est maintenant le moment idéal. Tous les gens importants sont là. C'est maintenant qu'on pose les jalons importants pour l'avenir.

Après un long silence, David répondit :

— Je ne crois pas que j'écrirai un deuxième livre.

— Quand on peut écrire *Lila, Lila*, on écrit encore beaucoup de livres.

Ils en était restés là : il allait réfléchir.

Dès le lendemain matin, elle avait croisé Klaus Steiner dans la navette, qui avait la gueule de bois et lui avait raconté qu'il était tombé sur l'agent de David la veille au soir. Il s'avéra qu'il parlait de ce vieux type qui avait fait irruption à la réception de Luther & Rosen, traînait depuis autour du stand Kubner et s'immisçait dans les entretiens de David avec la presse.

Et voilà que David affirmait à présent que la chose n'était pas encore d'actualité, la veille, à la Palmeraie ! Elle avait failli le prendre par le col.

— Est-ce que cela signifie que vous lui avez parlé de mon offre toute chaude et qu'il vous a dit : Laisse-moi m'en occuper, je peux le faire aussi bien qu'elle ?

David prit une mine consternée.

— Je ne lui ai rien raconté. L'idée lui est venue comme ça.

— Et qu'est-ce qui vous a incité à lui donner l'avantage ?

Elle avait espéré que David allait lui dire : Vous vous trompez, je ne lui ai pas donné l'avantage, rien n'est encore décidé. Mais David avait l'air de réfléchir sérieusement au motif. La colère de Karin grandit. Et avec celle-ci une déception désespérée.

— Jacky est un homme très rusé, finit-il par expliquer.

— Et il connaît bien le marché du livre ?

— Il a lui-même écrit, autrefois.

— Ça n'en fait pas un agent littéraire, loin de là. Ce business-là est plus dur que tout. Il va se faire ratiboiser.

— Jacky est un homme très rusé.

David tenta un sourire.

— David, ça n'est pas un jeu. Il s'agit de votre avenir. Un agent doit connaître le milieu, il doit savoir quelle maison d'édition vous conviendra, dans quels lieux vous devez ou vous ne devez pas vous produire, il doit avoir des contacts avec les médias, il doit vous protéger contre le public. Il faut qu'il puisse négocier des contrats, savoir ce qu'il y a dedans, ce qu'on peut demander. Il doit éviter qu'on vous exploite jusqu'à la moelle. Un vieil homme sans expérience dont l'haleine empeste l'alcool dès le matin en est incapable !

David ne répondit pas.

— Vous avez déjà signé quelque chose ?

Tout n'était peut-être pas perdu.

David fit non de la tête.

Karin se sentit infiniment soulagée.

— Bon. Ne signez rien pour le moment. Attendez que chacun de nous vous fasse une offre détaillée, et vous choisirez en toute tranquillité.

— J'ai donné mon accord définitif à Jacky, avoua David.

— Du jour au lendemain ?

— Vous m'aviez dit que plus je me déciderais vite, mieux cela vaudrait pour les contacts, ici, à la Foire.

Karin en resta un instant bouche bée. Puis elle constata d'une petite voix :

— C'est donc définitif.

David répondit d'un hochement de tête désolé. Elle perdit alors son dernier reste de diplomatie et prononça la phrase qui s'achevait par les mots « ... m'excuserez, mais vous êtes devenu fou ».

34

À trois heures et demie, un photographe passa prendre David sur le stand et l'emmena dans un petit studio improvisé, dans le labyrinthe que forment les salles de service d'un hall de foire.

Il dut s'asseoir à une petite table, devant un cyclo, et prendre différentes poses songeuses, tantôt de profil, tantôt de trois quarts, tantôt avec ou sans les mains. Le photographe parlait sans interruption pour le détendre et lui faire oublier l'appareil.

Mais pour détendre David, il aurait fallu plus que le *small talk* routinier d'un photographe spécialisé dans les auteurs.

Le fait que Jacky se fasse désormais passer pour son agent ne l'inquiétait guère. De toute façon, tout ce foutoir littéraire lui était devenu indifférent. S'il n'y avait pas eu Marie, il aurait révélé toute l'escroquerie. Il l'aurait même fait avec le plus grand plaisir. Il aurait dit au premier journaliste venu que ce n'était pas lui qui avait écrit *Lila, Lila*, mais Jakob Stocker, son agent.

Ce contexte donna à David une nouvelle idée : puisque Jacky était désormais son agent, il avait autant intérêt que lui à ce que l'affaire reste dissimulée. Jusque-là, seul David Kern serait passé pour un imbécile et se serait retrouvé dans le rôle du salaud qui avait dépouillé un pauvre vieil homme et l'avait privé des fruits de son talent.

Mais désormais, Jacky était devenu son complice devant l'opinion publique, peut-être même son manipulateur. Et il avait d'autant moins intérêt à ce que la vérité voie le jour.

Cette découverte donna un peu de courage à David. Il pourrait peut-être devenir l'acteur principal de cette bouffonnerie.

Après la séance de photos, il ne revint pas comme convenu au stand où l'attendaient Karin Kohler, quelques journalistes et Jacky, mais alla directement retrouver Marie à l'hôtel. À partir de cet instant, il ferait en sorte que Marie n'ait plus à supporter le vieux. Il allait établir de nouvelles règles, et Jacky devrait s'y tenir.

Mais Marie n'était pas dans la chambre. Sans cela, il lui aurait parlé de la proposition de Karin Kohler et lui aurait dit qu'il avait accordé la préférence à Jacky. Peut-être aurait-il aussi trouvé une justification plausible au cours de l'entretien. Peut-être oserait-il dire toute la vérité.

L'idée ne lui était pas étrangère : dire la vérité, tout simplement, et voir ce qui se passerait. Peut-être le comprendrait-elle. Peut-être pourrait-elle imaginer comment la minuscule boule de neige qu'était son petit mensonge inoffensif n'avait cessé de grandir, d'accélérer et de provoquer de nouveaux ravages.

Peut-être, si Marie comprenait qu'il avait seulement utilisé cette petite entorse à la vérité, la source de toute cette histoire, pour obtenir son attention à elle. L'un de ces petits trucs que les hommes utilisent pour apparaître sous un meilleur jour devant la femme à laquelle ils font la cour.

Et si elle comprenait ensuite quelle part elle avait prise malgré elle dans le fait que ce petit enjolivement s'était transformé en escroquerie à grande échelle, était-il impossible qu'elle lui pardonne ?

Peut-être enfin l'attendrirait-il un peu s'il lui racontait à quel point il en souffrait.

Mais si ce n'était pas le cas ? Si elle était déçue au point de ne plus vouloir entendre parler de lui ? Si ce qui les avait réunis provoquait leur désunion ?

C'était un risque réel. Marie ne s'était pas intéressée au garçon de café qu'était David. Mais elle était tombée amoureuse de l'écrivain. Leur amour était bâti sur une petite escroquerie. Si on la supprimait, on démolissait les fondations.

David ôta son manteau et ses chaussures et se coucha tout habillé sur son lit.

Dans le couloir, un couple se disputait dans une langue qu'il ne connaissait pas. La voix de la femme était forte et énervée, celle de l'homme n'était qu'un chuchotement. L'homme était gêné par cette scène.

David en revenait toujours à la même conclusion : en aucune circonstance il ne voulait courir le risque de perdre Marie. Il préférait se laisser manipuler et exploiter par Jacky, battre la campagne en tenant son rôle de faussaire littéraire et devenir chaque jour plus étranger à lui-même. S'il n'avait que le choix entre être un escroc avec Marie et un honnête homme sans elle, il n'avait même pas à réfléchir. Dieu sait que la passion avait fait commettre des crimes bien pires que celui-là.

David s'assit au bord du lit. Il ne voulait pas dormir lorsqu'elle arriverait.

Il était à présent cinq heures et quart. David composa le numéro de Marie. Sa boîte vocale se déclencha aussitôt. Elle devait assister à une lecture et avait coupé son portable. Il laissa un message : « Je voulais juste te dire que je t'aime et que tout ira bien. »

Il rédigea un petit mot, le posa sur l'un des lits, passa ses chaussures et son manteau et quitta l'hôtel.

Les nuages filaient à une telle vitesse qu'on les aurait dits contaminés par la frénésie de la Foire. David prit le tram qui menait au site. En allant à l'hôtel, il avait remarqué une rue commerçante. Il voulait y revenir.

Il reconnut l'endroit, descendit et se promena devant les vitrines. Il s'arrêta devant celle d'un joaillier, examina le présentoir et entra.

La plus grande partie de la lumière, dans la grande salle, provenait des spots qui éclairaient les vitrines. Celles-ci étaient dressées le long des murs ou servaient d'éléments de séparation entre les petites tables de vente. À certaines d'entre elles, clients et vendeuses étaient assis autour d'une lampe dont la lumière blanche faisait scintiller des plateaux couverts de bijoux.

Une femme élégante vint vers lui en souriant.

— Puis-je vous être utile ?

— Je cherche une bague.

— Pour vous ?

— Pour une dame.

— Une jeune dame ?

David hocha la tête. La vendeuse le conduisit devant l'une des petites tables, le pria de prendre place, s'assit en face de lui et alluma la lampe.

— Pour Lila ? demanda-t-elle.

David ne s'était toujours pas habitué à ce qu'on le reconnaisse.

— Non, pour Marie, répondit-il sérieusement.

La femme ne put s'empêcher de rire.

— Excusez-moi, je suis une lectrice passionnée de *Lila, Lila*, et bien sûr je vous ai reconnu tout de suite. Quelle somme voudriez-vous mettre à peu près, pour que nous cherchions dans la bonne catégorie de prix ?

David réfléchit.

— Quel est l'éventail ?

— La bague la plus chère que nous ayons à offrir en ce moment coûte environ trois cent douze mille euros. Les moins coûteuses démarrent à cent vingt euros. De simples bagues d'amitié et de fiançailles.

David dut paraître un peu désemparé, car la vendeuse proposa :

— Nous regardons dans les deux mille ?

David était d'accord. Il ignorait si c'était plus que ce qu'il avait compté dépenser. Il n'y avait pas réfléchi. Il y était allé parce qu'il avait besoin de faire un cadeau à Marie. Quelque chose qui devait lui montrer qu'il l'aimait, même s'il se comportait parfois bizarrement.

La vendeuse revint avec un plateau de bagues et les souleva l'une après l'autre, de ses doigts parfaitement manucurés, pour les tenir face à la lumière halogène. Il aurait préféré quelque chose en forme de cœur, mais il n'avait peut-être pas choisi la bonne boutique.

Pour chacun de ces bijoux, il tentait d'imaginer à quoi il ressemblerait sur la main de Marie ; il devait paraître un peu désemparé, car la vendeuse finit par lui demander :

— De quelle couleur sont ses yeux ?

— Bleus.

Elle sortit une bague sertie d'une pierre bleue.

— Un saphir.

— Peut-être pourriez-vous la passer ? demanda David.

Elle ôta la bague à sa main droite et glissa celle au saphir sur son annulaire. Sa main blanche avait l'air d'un chaton fatigué sur le fond de velours noir.

— Je prends celle-ci, dit David. Combien coûte-t-elle ?

— Vous avez fait un très bon choix, monsieur

Kern, murmura-t-elle en déchiffrant avec un peu de distance, les yeux légèrement plissés, la petite écriture sur l'étiquette. Un peu au-dessus du budget, trois mille deux cents.

Elle lui lança un regard interrogateur, comme pour dire qu'elle comprendrait bien qu'il ne puisse s'offrir ce prix-là.

— OK.

— Si la taille ne va pas, nous la modifierons gratuitement.

David n'avait pas pensé à cela.

— Elle repart demain matin.

— N'importe quel joaillier vous fera la transformation pour pas grand-chose.

Un quart d'heure plus tard, David quittait la boutique avec le cadeau le plus cher et le plus bel emballage de toute sa vie.

Il prit un taxi pour l'hôtel : il était déjà six heures et demie. À sept heures et demie, Karin Kohler passerait le chercher. Pour une lecture importante qui serait filmée par la télévision. Il ne restait pas beaucoup de temps s'il voulait donner le cadeau à Marie et lui en dire suffisamment sur cette histoire d'agent pour qu'elle ne soit pas surprise si Karin ou Jacky venait à en parler.

Lorsqu'il revint à l'hôtel, la clef était toujours accrochée au panneau de la réception. Avec un message de Marie. Elle irait directement à la lecture.

Karin Kohler était installée sur le siège avant d'un taxi.

— Où est Marie ? demanda-t-elle lorsqu'elle vit David monter tout seul.

— Elle arrive par ses propres moyens.

— Ah, bon... (Elle paraissait déçue.) Dans ce cas vous n'avez pas eu le temps de vous parler ?

— Non, pourquoi ?

— Juste comme ça.

Ils roulèrent sans un mot dans le trafic du soir. David luttait contre sa nervosité. Il s'était trompé : celle-ci ne s'était pas dissipée avec l'apparition du véritable auteur. Bien qu'il n'ait plus à craindre d'être démasqué au beau milieu d'une lecture, la peur revenait constamment. Comme les douleurs fantômes d'un amputé de la jambe.

Ils arrivèrent avec dix minutes de retard devant le petit théâtre où se déroulait la lecture. David était attendu à l'entrée par une assistante trépidante qui le conduisit dans une salle de maquillage. La lecture d'un autre auteur, une femme d'un certain âge, était retransmise sur écran.

— Après elle, c'est à vous, dit l'assistante.

L'angoisse revint immédiatement.

Il lut d'une voix hésitante. Une lettre d'amour, pour la première fois. Pour Marie. Il espéra qu'elle avait eu le temps d'arriver dans la salle.

> *Lila bien-aimée,*
>
> *Je suis assis dans ma mansarde, et je te vois partout où je regarde. Je te vois éteindre la lumière. Je te vois fermer les rideaux. Je te vois allumer la lampe de chevet. Je te vois chercher une station de radio. Je te vois dénouer tes cheveux. Je te vois t'asseoir sur le lit. Je te vois qui me regardes. Je te vois ramener la tête en arrière. Je te vois fermer les yeux. Je te vois qui ouvres les lèvres. Je te vois, toi, toi, toi.*
>
> *Ah, Lila, comme ces images me tourmentent. Et pourtant, je ne tiendrais pas une seule seconde sans elles.*
>
> *Je t'aime.*
>
> *Peter*

La femme qui le démaquilla après la lecture demanda :

— Comment une femme peut-elle quitter un homme qui écrit des lettres pareilles ?

Dans le foyer l'attendaient un groupe de jeunes lectrices et une vieille dame en fauteuil roulant. Tout en signant ses livres, il vit Karin Kohler debout près de la loge. Il lui adressa un signe. Elle répondit d'un bref hochement de tête. Marie n'était pas auprès d'elle.

— Où est Marie ? demanda David lorsqu'il eut terminé sa séance de décidaces.

— Je ne l'ai pas encore vue. Elle est peut-être restée à l'intérieur.

Après David, c'était une jeune Américaine qui lisait des extraits de son premier livre. Il était bien possible que Marie ne veuille pas manquer cela.

Ils attendirent en silence. Parfois, quelqu'un passait dans le foyer, reconnaissait David et lui demandait de signer le programme, ou le billet d'entrée, ou simplement un morceau de papier.

David composa le numéro de sa boîte vocale. « Vous n'avez aucun nouveau message », fit la voix.

La pause suivante approcha. Si David continuait à traîner ici, il allait devoir recommencer les signatures.

— Qu'est-ce qu'on fait ? demanda Karin.

— On attend.

— Et si elle ne vient pas ?

— Elle viendra.

Elle arriva peu avant la pause. Mais elle ne sortait pas de la salle du théâtre : elle venait de la rue. Et elle n'était pas seule. Jacky était auprès d'elle.

— Tiens, en compagnie de votre agent. Dans ce cas vous n'avez plus besoin de moi, nota Karin, furieuse.

Mais elle se dirigea vers les nouveaux arrivants, au côté de David.

Il avait vu, de loin, que Marie était en colère. Jacky avait dû prendre les devants et l'informer lui-même de la nouvelle situation.

David salua Marie d'un baiser auquel elle répondit avec raideur.

— Nous avons eu une discussion qui a duré un peu longtemps, expliqua-t-elle.

David, Marie, Karin et Jacky se regardèrent et attendirent que quelqu'un fasse le premier pas.

— Allons-y, dit Jacky.

— Où cela ? demanda Karin.

— Au petit casse-croûte offert par la chaîne.

Jacky avait manifestement lu le programme de la journée de David.

— Eh bien, allons-y.

Karin Kohler se dirigea à grands pas vers la sortie. Après un bref instant d'hésitation, les trois autres la suivirent. Ils ne la rattrapèrent qu'au moment où elle marchait déjà sur le trottoir.

— C'est loin ? demanda David pour mettre un terme au silence.

Karin continua à avancer sans répondre. Ils avaient du mal à suivre son rythme. Soudain, elle s'arrêta.

— Je vous emmène et je repars, annonça-t-elle.

— Pourquoi donc ? demanda David.

— Tu as droit à trois réponses. (Marie lui lança un regard ennuyé.)

Il fit comme s'il tentait de deviner.

— Elle n'a pas envie que ton nouvel agent lui colle aux talons. Et elle n'est pas la seule dans ce cas.

— Dans ce cas, nous y allons tous les deux, David et moi, proposa Jacky.

David détestait les scènes en pleine rue.

— Et si nous en parlions une autre fois ?

Marie secoua la tête.

— Nous pouvons parler tranquillement devant Jacky, il connaît mon opinion.

— Et la mienne n'est pas difficile à deviner non plus, ajouta Karin.

— Le seul problème, c'est que vos opinions n'ont aucune importance, asséna Jacky. C'est à David de prendre cette décision. Et il l'a prise. N'est-ce pas, David ?

David regarda les visages attentifs de Marie, Karin et Jacky. Et soudain les mots lui échappèrent :

— Vous savez quoi ? se mit-il à crier. Vous savez quoi ? Vous pouvez tous aller vous faire foutre.

Son cœur battait comme un fou, il sentit que son visage avait viré au rouge.

— C'est tout à fait mon opinion, marmonna Jacky.

— Toi aussi ! lui cria David. Toi avant tous les autres !

Il partit en courant et les planta tous les trois dans la rue.

Il ne savait pas combien de temps il avait erré dans les rues de Francfort. Assez longtemps en tout cas pour être à peu près sûr d'être capable d'entrer dans un bar et de commander quelque chose sans que les larmes lui montent de nouveau aux yeux. Dans la rue, les passants avaient encore pu les attribuer au vent violent qui soufflait à la face du jeune homme pressé.

Il n'éprouvait aucun besoin de pleurer, les sanglots ne l'étranglaient pas, il n'était pas secoué par des crises de larmes. L'eau coulait simplement de ses yeux et lui descendait sur les joues. Comme s'il s'agissait d'une fonction autonome de son corps, au même titre que la respiration ou la digestion. Il pouvait tenter de penser à autre chose qu'à la scène qui avait eu lieu auparavant, par exemple à des spaghettis *alle vongole* ou à l'écran plat qu'il allait peut-être s'offrir. Il y parvenait très bien, mais les larmes continuaient à couler. Comme si le corps de David avait décidé de tester pendant un bon moment la fonction lacrymale, de manière totalement indépendante de son propriétaire.

Plus tard, il se retrouva dans un bar tellement embrumé que des larmes éventuelles auraient pu s'expliquer par une allergie à la fumée. Mais ses yeux restèrent secs. Comme si le corps avait consommé toute l'humidité dont il disposait pour ses larmes. Il pouvait penser sans risque à Marie et aux détails de la catastrophe qu'il avait provoquée.

Était-il devenu fou ? Comment était-il arrivé à mettre Marie dans le même panier que Jacky et Karin ? Marie pour laquelle il acceptait tout cela. Marie sans qui il était incapable de vivre.

Crier à la face des deux autres, prendre Marie par la main et filer avec elle au diable vauvert : voilà ce qu'il aurait fallu faire. C'est ce qu'elle avait attendu de lui.

Toute la soirée, il appela son portable à quelques minutes d'intervalle en laissant des excuses en forme d'invocation. Parallèlement, il fit tout son possible pour remettre en ordre son équilibre hygrométrique personnel.

Après le troisième *drink*, un homme s'assit à côté de lui. Il avait la trentaine et David eut l'impression de le connaître.

— Vous aussi, vous en avez plein le dos de la vie littéraire ? demanda-t-il avant de se présenter : Nicolas Treber. Nous avons fait une lecture ensemble à Bochum.

David s'en souvenait vaguement.

— Bien entendu. Comment ça va ?

— Comme vont tous les auteurs, pendant la Foire du livre : à chier.

Treber commanda un Cuba libre, et David l'imita. Ils ronchonnèrent sur la vie littéraire jusque peu avant minuit. Lorsqu'on leur présenta l'addition, le nouvel ami de David constata qu'il n'avait pas assez d'argent sur lui.

Dans le taxi avec lequel il se rendit en compagnie de Treber à son hôtel, celui-ci lui parla de son nouveau projet de livre. Lorsqu'ils se séparèrent, Treber demanda :

— Le vieux avec lequel tu étais hier au Frankfurter Hof, c'est bien ton agent ?

— Oui, pourquoi ?

— Il est bon ?

— Ça va.

— Tu me le présenterais ?

Le portier de nuit remit un message à David. « Je ne ferme pas la porte à clef. Ne pas déranger S.V.P. M. »

David ouvrit doucement la porte. Depuis la salle de bains, de la lumière tombait dans la chambre. Marie dormait. Sa valise était faite et attendait par terre.

Il tenta de se déshabiller sans faire de bruit. Mais une chaussure lui glissa de la main et tomba par terre en faisant un bruit terrible. Et lorsqu'il eut éteint la lumière dans la salle de bains, il trébucha sur la valise.

Marie, qui avait d'ordinaire le sommeil léger, ne se réveilla pas.

Lorsque David, le lendemain matin, fut tiré du sommeil par l'appel du portier, elle était déjà partie. Il chercha un petit mot d'au revoir et n'en trouva pas.

35

Mis à part une *Honeymoon Suite* dans un *safari lodge* au bord du lac Victoria, où il avait passé une nuit en 1962 à la suite d'une confusion, la chambre de Jacky au Frankfurter Hof était la meilleure de toute sa vie. On y entrait par un petit vestibule d'où une porte donnait sur la salle de bains, une autre sur les toilettes séparées et une dernière sur la chambre. Elle était équipée d'un petit groupe de fauteuils, d'un bureau et d'un double lit à la française qui pouvait rivaliser avec celui du *safari lodge*.

Outre le minibar bien équipé et le téléviseur à vingt-deux canaux, plus quelques chaînes spéciales pour messieurs d'un certain âge, ce sont le peignoir en tissu éponge et les pantoufles portant le logo de l'hôtel qui lui plurent le plus. Dès qu'il entra dans la chambre, il passa les deux, se servit un cognac, prit ses aises sur le canapé, alluma un havane et se sentit l'âme d'un gentleman.

Il avait pris goût aux cigares depuis que Jens Riegler lui en avait offert un au bar du Marriott. La rencontre avait été féconde à tout point de vue. Riegler lui avait fait une offre très concrète pour le prochain roman de David. Contrairement à Klaus Steiner des éditions Draco qui était resté un peu vague. Il ne se situait vraisemblablement pas au niveau hiérarchique qui lui aurait permis de devenir concret.

À présent Jacky était couché dans la baignoire. Un autre luxe qu'il ne s'était plus offert depuis des lustres. Ses appartements des dernières années étaient dans le meilleur des cas équipés d'une douche, et il n'y avait pas de baignoire non plus dans sa chambre à l'hôtel Caravelle.

Mais cela changerait dès son retour. Il chercherait un domicile taillé à ses mesures. Pas un appartement, il était trop vieux pour s'occuper d'un foyer. Mais quelque chose d'un peu grand dans un hôtel un peu mieux adapté. Il n'était pas absolument nécessaire que ce soit un cinq étoiles comme celui-ci, mais il faudrait qu'il offre un minimum de services, un peu plus de confort et une meilleure situation que l'hôtel Caravelle.

L'écume glissa en crissant et chuchota dans sa bonne oreille des histoires sur sa vie future.

La décision de partir lui aussi pour Francfort avait été la plus juste d'une longue série de décisions prises depuis qu'il s'était fait connaître comme l'auteur de *Lila, Lila*. Tout se déroulait conformément au plan. Ce n'était pas qu'il en ait eu un. Mais les événements s'assemblaient toujours pour former un tout qui ressemblait au résultat d'un plan parfaitement conçu.

La seule faute de goût, c'étaient les deux femmes. Elles s'étaient tout de même débrouillées pour qu'à la fin de sa diatribe, la veille, David s'en prenne aussi à lui.

Il avait certes débarqué la grue – c'est le surnom que Jacky donnait secrètement à cette directrice littéraire allongée. Dès qu'ils auraient quitté cette ville, elle aurait perdu toute influence sur David.

Mais l'autre, Marie, lui causait un peu de souci. Il

était arrivé à la lecture avec un léger retard et l'avait rencontrée devant le théâtre. Elle avait aussitôt demandé à lui parler d'urgence, et ils s'étaient rendus dans un café, près du théâtre. Là, elle avait eu l'insolence de lui demander quelles étaient ses qualifications pour exercer la profession d'agent littéraire.

Cela n'avait pas été une conversation courtoise.

Dans un premier temps, il avait considéré comme un bon signe le fait que David l'ait elle aussi plantée dans la rue. Il était allé à l'hôtel, s'était commandé un petit casse-croûte dans sa chambre, puis s'était rendu au bar. C'est seulement là-bas, devant un *single malt*, que lui était venue l'idée qu'une séparation de David et Marie ne serait peut-être pas une si bonne chose que cela. Sans elle, il perdrait l'unique raison importante d'empêcher que l'escroquerie ne soit dévoilée. Jacky se promit de diminuer un peu la pression sur Marie.

Un peu plus tard, alors qu'il se trouvait encore au bar, il rencontra Everding, des éditions Kubner. Celui-ci semblait ne pas savoir que Jacky était à présent l'agent de David Kern. C'est seulement après qu'il eut attiré son attention sur ce point qu'Everding le traita avec un peu plus de respect. Jacky parvint à le prendre à part un bref instant et, dans le lobby, à l'informer en tête à tête que des offres avaient déjà été faites pour le nouveau manuscrit de David. Et que celui-ci se plaignait de la lenteur avec laquelle Kubner lui versait des avances.

Everding étudia la tête de sa pipe et se contenta de donner sa carte de visite à Jacky en lui demandant de l'appeler au bureau.

C'est l'occasion que saisit Jacky pour placer :

— Ou bien appelez-moi, *vous*, je suis descendu ici.

Plus tard, au bar, Jacky fit en sorte qu'Everding le

voie encore en compagnie de Riegler et de quelques autres, vraisemblablement des éditeurs importants.

Il fit couler un peu d'eau chaude et prit une gorgée dans son verre posé sur le porte-savon. Du Campari, comme toujours le matin, quand la soirée précédente n'avait pas duré trop longtemps.

Il avait encore le temps. Il n'avait pas à quitter la chambre avant midi, comme prévu à l'origine. Riegler l'avait informé la veille, au bar, que quelques décalages dans le contingent de chambres de Luther & Rosen permettraient à Jacky de rester une nuit supplémentaire. C'était idéal, car ensuite, de toute façon, il partirait.

À une heure, il avait rendez-vous avec David pour le déjeuner. Il avait d'abord prévu de l'inviter pour un lunch dans sa chambre. Mais il finit par y renoncer. Il n'était peut-être pas nécessaire de lui montrer qu'il habitait au Frankfurter Hof.

Il proposa donc le Steffens Stube où il s'était fait réserver une table par le portier. Le cadre idéal pour le repas d'affaires d'un agent avec son principal auteur.

Il lui restait deux heures avant midi. Jacky se consacra aux questions pratiques. Par exemple, comment fumer un cigare dans un bain moussant sans en ramollir la robe.

36

Là où, d'habitude, Marie prenait son raccourci, une palissade barrait désormais le passage. «Ici naît le nouveau cœur de la City», y avait-on inscrit en grosses lettres bleues. «Cordialement, Dr Barnard» avait bombé quelqu'un en dessous. Marie suivit la flèche blanche sur fond bleu avec laquelle le Bureau de l'urbanisme désignait la voie réservée aux piétons. Elle mit donc un peu plus de temps que d'ordinaire pour rejoindre l'entrée du nouvel immeuble jaune où se trouvait leur appartement.

L'immeuble était le premier d'un total de quatre édifices programmés. Le deuxième en était au gros œuvre, le troisième n'avait que ses fondations ; quant au quatrième, on n'en voyait encore que la nouvelle palissade de chantier posée un peu plus tôt.

Marie ouvrit la boîte aux lettres et en sortit le courrier. Quelques enveloppes pour David, une de la maison d'édition, trois qui ressemblaient à des lettres de fan. Le dépliant d'un studio de massage des zones réflexes du pied qui venait d'ouvrir à proximité. Un bon déposé par un livreur de *thaï-food*. Il n'y avait rien pour elle.

Elle prit l'ascenseur jusqu'au quatrième étage. Elle entra chez eux et ferma la porte de l'appartement.

Leur logement était composé d'un grand séjour

avec cuisine à l'américaine, d'une salle de bains et d'une chambre. Le sol était en parquet et de grandes fenêtres donnaient sur l'ancienne zone industrielle, les échafaudages, les grues et les nouveaux bâtiments de ce quartier en plein essor.

Hormis un canapé de designer tout neuf, la plupart des meubles provenaient du trousseau de David. Marie n'avait apporté que la bibliothèque et la table de repas, avec ses quatre chaises. Elle avait découvert la table dans une boutique qui vendait des meubles design originaux des années soixante. C'est David qui l'avait payée.

Dans la partie habitable se trouvait le bureau de David, avec ses ordinateurs et ses périphériques, avec lesquels il lui arrivait parfois de surfer sur Internet et de répondre aux courriels. Elle ne l'avait encore jamais vu y écrire.

Elle n'avait pas la moindre idée de ce à quoi travaillait David en ce moment. Le sujet était tabou. Elle l'avait expliqué par le fait que David comptait au nombre des écrivains qui ne parlent pas de leur travail en cours. Elle n'avait pas de mal à le comprendre. Surtout de la part d'un homme qui, dans son écriture, livrait autant de lui-même que David. Jusqu'ici, elle avait toujours trouvé normal qu'il veuille choisir le moment où il la mettrait dans la confidence. Mais aujourd'hui, après le comportement qu'il avait eu à Francfort, elle voyait son goût du secret sous un autre jour : c'était désormais une nouvelle preuve qu'il la tenait à l'écart de sa vie.

Pendant un bref instant, Marie fut tentée d'allumer l'ordinateur et d'aller voir ce qu'il lui dissimulait. Mais, bien entendu, elle ne le fit pas.

Dans la chambre à coucher, un grand lit neuf côtoyait le bureau de Marie, une étagère où elle rangeait ses affaires de lycée et la vieille penderie de David.

Elle jeta sur le lit sa sacoche de lycéenne, ouvrit la valise qui se trouvait toujours devant l'armoire, et commença à la déballer.

L'examen ne s'était pas bien passé, il n'était même pas nécessaire qu'elle attende les résultats. Si elle continuait ainsi, elle n'y parviendrait pas. Si elle ne transformait pas très rapidement quelques éléments de sa vie, elle allait devoir s'accrocher une année de plus. Elle n'en avait ni l'envie ni les moyens financiers.

De ce point de vue-là, elle dépendait déjà plus de David qu'elle ne l'aurait voulu. L'argent qu'elle gagnait avec ses quelques petits boulots dans la décoration et ce qu'elle était autorisée à prélever chaque mois sur son compte d'épargne avait bien suffi jusque-là, mais était loin de satisfaire aux exigences de la vie qu'ils menaient ensemble.

Cela ne dérangeait pas David. Et pour l'instant, cela n'avait pas non plus particulièrement inquiété Marie. Mais lorsqu'elle revint de Francfort et entra dans l'appartement, elle se demanda pour la première fois : Qu'est-ce que je fais ici au juste ?

Elle attrapa le linge sale qu'elle avait jeté par terre, près de la valise, et l'emporta dans la salle de bains. Elle avait aussi pris celui de David, afin qu'il en ait du propre lorsqu'il reviendrait, une semaine plus tard, pour un court séjour chez eux.

Au moment où elle laissa tomber, un par un, les T-shirts, les chemises, les chaussettes et les slips dans la corbeille à linge, la question lui revint : Qu'est-ce que je fais ici ?

Qu'était-elle venue faire dans l'appartement d'un homme qui préférait passer avec un vieux poivrot le peu de temps libre qu'il aurait pu lui consacrer à elle ?

Pourquoi lavait-elle le linge d'un garçon qui l'avait plantée en pleine rue, à Francfort, lors de leur dernière soirée commune ? Qui était revenu faire du vacarme au milieu de la nuit, ivre mort, et ne s'était même pas réveillé quand elle était partie ?

Pourquoi supportait-elle tout cela, pour un homme qui ne lui accordait visiblement pas tant d'importance ? Ou du moins pas autant d'importance qu'elle lui en accordait.

Marie se prépara un espresso. Avec la nouvelle cafetière de David. Elle alluma la chaîne hi-fi. L'un des CD *chill-out* de David se mit à tourner. Elle s'installa à la fenêtre.

Quelle importance David avait-il au juste pour elle ? Était-ce de lui qu'elle était amoureuse, ou bien de Peter, l'amant sensible et malheureux de *Lila, Lila* ?

Le soir tombait. Les voitures roulaient lumières allumées. Les formes des bureaux vides se découpaient dans les immeubles neufs et illuminés. Sous une lampe, sur le chantier récemment clôturé, se tenait un groupe d'hommes bien vêtus portant des casques mal ajustés.

Le regard de Marie tomba sur deux classeurs dans l'étagère à livres. Ils portaient une étiquette écrite de sa main. « *Lila, Lila*, juin à août » et « *Lila, Lila,* août à... » Les critiques de David, qu'elle avait collectées et classées par ordre chronologique. Tout cela accompagné par les commentaires moqueurs de sa star, qui ne jugeait même pas nécessaire de discuter avec elle de questions aussi importantes que le choix de son agent.

Marie posa la tasse vide dans l'évier, revint dans la chambre et continua à vider sa valise.

Connaissait-elle le même sort que Peter Landwei ? Était-elle amoureuse de quelqu'un qui ne l'aimait pas ? L'avait-elle compris trop tard ?

Le téléphone sonna. C'était David.

— Comment ça s'est passé ? demanda-t-il.

— Mal. Et toi ?

— Mal aussi. Tu me manques.

C'est le moment où elle avait l'habitude de répondre : Tu me manques aussi. Mais elle dit :

— Je suis surprise que tu aies remarqué mon absence.

— Tu m'en veux toujours ?

— Je suis toujours déçue.

— Par Francfort ?

— Aussi.

— Par moi ?

— Aussi.

— Par quoi d'autre encore ?

— Par tout. Par nous. Surtout par nous.

— Pour quelle raison ?

— Je ne sais pas. J'en attendais plus de nous, tout simplement.

— Plus de quoi ?

— Plus d'attention. Plus de confiance. Que sais-je ? Plus d'amour.

David se tut un moment. Puis il dit :

— Je t'aime, Marie, tu le sais.

Elle ne répondit pas.

— Marie, tu as entendu ? Je t'aime. Cette histoire avec Jacky a pris une tournure idiote, mais je vais y remettre de l'ordre. Ça n'a rien à voir avec notre amour. Tu m'entends, Marie ? Je t'aime.

Marie ne répondit pas.

— Et toi ? Tu m'aimes, Marie ?

Elle hésita.

— Je crois bien.

— Tu n'en es pas sûre ?

Au bout d'une longue pause, elle répondit à voix basse :

— Pas tout à fait.

Ce fut au tour de David de se taire.

Elle attendit un moment et dit :

— David, je vais habiter chez ma mère pendant quelques jours.

— Pourquoi ?

— Pour avoir les idées claires sur mes sentiments.

— Ça, tu peux le faire aussi chez nous.

— J'y arriverai mieux là-bas.

— Tu veux que je vienne ?

— Non.

— Si, j'arrive.

Il raccrocha.

Marie passa dans la chambre. Elle regarda un bon moment la valise vide. Puis elle se mit à la refaire.

37

— Excusez-moi, je suis le portier de nuit. C'est la première fois que je fais ça.

L'homme portait une cravate qu'il avait manifestement passée par la tête après avoir fait le nœud et avant de le resserrer. David se tenait depuis dix minutes déjà à la réception, à côté de sa valise remplie à la hâte, et attendait que le portier surchargé arrache à l'ordinateur la note des extras. Les éditions Kubner ne les prenaient pas en charge. Il y en avait pour quarante-six euros et quatre-vingt-deux centimes.

Le taxi attendait, et le train partait dans un peu moins de quinze minutes.

Le portier alla décrocher le téléphone avec un sourire d'excuse et appela un certain Jürgen, manifestement son expert en informatique. David, à bout de nerfs, fit claquer un billet de cinquante euros sur le comptoir de la réception et partit. « Ah, enfin », grogna le chauffeur de taxi au moment où il monta.

Il paya le taxi à huit heures moins treize et partit en courant. Lorsqu'il atteignit le quai, l'aiguille de l'horloge de la gare venait juste de tomber sur les dix heures et les portes du train se refermaient.

— Et merde ! cria David avant de jeter sa valise par terre.

Hors d'haleine, les poings enfoncés dans les poches de son manteau, il resta immobile, donnant de temps en temps un coup de pied à sa valise, et punissant d'un regard méchant ceux qui avaient accompagné quelqu'un jusqu'au quai et passaient à présent devant lui, tristes, soulagés ou avec un sourire d'adieu pas encore tout à fait éteint.

Lorsque David eut retrouvé son souffle, il chercha une feuille indiquant les horaires et constata que le train suivant partait une heure plus tard pour arriver à une heure dix-sept. Il ne serait chez lui qu'un peu avant deux heures.

Il acheta un journal, une saucisse, une bière, et s'installa à l'une des petites tables collantes, à côté de la baraque à casse-croûtes. À peine avait-il ouvert le journal et mordu dans son maigre repas qu'une voix retentit près de lui :

— David Kern ! Quel hasard de vous rencontrer ici !

La voix était celle d'une femme d'un certain âge, accompagnée d'une petite valise à roulettes. Il hocha la tête dans sa direction et exagéra un peu son mouvement de mastication.

— Je ne voudrais surtout pas perturber votre repas, assura-t-elle en continuant à le perturber. J'ai déjà lu *Lila, Lila* trois fois et je vais en faire une quatrième lecture. Surtout maintenant que je vous ai vu en chair et en os. Il y a une chose que j'aurais tant aimé vous demander...

David prit une gorgée de bière, qu'il fit suivre immédiatement d'une bouchée de saucisse.

— ... quelle part de *Lila, Lila* est autobiographique ?

David lui servit sa réponse standard :

— Comme vous le voyez, je suis encore en vie.

La lectrice ne se laissa pas décourager.

— Mais vous avez forcément vécu la perte d'un grand amour. Il faut tout de même avoir connu ces sentiments-là pour les décrire comme vous le faites.

David avala sa bouchée.

— Oui, admit-il, ils ne me sont malheureusement pas totalement étrangers.

— Mais vous préféreriez ne pas en parler.

— C'est la raison pour laquelle je l'ai fait par écrit.

Autre réponse standard.

La femme hocha la tête, compréhensive, et salua David, au grand soulagement de celui-ci. Mais elle revint au bout de quelques pas.

— Juste une question encore, vous n'êtes pas forcé de répondre : comment s'appelait-elle ?

David fut effrayé de sa propre réponse :

— Marie.

— Marie, Marie, dit la femme, songeuse. C'était le titre d'une chanson de Gilbert Bécaud. Marlene Dietrich l'a chantée. Vous la connaissez ?

David secoua la tête.

— Un beau titre aussi.

Il la suivit du regard et la vit rapetisser peu à peu, avec sa valise à roulettes, dans le gigantesque hall de la gare.

Il mangea le reste de la saucisse, termina sa bière et appela Marie. Elle ne répondit ni sur son portable ni à l'appartement. Il essaya chez sa mère où, à son grand soulagement, David tomba sur le répondeur. Il ne laissa pas de message.

Il tourna devant la baraque à casse-croûtes, semblable à l'un de ces ivrognes qui errent dans les gares. Vingt minutes avant le départ du train, il se tenait déjà sur le quai.

L'unique passager, dans son compartiment de première classe à l'air vicié, était un homme d'affaires

américain qui profitait du décalage horaire pour télé-
phoner bruyamment et sans la moindre gêne aux
États-Unis. David tenta de ne pas écouter. Peu avant
Mannheim, il renonça, attrapa son manteau et sa
valise et chercha une autre place.

Il trouva un compartiment occupé par une femme
seule. J'espère que ça n'est pas une lectrice, se dit
David avant d'ouvrir la porte coulissante et de
demander :

— Il y a encore une place de libre ?

Elle hocha la tête et ramassa quelques revues sur
les sièges voisins. Il lut sur son visage à quel point
son apparition lui était pénible. Il s'assit sur le siège
le plus éloigné et fit semblant de dormir.

— Vous êtes monté à Mannheim ? demanda le
contrôleur.

David avait fait un petit somme, et il se réveilla
avec le sentiment que quelque chose de grave s'était
produit. Cela lui arrivait de temps en temps. Dans la
plupart des cas, c'étaient les effets secondaires d'un
mauvais rêve, et ils ne tardaient pas à se dissiper.
Mais cette fois, ça n'était pas un cauchemar. Quelque
chose de terrible s'était effectivement produit : Marie
n'était pas tout à fait sûre de l'aimer !

Le contrôleur lui lança un regard interrogateur.
David chercha dans les poches de sa veste suspendue
derrière lui à un crochet.

— J'étais assis plus loin derrière, tout à l'heure,
expliqua-t-il.

Le contrôleur attendit que David ait trouvé le billet,
le vérifia, lui souhaita bon voyage et ferma la porte
coulissante.

David regarda sa montre. Encore trois heures et
demie. Plus une demi-heure entre la gare et chez lui.
Quatre heures de désarroi. Quatre heures avant qu'il

ne puisse se tenir devant elle et la persuader qu'elle l'aimait.

C'est ce qu'avait dû éprouver Peter Landwei lorsqu'il avait commencé à pressentir que Lila s'éloignait de lui.

Pour la première fois dans sa carrière d'écrivain, il pouvait imaginer qu'il aurait été en mesure d'écrire lui-même quelque chose comme *Lila, Lila*.

La femme aux revues lisait sous le faisceau lumineux du petit plafonnier. Les roues tambourinaient leur chanson mélancolique dans la nuit.

Il promettrait à Marie que tout allait changer. Il lui dirait qu'il avait parlé à Jacky et lui avait fixé des conditions parfaitement claires.

Pendant leur déjeuner au restaurant Steffens Stube, Jacky s'était montré tout à fait raisonnable.

— Jacky, avait dit David après qu'ils eurent commandé, Jacky, tu connais ça, toi aussi : tu rencontres quelqu'un et tu te dis immédiatement, celui-là, je ne l'aime pas. Tu peux te donner tout le mal que tu veux pour le rencontrer sans *a priori*, ça ne fonctionne pas, tout simplement. Tu fais une allergie à ce type-là, comme d'autres gens sont allergiques aux poils de chat. Tu connais aussi ?

— Oui, et alors ?

— Pour Marie, tu es ce genre de personne.

Jacky chercha au fond de son verre de Campari vide une explication à ce phénomène.

— Tu vas certainement avoir du mal à comprendre ça, David, avoua Jacky, mais pour moi aussi, Marie est une personne de ce genre.

David parvint à encaisser cette réflexion sans commentaire.

— Si tu ne l'aimes pas, pourquoi ne tentes-tu pas de l'éviter ? Comme elle le fait avec toi ?

Jacky agita son verre vide en direction du serveur.

— Si je veux te voir, il faut bien que je me fasse une raison.

David hocha la tête, songeur.

— Mon problème, c'est que Marie ne veut plus s'y faire, elle. Elle me laisse le choix : elle ou toi.

Le garçon échangea le verre de Campari vide contre un plein.

— Et qu'est-ce que je peux faire pour toi sur ce point ?

David se servit un verre d'eau minérale et le but d'un seul trait. La nuit passée lui donnait encore soif.

— Puisque nous sommes à présent en relation d'affaires, je te propose que nous n'ayons plus que des rencontres professionnelles.

Il rassembla son courage et ajouta :

— Pour la vie privée, tu nous laisses tranquilles.

Jacky prit sa mine offusquée. Mais à la surprise de David, il répondit simplement :

— Comme tu voudras.

Et il changea de sujet.

— Nous n'avons pas encore parlé des conditions.

— Des conditions ?

Le serveur apporta les entrées. Du bouillon à la moelle pour Jacky, une salade mixte pour David.

— De notre collaboration, reprit Jacky, les conditions de notre collaboration.

David commença à manger sa salade.

— Karin Kohler demandait vingt pour cent.

Jacky utilisa sa cuiller pour pêcher un morceau de moelle dans la soupe, le posa au bord d'une tranche de pain, tint la salière au-dessus et tapota quatre ou cinq fois avec l'index.

— Karin Kohler n'est pas non plus l'auteur.

Il mordit le morceau garni de moelle.

— Tu imaginais combien, toi ? demanda David, ennuyé.

— Cinquante.

David enregistra le chiffre avec un tressaillement d'épaules.

— Y compris sur les lectures, je suppose.

— Y compris sur les lectures, confirma Jacky.

David hocha la tête.

— Plus les frais, compléta immédiatement Jacky.

— Quels frais ?

— Voyages, hôtels, repas, représentation.

David mangea sa salade sans commentaires. Maintenant que Jacky avait accepté les conditions concernant Marie, ce qu'il exigeait pour sa part lui était égal.

— D'accord ?

— Je peux dire non ?

— Non.

— Eh bien, alors.

David posa les couverts de côté et regarda Jacky se préparer une nouvelle portion de moelle. Pourvu qu'il attrape la maladie de la vache folle, se dit-il.

Jacky mangea tous les morceaux de moelle et laissa la soupe.

— J'ai parlé à Jens Riegler et Klaus Steiner, annonça-t-il d'une voix prometteuse.

— De quoi ?

— De choses et d'autres. Tout à fait intéressant.

David décida de ne pas jouer le jeu. Il promena son regard à travers le restaurant. La plupart des clients avaient l'air de travailler dans les métiers du livre. Il avait le flair, maintenant.

— Tu ne veux pas savoir de quoi nous avons parlé ? insista Jacky.

— Pourquoi ne te contentes-tu pas de me le dire ?

— De l'avance.

Jacky attendait l'effet de sa révélation. Constatant qu'elle n'en produisait aucun, il ajouta :

— Très intéressant. Surtout l'offre de Luther & Rosen.

— Une avance sur quoi ?

— Sur ton prochain roman.

David attendit que le serveur ait débarrassé les assiettes.

— Il n'y a pas de prochain roman

Jacky était en train de mâcher deux cachets contre les brûlures d'estomac. Son rire dévoila une langue blanche comme neige.

— Mais ils n'ont pas à le savoir.

David secoua la tête, incrédule.

— Je ne peux tout de même pas encaisser l'avance et ne rien livrer.

Deux garçons apportèrent le plat de résistance. Une truite bleue pour David, un jarret de porc sauce bière pour Jacky. Ils attendirent sans rien dire que l'un des garçons ait découpé le poisson tandis que l'autre faisait goûter le vin à Jacky. Il avait commandé un brunello 1993. David refusa. Il ne toucha pas non plus au beurre noir.

Lorsqu'ils furent seuls, Jacky reprit le fil de la conversation.

— Je me suis un peu renseigné. Tu ne serais pas le premier à encaisser l'à-valoir sans livrer le travail.

David posa ses couverts à côté de son assiette et se pencha en avant.

— Essaie donc d'encaisser une avance sur mon prochain livre. Il n'y a pas eu de premier David Kern, et il n'y en aura pas non plus de deuxième.

Jacky offrit à David une vision sur la bouchée de jarret de porc qu'il était en train de mastiquer.

— Il y a eu un premier Alfred Duster, et il y en aura aussi un second.

Alors seulement, David comprit : Jacky avait l'intention d'écrire le prochain roman de David Kern.

— Sans moi.

— Et comment expliqueras-tu que rien de nouveau ne paraisse de toi ?

— À qui ? Au monde ?

— Au monde et à Marie.

— Laisse Marie en dehors de tes magouilles ! lança David au vieil homme, si fort que les clients des tables voisines regardèrent dans leur direction.

Après un bref silence, Jacky dit doucement :

— Tout de même : entre cent vingt et cent quatre-vingt mille.

— D'avance ? Pour un roman qui n'est pas écrit ?

David ne parvenait pas à y croire.

— Pour un roman en genèse. Par David Kern.

— Essaie donc.

David repoussa son assiette. Il avait à peine mangé la moitié de sa truite. Jacky fit un signe de tête négatif.

— J'ai aussi parlé à Everding. Dès qu'il aura la procuration, il fera un virement de cent mille euros, en règlement d'une partie de nos droits d'auteur.

David s'était habitué depuis longtemps aux « nos ». Ce qui était nouveau, c'était la « procuration ».

— Quelle procuration ?

Jacky se bourra la bouche de *spätzle*.

— Tu dois me donner une procuration pour que j'agisse en ton nom et que je puisse régler les affaires financières.

Il se rinça la gorge avec le brunello.

— Cela signifie qu'Everding va te virer les cent mille euros à toi ?

— Et je te vire ta part. Une objection ?

— Et si j'en avais une ? demanda David.

— Ça serait pareil.

Le conducteur du train le réveilla à Bâle. Le compartiment était vide. De la femme qui l'avait partagé avec lui, il ne restait plus que quelques revues.

Lorsque David arriva en haletant sur le quai numéro quatre, l'annonce était en train de changer sur le panneau. Il avait raté sa correspondance.

— Quand part le prochain? demanda-t-il à un fonctionnaire des chemins de fer, qui lui répondit en bâillant.

— Demain matin.

Une heure et trois cents francs suisses plus tard, David descendit, devant son appartement, d'un taxi bâlois.

38

Marie dansait, étroitement enlacée, avec un petit homme dont la tête lui arrivait juste au niveau des seins. Autour d'elle, des gens qu'elle connaissait formaient un cercle. Son amie Sabrina en était, tout comme Karin Kohler, Everding, Gaby Jordi, la propriétaire du Coryphée, son instituteur Häberlein, Ralph Grand, Sergio, Silvie, Roger, Rolli, Sandra, Kelly, Bob. Myrtha, sa mère, se tenait, souriante, à côté de David. Il avait passé son bras autour de ses épaules.

Le bonhomme était presque chauve. Seuls quelques cheveux blonds fins et courts couvraient sa petite tête qu'il avait entre-temps enfouie entre ses seins.

« Le gamin, le gamin », criait Myrtha. Marie constata alors que le petit bonhomme était un enfant qu'elle allaitait. Elle posa sa main sur sa petite tête. Il leva les yeux vers elle. Un visage très ancien lui souriait avec de fausses dents. C'était Jacky. Elle cria et le repoussa.

— Le gamin, répéta Myrtha.

Marie ouvrit les yeux. Sa mère se tenait en chemise de nuit à côté du futon et lui tendait le téléphone sans fil. D'un air réprobateur.

— Deux heures et demie, constata-t-elle.

Marie prit le téléphone :

— Oui ?

— C'est moi, David.

— Il est deux heures et demie.

— Je sais. Excuse-moi. Je viens d'arriver, et tu n'étais pas à la maison.

— Mais je t'avais dit que j'allais chez Myrtha.

— Je pensais que je pourrais te retrouver avant que tu ne sois partie. J'ai raté deux trains. Il faut que je te parle.

— Nous parlerons demain.

— Demain je vais à Hanovre. Mon train part à huit heures.

Marie soupira.

— Où es-tu ?

— Ici, devant l'immeuble.

Marie réfléchit.

— Je te lance la clef.

Elle se glissa dans son kimono, alla à la porte de l'appartement, ôta le trousseau de clefs et ouvrit une fenêtre côté rue. Il était en bas. Le réverbère éclairait son visage, qu'il avait tourné dans sa direction. Dès qu'il la vit à la fenêtre, il lui sourit. Elle sortit le bras qui tenait le trousseau de clefs, et lui se tint prêt à le rattraper.

Elle vit le trousseau tomber, comme au ralenti. Il rebondit sur la main de David et atterrit dans un buisson du jardinet de l'immeuble. Il fallut quelques minutes pour qu'il le retrouve. Il ouvrit la porte et entra dans le bâtiment.

Marie vit la lumière du couloir de l'immeuble éclairer le chemin par le portail vitré. Peu après, elle entendit l'ascenseur. Elle alla à la porte et constata qu'elle avait oublié de l'ouvrir avant de lancer la clef à l'extérieur. Elle regarda par le judas et attendit que la silhouette de David apparaisse.

— Il faut que tu ouvres toi-même, lança-t-elle à mi-voix de l'autre côté.

Elle entendit la clef tourner dans la serrure. Puis la porte s'ouvrit et David entra.

Il avait l'air fatigué. Les cernes sous ses yeux s'inséraient mal dans son visage de gamin, qui paraissait encore plus jeune parce qu'il était rasé de près. Pas de petite moustache, pas de rouflaquettes, pas de barbe expérimentale. Elle sentit l'odeur de son gel d'après-rasage lorsqu'il l'embrassa avec une certaine retenue.

Elle lui posa les doigts sur les lèvres et le conduisit dans sa chambre.

Myrtha l'avait transformée en un mélange de chambre d'amis, de buanderie et de salle de couture. Comme s'il lui arrivait jamais de repasser, de coudre ou de recevoir des invités qui ne dorment pas à côté d'elle, dans son lit.

Marie offrit à David l'unique chaise de la pièce et s'assit sur le futon.

— J'ai parlé à Jacky, commença David.

Marie vit remonter l'image de son rêve. Elle en frissonna.

— Tu as froid ? demanda David.

— Non, ça m'arrive chaque fois que je pense à Jacky.

— Il nous laissera tranquilles, désormais.

— Qu'est-ce qui t'en rend si sûr ?

David retourna les paumes de ses mains vers le haut, comme un magicien qui vient de réussir un tour.

— C'est tout simple : j'en ai fait une condition.

— Une condition de quoi ?

— Pour qu'il puisse devenir mon agent. (David avait appuyé ses bras sur ses cuisses. À présent, il se redressait vers l'arrière, comme s'il attendait des félicitations.) Cela me paraissait l'unique possibilité.

C'est alors seulement qu'elle comprit.

— C'est pour cette raison-là que tu en as fait ton agent ? Pour qu'il nous laisse tranquilles ?

David hocha la tête.

— Voilà le marché : désormais nos contacts seront rigoureusement professionnels. Nous ne le verrons plus surgir lorsque nous irons manger. Il ne se trouvera plus d'un seul coup devant la porte de l'appartement. Il ne me tapera plus en permanence. À partir de maintenant, notre relation est placée sur une base exclusivement commerciale.

Marie ne savait pas encore ce qu'elle devait en penser. David reposa les bras sur ses jambes.

— C'est bien ce que tu voulais ?

— D'accord... Mais de là à en faire ton agent ? Pourquoi ne lui as-tu pas dit, tout simplement, de nous laisser tranquilles ?

David haussa les épaules en soupirant et les laissa retomber.

— Je n'en ai pas eu le cœur.

Marie hocha la tête.

— Je comprends. Ton grand-père.

— Vraisemblablement. (David fouilla dans une poche de son manteau qu'il avait posé sur la planche à repasser.) Je voulais te donner ça ce soir-là avant la lecture. Mais tu es arrivée si tard. Et ensuite... ensuite. Ah, Marie, ça me fait tellement de peine. Après que ça s'est passé, j'ai marché dans les rues en pleurant.

— Moi aussi.

Marie ouvrit le petit paquet. Il contenait une boîte en cuir artificiel, portant le logo doré d'un joaillier de Francfort. Elle ouvrit le couvercle. La boîte était garnie de velours blanc. Au milieu était plantée une bague portant une unique pierre bleu foncé, sertie comme un diamant.

Marie avait déjà vu cette scène dans beaucoup de films. Devait-elle lancer à présent, dans un souffle : « Oh, David, c'est merveilleux » ? Ou bien seulement : « Pour moi ? » Ou bien était-ce plutôt un cas du type : « Voyons, David, je ne peux pas accepter ça » ? Ou devait-elle se contenter de chuchoter « David » et laisser le reste en suspens ?

David vint à son secours.

— Saphir bleu.

Elle sortit le bijou et l'observa de tous les côtés. Merveilleux n'aurait pas été le terme le plus déplacé.

— On peut la faire rétrécir, expliqua David sur un ton de professionnel. Ou élargir.

Elle la passa à son annulaire. Elle dut surmonter une légère résistance à l'articulation, mais ensuite la bague lui alla parfaitement.

— On dirait qu'elle a été moulée sur mon doigt, dit-elle.

— Elle te plaît ?

— David, c'est merveilleux. (Elle laissa tomber le « oh ! »)

Marie se trouvait stupide. Premièrement parce que, après leur première colère, leur première déception, elle avait quitté leur appartement commun et qu'elle était retournée chez sa mère, comme le faisaient les femmes dans les dessins humoristiques d'antan. Et deuxièmement, parce qu'elle était en train de se laisser attendrir par des excuses et un saphir bleu. Là encore, comme une femme dans un vieux dessin humoristique.

Elle se promit, à la première occasion, de se renseigner sur les conditions financières du contrat.

Lorsque David demanda timidement :

— Je peux dormir ici ?

elle répondit :

— Non. Nous allons chez nous.

Elle ne savait pas en toute certitude si c'était par amour ou par émotion.

Le lendemain matin, quand Marie ouvrit les yeux, elle sentit une odeur de café. David se tenait à côté du lit, nu, un plateau dans les mains.

— *Room service*, dit-il.

— Quelle heure est-il ?

— Sept heures moins dix, répondit David, s'efforçant de ne rien renverser tout en avançant en équilibre sur le lit, avec son plateau.

— Espresso, croissants, beurre, miel, oranges pressées fraîches. Il manque quelque chose ?

Marie s'assit, coinça l'oreiller derrière son dos et prit le plateau. David se faufila sous la couverture.

— Quand donc as-tu été à la boulangerie ?

— Un peu après six heures.

— Et quand vas-tu dormir ?

— Dans le train. J'ai six bonnes heures jusqu'à Hanovre.

— Et ça aurait pris combien de temps depuis Francfort ?

— Un peu plus de deux heures.

Marie secoua la tête.

— Tu n'aurais pas dû venir. (Elle prit une gorgée de jus d'orange.) Je suis quand même heureuse que tu l'aies fait.

— Et moi donc ! (David passa le bras autour de ses épaules.) Ça va s'arrêter, maintenant.

— Quoi donc ?

— Cette frénésie de voyages. Je vais dire à Jacky qu'il ne peut pas prendre de nouveaux rendez-vous. Je ne fais plus que ce que j'ai déjà accepté.

Marie posa la tête sur son épaule.

— Bien. Dans ce cas, tu vas enfin pouvoir te mettre à écrire.

David porta la tasse de café à ses lèvres.

— Exactement.

Par la fenêtre entrebâillée, il entendit le bruit des pneus de voiture sur la route trempée.

— Quand me raconteras-tu l'histoire? demanda prudemment Marie.

— Bientôt.

39

Bien entendu, Jacky pouvait aussi se faire servir le petit déjeuner dans sa chambre. Mais si la chose était possible, c'est-à-dire s'il ne s'était pas couché trop tard la veille, il préférait la salle de restaurant. On lui réservait une petite table, juste à côté du buffet.

Jacky aimait les buffets. Quand on a personnellement vécu ce que signifie ne pas savoir comment on paiera le repas suivant, les buffets sont la quintessence du luxe. Jacky remplissait les assiettes avec tout ce dont il avait théoriquement envie. Ensuite, il y laissait ce qu'il n'arrivait pas à manger.

Pour lui, laisser de la nourriture avait toujours été une marque d'élégance. Combien de fois, même dans les restaurants simples, avait-il observé les clients qui, au milieu du repas, déposaient leurs couverts sur l'assiette et repoussaient celle-ci de deux centimètres symboliques. Comme si de rien n'était, et sans interrompre leur conversation ou la lecture de leur journal.

Ce qui lui plaisait aussi, dans la salle de restaurant, c'étaient les clients de l'hôtel. Des couples âgés en transit, des cadres en voyage d'affaires, de jeunes couples en voyage de noces, des touristes en voyage de groupe, des amoureux sans voyage du tout. D'autres personnes chaque jour. Il lui plaisait de les observer et, si l'occasion se présentait, de les divertir avec quelques souvenirs de ses propres périgrinations.

Lui-même n'avait plus voyagé depuis Francfort. C'est dans sa chambre d'hôtel qu'il réglait ses affaires. Il y avait mené la suite des négociations pour le contrat avec Draco, Luther & Rosen ou Kubner. Everding avait été le premier à sortir de la course. Quatre-vingt-cinq mille euros, telle avait été sa dernière offre. Et encore, c'était à condition qu'on lui fournisse un synopsis et qu'il puisse voir les cinquante premières pages du manuscrit.

Draco avait tenu un peu plus longtemps. Klaus Steiner avait été remplacé par un interlocuteur plus élevé dans la hiérarchie, un certain Remmler, qui proposa une somme maximale de deux cent mille euros. Avec synopsis et lecture des vingt premières pages.

C'est Luther & Rosen qui décrocha le marché avec deux cent vingt mille euros. Sans lecture de manuscrit. Avec deux ou trois pages de synopsis. Mais avec un délai à tenir : dix-huit mois après la signature du contrat. Un problème que Jacky résoudrait lorsqu'il se poserait.

Jens Riegler, de Luther & Rosen, était spécialement venu signer le contrat. Ils avaient passé une soirée très agréable au Cygne d'Argent, seize points au Gault et Millau, sur les bords du lac.

Riegler se révéla un grand connaisseur de vins et de cigares, et un remarquable auditeur. Il se révéla aussi extrêmement souple en tant qu'homme d'affaires. Il se contenta d'un résumé oral du scénario et prit juste quelques notes dans un mince agenda de poche.

David, raconta Jacky, travaillait à l'histoire d'un jeune homme qui, par amour pour sa mère adipeuse, se met à s'empiffrer et à grossir au point de ne plus pouvoir sortir de chez lui. Un jour, la mère tombe amoureuse d'un nouvel homme et devient mince comme un fil. Son fils souffre terriblement de cette trahison, mais ne parvient pas à perdre du poids. Au contraire, il continue à grossir. Un jour, alors que sa mère s'allonge à côté de lui pour faire la sieste – ce qu'elle faisait quotidiennement autrefois, très rarement désormais –, il se roule sur elle et reste couché ainsi jusqu'à ce qu'elle ne bouge plus.

C'était un compagnon de chambrée obèse qui avait raconté cette histoire à Jacky au foyer masculin Saint-Joseph, et il l'avait ressortie de temps en temps, avec un certain succès, à une table d'hôte. Jens Riegler l'accueillit lui aussi très bien.

Une semaine après la signature du contrat, l'argent était sur le compte de Jacky. La part de David, un peu plus de quatre-vingt-seize mille euros une fois soustraits les frais de Jacky, s'y trouvait toujours. Dès qu'il lui aurait confessé son accord avec Luther & Rosen, il les lui virerait.

Aujourd'hui Jacky était un peu en retard. Il ne se passait plus grand-chose dans la salle à manger. Deux hommes d'affaires anglais, souffrant de la gueule de bois, buvaient de l'eau, des jus de fruits et du thé. Deux grosses Japonaises, auxquelles l'excursion du jour avait paru trop fatigante pour qu'elles suivent leur groupe, étaient assises, muettes, devant la longue table réservée à celui-ci, entre les reliefs de petit déjeuner abandonnés par leurs compagnons de voyage plus énergiques.

Des matins comme celui-là, Jacky mettait ses écouteurs. Il s'était offert un lecteur de minidisques et laissait de temps en temps sa vieille musique accompagner sa nouvelle vie. Pour l'instant, dans la salle de restaurant du Jardin des Bois, c'était *Love me*

Tender d'Elvis Presley qui accompagnait son toast au saumon.

L'hôtel Jardin des Bois n'était certes pas aussi bien situé que le Caravelle mais, en taxi, il fallait un peu moins d'un quart d'heure à Jacky pour rejoindre le centre. Et il pouvait ajouter les notes de transport à ses frais généraux.

L'établissement s'agrippait de toutes ses forces à ses quatre étoiles. On lui avait proposé une grande chambre, qu'on aurait qualifiée en d'autres lieux de *Junior Suite*, pour un forfait mensuel de cinq mille francs suisses, petit déjeuner compris. C'était un tarif honnête, d'autant plus que Jacky en faisait passer une partie dans ses frais.

Sa chambre se trouvait au quatrième étage, dans l'une des quatre petites tours du bâtiment en brique, et possédait un balcon étroit avec une vue superbe sur la ville et le lac.

Le service au Jardin du Bois était de bonne qualité, le personnel respectueux, et lorsque Jacky n'avait pas envie de sortir, il pouvait prendre un repas très correct au restaurant de l'hôtel.

Le bar laissait un peu à désirer. Après vingt-deux heures, il était souvent le seul, et le barman, un Tchèque méfiant, lui faisait sentir qu'il fermerait volontiers sa boutique.

Mais à cette époque, Jacky passait de toute façon la plupart du temps dans l'un de ses bistrots en ville. Il n'était pas rare que ce soit l'Esquina. Il s'était lié d'amitié avec Ralph Grand depuis qu'il lui avait proposé son aide pour placer son roman, lequel serait achevé sous peu. Et en tant qu'ami de Ralph, il avait aussi été accepté par sa clique.

Ses fréquents passages à l'Esquina avaient certes provoqué quelques rencontres avec Marie. Mais celle-ci était libre d'aller ailleurs. Ce qu'elle faisait manifestement lorsque David était en goguette. Mais c'était assez rare ces derniers temps.

Lorsque David revenait d'une tournée de lectures, Jacky le rencontrait pour un lunch ou un apéritif, et ils réglaient leurs affaires en cours. David lui remettait l'enveloppe contenant la part de ses honoraires réservée à Jacky. Lequel lui transmettait les dernières coupures de presse en date et passait en revue avec lui la liste des invitations à des lectures.

C'est Karin Kohler qui lui envoyait l'un et l'autre, sans commentaires. Selon le contrat qui avait été signé avant la période de Jacky, la collecte des articles de presse et l'organisation des tournées de lectures faisaient partie des obligations des éditions Kubner.

Les ventes de *Lila, Lila* s'élevaient désormais à cent quarante mille exemplaires, et le roman figurait toujours aux premières places de la plupart des listes de best-sellers. Il était déjà traduit en quatre langues, et l'on avait vendu les droits pour treize autres traductions. À sa demande, on avait porté à sept cents euros le montant des honoraires par lecture.

Jacky n'avait pas à se plaindre. Jusqu'ici, les revenus globaux s'élevaient à environ quatre cent vingt-cinq mille euros. Une fois déduits ses frais, il en restait bien cent quatre-vingt mille pour chacun. La moitié avait déjà été versée par Kubner sous la pression des négociations. David n'en savait certes encore rien, Jacky ne voulant pas remettre autant d'argent à la fois entre les mains d'un si jeune homme. Mais l'argent était là, et chaque fois que David exprimait un besoin, Jacky le lui versait sans difficulté.

Le lendemain, David reviendrait de sa tournée de lectures dans les villes de l'ancienne RDA. Il lui avait donné rendez-vous dans sa chambre à quinze heures. Il comptait profiter de cette occasion pour le confronter à quelques faits bien réels.

Les deux Anglais se levèrent, le saluèrent d'un hochement de tête et sortirent de la salle en trottant. Les Japonaises avaient dû prendre cela pour le signal du départ. Elles se levèrent, ramassèrent les petits pots de confiture et partirent.

Jacky les suivit du regard et se félicita de mener la vie qu'il menait.

Il devait être dix heures et demie, car le serveur arriva avec un verre de Campari et le déposa devant lui sur la table. Jacky réagit par un « Tiens ? Merci, Igor » étonné.

40

La contrôleuse des wagons-lits du CityNightLiner conduisit David à son compartiment. C'était donc vrai : il disposait de toilettes et d'une douche particulières.

Elle lui demanda s'il désirait autre chose, et à quelle heure il souhaitait prendre son petit déjeuner. David demanda qu'on lui serve une bière et que son petit déjeuner lui soit apporté peu avant son arrivée à Bâle, prévue pour huit heures.

Il se laissa tomber dans l'un des sièges tournants et but une première gorgée de bière glacée. C'était l'instant qu'il attendait depuis des semaines.

C'est sur un coup de tête qu'il avait décidé de réserver ce compartiment de luxe pour son retour de Leipzig. Après l'un de ces voyages exténuants dans des trains régionaux surpeuplés et en retard. Il avait acheté le billet à l'agence de voyages d'une gare de province dont il avait déjà oublié le nom. Ça n'était pas très bon marché. Mais si Jacky, lequel se montrait un peu tatillon sur les frais dès qu'il ne s'agissait pas des siens, y voyait une objection, il paierait le supplément de sa poche. Dieu sait qu'il l'avait mérité, ce luxe.

Il ferma les jalousies. Il ne pouvait plus voir une gare en peinture. Et il ne supportait plus non plus ce qui se trouvait entre les gares.

Il ne laissa ouverte que la jalousie du dôme de verre. Plus tard, lorsqu'il serait couché, il s'endormirait en regardant le ciel étoilé du mois de novembre.

Mais il voulait d'abord boire sa bière tranquillement, peut-être suivie d'une deuxième. Et puis aller se coucher, vêtu du pyjama qu'il s'était spécialement offert pour l'occasion. C'est ainsi que Somerset Maugham aurait fait, à notre époque, le voyage entre Leipzig et la Suisse.

La perspective d'arriver chez lui ce dimanche matin et d'être attendu au lit par Marie lui avait permis de surnager durant ces derniers jours. Il avait souffert. Mais ce n'était pas tant de ses prestations toujours identiques devant un public toujours semblable, de ses réponses immuables à des questions qui ne l'étaient pas moins, ni des restaurants où ils se rendaient après et qui se ressemblaient tous, comme les chambres d'hôtel.

Il n'était certes pas totalement immunisé contre l'admiration et la sympathie qu'on lui témoignait partout. Mais il souffrait de la séparation. La séparation d'avec Marie. Et la séparation d'avec lui-même.

Lors de ces tournées de lectures, il devint chaque jour plus clair à ses yeux que c'était un autre qu'on venait chercher dans les gares, que des libraires nerveuses présentaient au public, qu'applaudissaient des auditeurs émus et auquel des lectrices excitées demandaient une dédicace.

Le David Kern sous l'identité duquel il voyageait n'avait rien à voir avec celui qu'il était. Au début, il s'était encore senti un peu proche de lui. Plutôt timide, assez gauche et très amoureux. Mais l'apparition de Jacky avait rendu cette proximité impossible. David n'avait vraiment rien de commun avec Jakob Stocker.

Il passa son pyjama, se brossa les dents, se glissa

sous la couette froide et légère et éteignit la lumière. Dès que ses yeux se furent habitués à l'obscurité, les étoiles se rassemblèrent dans le ciel. Parfois, elles étaient éteintes par les lueurs des petites gares devant lesquelles passait le train, puis elles se rallumaient peu à peu.

Ils prendraient au lit le petit déjeuner qu'il rapporterait de chez le traiteur, près de la gare. À trois heures, il irait voir Jacky à l'hôtel, en vitesse, puis reviendrait immédiatement auprès de Marie. Il avait réussi à réserver une table pour le soir au Vaisseau Spatial.

Un tunnel fit entrer la nuit dans sa cabine. Lorsque le ciel étoilé rendit de nouveau visibles quelques contours, David s'était endormi.

Dix-huit heures plus tard, il sortait d'un taxi devant l'hôtel du Jardin du Bois et n'avait qu'une idée en tête : revenir auprès de Marie, aussi vite que possible.

Ce fut l'une de ces folles journées de novembre où le fœhn mettait le calendrier sens dessus dessous et enchantait les jardins assoupis.

Le concierge appela la chambre de Jacky.

— M. Stocker vous prie de monter. Vous connaissez le chemin.

David prit l'ascenseur pour le quatrième étage et se rendit, par les couloirs tortueux, à la chambre 415. Jacky le reçut dans sa robe de chambre en soie qu'il portait sur son pantalon, sa chemise et sa cravate.

— Content de te revoir. Que dis-tu de ce temps ?

La chambre était pourvue de meubles de style des années soixante. Elle était composée d'une grande pièce où se trouvait un ensemble de fauteuils et un bureau aux dimensions appréciables pour un hôtel ; sur la table, quelques dossiers, des chemises transparentes, une perforatrice et de la papeterie. Il y avait dans la pièce une sorte d'alcôve avec un grand lit recouvert d'un dessus-de-lit en satin bleu, assorti aux rideaux.

Devant la porte ouverte du balcon se trouvait une table roulante avec deux verres à vin, quelques biscuits salés et un seau à glace d'où dépassait le goulot d'une bouteille de vin blanc.

— Un peu d'aigle. Va bien avec ce climat, je trouve.

Jacky portait ses taches rouges aux pommettes, et l'éclat de quelques verres dans ses petits yeux. On voyait aux commissures de ses lèvres les taches blanches laissées par ses cachets pour l'estomac. Il alla à la table et servit.

— Tu as aussi de l'eau minérale ?

— J'en ai l'air ?

— Non, absolument pas.

Jacky prit le téléphone et commanda de l'eau minérale. Il posa la main sur le combiné.

— Il semble y en avoir avec ou sans bulles.

— Avec.

Jacky transmit la réponse et raccrocha.

— Mais tu lèveras bien un verre avec moi. Nous avons une bonne raison de le faire.

David accepta le verre que Jacky le pressait de prendre. Ils trinquèrent.

— À ton prochain roman, dit Jacky en vidant d'un trait son petit verre de blanc.

David ne but pas.

— Il n'y a pas de prochain roman.

Jacky gloussa.

— Oh que si ! Et un très bon, même. C'est l'avis de Riegler, de chez Luther & Rosen.

David eut un mauvais pressentiment.

— Tu lui as vendu un deuxième roman ?

— Il me l'a demandé à genoux.

David posa le verre et se campa devant Jacky.

— Dans ce cas, tu vas l'appeler maintenant et lui dire que tout ça est une erreur, qu'il n'y a pas de nouveau roman.

— Ne t'énerve pas. Il n'a même pas demandé à voir les premières pages du manuscrit. Il voulait seulement savoir de quoi il s'agit.

— Et de quoi s'agit-il ?

On frappa. Jacky alla à la porte, fit entrer le garçon de chambre avec l'eau minérale, signa l'addition, plongea la main dans la poche de sa robe de chambre et lui glissa un billet de dix.

Au temps où il servait dans son bar, David aurait aussi su apprécier un pourboire pareil pour une petite bouteille d'eau minérale.

Jacky lui tendit le verre. David l'ignora.

— De quoi s'agit-il ?

Jacky posa l'eau minérale à côté du seau à glace, se reversa du vin blanc, s'installa dans le canapé et désigna le siège en face de lui.

David s'assit à contrecœur. Jacky lui raconta l'histoire du gros fils.

Lorsqu'il eut terminé, David demanda :

— Et c'est censé être de moi, ça ?

Lors de sa tournée de lectures, il s'était promis de commencer à écrire immédiatement après son retour. À l'école, il était bon en rédaction ; et au lycée, l'allemand était sa matière préférée. Pourquoi ne pourrait-il pas essayer ? Au cours des quelques mois de son succès, il avait appris tout ce qu'un écrivain devait pouvoir faire. La seule chose qui lui manquât encore, c'était l'écriture.

Il s'était imaginé avec bonheur les journées passées devant l'écran et les soirées avec Marie, à discuter de ce qu'il avait écrit. Le résultat n'aurait peut-être pas eu autant de succès que *Lila, Lila*. Mais il aurait été de lui. Et David se serait enfin transformé en l'homme que Marie voyait en lui.

— C'est une histoire de premier ordre. Amour, trahison et mort. Un David Kern authentique.

— Que tu écriras.

— Ou toi. Ou nous deux. (Jacky fit un geste dédaigneux de la main.) Nous avons tout le temps.

— Combien ?

Jacky fit comme s'il n'avait pas compris. David haussa le ton.

— Combien de temps reste-t-il avant que Luther & Rosen veuille voir quelque chose ?

— Un an et demi.

— Ils en veulent combien, dans un an et demi ?

Jacky le regarda froidement dans les yeux.

— Le roman terminé.

— Et si c'est de la merde ?

Jacky ricana et vida son verre.

— Il n'y a rien dans le contrat sur la qualité. (Il sourit mystérieusement.) Mais on y trouve autre chose. Un chiffre. Quand je te l'aurai donné, tu verras peut-être la chose autrement.

— Le chiffre ne m'intéresse pas. Je ne marche pas.

— Deux cent vingt mille, dit Jacky avec un clin d'œil. En euros.

Il reprit la bouteille dégoulinante dans le seau à glace et remplit son petit verre, sortit avec sur le balcon, s'adossa à la rambarde en fer forgé, but une gorgée et sourit à David.

— Ça t'a coupé la chique, hein ?

— On annule le contrat, répondit David en avançant vers Jacky.

Celui-ci se contenta de hocher lentement la tête.

— Je crois, dit-il en souriant, qu'il est temps pour moi de te rappeler quelques faits : si une maison

306

comme Luther & Rosen place en toi des espoirs pareils, c'est sur la base de ma propriété intellectuelle. *Lila, Lila* m'appartient, et le deuxième roman aussi. Je peux le vendre à qui je veux, au prix que je veux et aux conditions que je veux. Seule ma bienveillance t'a permis de participer à cette affaire. Je peux te démasquer à n'importe quel moment.

David se tenait à présent devant Jacky et le regardait de haut. Le fœhn poussait quelques nuages blancs au-dessus du lac, les sapins argentés se serraient entre les toits des maisons. Tout en bas, dans le petit parc de l'hôtel, quelques clients profitaient d'un soleil inattendu.

— Tu sauterais avec moi. C'est toi qui tiens les ficelles. C'est toi qui m'exploites. C'est toi qui me fais chanter. Tu m'envoies sur le trottoir de la littérature et tu relèves les compteurs.

Jacky soutint son regard avec un sourire moqueur.

— Si je déballe tout, ça ne sera certainement pas pour le grand public. Ça, ça sera à toi de t'en occuper. Je me contenterai d'informer Marie.

— Alors c'est elle qui va informer le public.

Jacky secoua la tête.

— Elle ne le fera pas. Après tout, c'est elle qui a envoyé le manuscrit falsifié.

— Elle n'en savait rien.

— Vraiment?

Une petite poussée sur la poitrine aurait suffi à faire bouler le vieil homme de dos par-dessus la rambarde usée par les intempéries. Quinze mètres plus bas, il se serait écrasé sur le chemin de gravier. Ou bien, avec un peu de chance, il aurait été embroché par les piques de la clôture en acier.

Mais David laissa passer l'occasion. Jacky avança vers lui et se resservit du vin. Il alla chercher un classeur sur la table et s'installa dans un fauteuil.

À cet instant, sur le balcon minuscule de cet hôtel décrépit, David comprit qu'il n'avait aucune chance contre Jacky. Pas tant qu'il vivrait.

— Allez, viens, assieds-toi et réglons enfin les questions commerciales, ordonna Jacky.

41

Si David l'avait prévenue qu'il comptait réserver
au Vaisseau Spatial, elle le lui aurait déconseillé.
Mais cela devait être une surprise. Lorsqu'il indiqua
l'adresse au chauffeur de taxi, elle fit mine de se réjouir.

Ils étaient à présent assis à une petite table, contre
le mur éclairé en bleu – les tables murales passaient
pour les meilleures du Vaisseau Spatial –, et tentaient
de se parler malgré les vibrations de la basse. À
quelques tables, on avait reconnu David, on chucho-
tait et on le regardait sans la moindre gêne.

Il était revenu de son rendez-vous chez Jacky sans
dire grand-chose et paraissait déprimé. Il ne restait
presque rien du David heureux qui, peu avant dix
heures, s'était faufilé dans l'appartement et s'était
glissé tout nu auprès d'elle sous la couverture, tandis
qu'elle tentait de faire semblant de dormir et de ne
pas glousser.

Ils avaient fait l'amour, puis avaient mangé dans le
lit, en sortant directement des sacs, des boîtes et des
gobelets en plastique, le petit déjeuner copieux que
David était allé chercher au salon de thé de la gare.
Croissants, petits pains au jambon, céréales à la
crème, tartines à la crème, vermicelles, le tout pêle-
mêle. Ils avaient fait l'amour une deuxième fois
avant de se lancer dans quelques projets.

Du 20 décembre au 3 janvier, Marie était en vacances. Elle était convenue avec une collègue que celle-ci décorerait la vitrine du Coryphée pour Noël, en s'inspirant de ses croquis. Elle avait donc deux semaines de libre, et pendant cette période David n'avait pas de rendez-vous non plus.

Marie connaissait un vieil hôtel démodé dans un village retiré des Grisons, où elle allait toujours pour faire du ski dans son enfance et auquel il arrivait d'être bloqué par la neige.

David en connaissait un dans un petit village de Provence, avec des couvertures à fleurs, des rideaux à fleurs, des fleurs sèches dans les moindres recoins, mais avec un restaurant qui vous aurait fait oublier la cuisine allemande.

Ou à Bali ? Ni l'un ni l'autre n'avaient jamais été à Bali. Pas plus qu'aux Seychelles. Ni en Afrique occidentale. Et dans combien d'autres lieux encore ?

Ils avaient allongé la liste jusqu'à deux heures lorsque David s'était levé en maugréant et s'était habillé pour aller rendre visite à Jacky.

Mais elle voyait désormais sur son visage qu'il devait faire des efforts pour exprimer encore un peu de l'allégresse de la matinée.

Elle aussi avait bien du mal à entretenir la bonne humeur. C'était surtout à cause du restaurant. Il lui rappelait Lars et leur dernière soirée commune.

Et elle s'y retrouvait à présent avec David, qui portait une cravate comme Lars, et commandait du champagne sans lui demander son avis, comme Lars. David, à sa manière pataude, commettait les mêmes erreurs que Lars avec ses allures d'homme du monde. Pendant un bref instant, elle ressentit ce sentiment familier d'avoir pris une année de plus et de ne pas avoir avancé d'un millimètre.

— Le Sri Lanka, proposa-t-elle pour briser le

silence qui s'était installé entre eux. Ils sont de nouveau en paix, et on dit que c'est un rêve.

David hocha vaguement la tête.

Marie sut tout d'un coup ce qui lui était arrivé. Jacky avait gâché leurs vacances.

— Allez, dis-le. (Elle avait parlé avec plus de brusquerie qu'elle ne l'avait voulu.) Le vieux nous a collé des rendez-vous pendant les vacances ?

David lui adressa son sourire désemparé, celui qui lui avait tant plu autrefois. À présent, sa mine faussement désolée lui tapait sur les nerfs. Pourquoi était-il incapable de s'imposer, ne serait-ce qu'une fois ? De mettre un grand coup sur la table et de dire : « Et merde, maintenant on fait comme je le dis, et *basta*. »

— Quand ? demanda-t-elle sur un ton très professionnel.

— Le 28 décembre. À l'hôtel Fürstenhof, à Bad Waldbach.

— Tiens donc, tu fais aussi des lectures dans les villes thermales, maintenant ?

David haussa les épaules.

— C'est en plein milieu. On ne pourra partir en vacances ni avant, ni après.

— L'hôtel met une suite à notre disposition pour trois ou quatre jours.

— Pour Jacky et pour toi ? demanda Marie, venimeuse.

— Pour toi et moi.

— Tu ne crois tout de même pas sérieusement que je vais t'accompagner dans une ville thermale pour les premières vacances que je prends depuis des lustres ? Je n'ai tout de même pas soixante-dix ans.

— Ils ont aussi un beau terrain de golf.

Marie éclata de rire.

— Non mais je joue au golf, moi ? Et toi ? Tu es devenu golfeur ?

311

Les gens qui avaient reconnu David cessèrent de manger et de parler. Il dit d'une voix étouffée :

— Je me disais que nous pourrions essayer. Ça n'est plus un sport aussi élitaire qu'autrefois.

— Alors là, pour le coup, ça ne m'intéresse plus du tout, répondit Marie dans un accès d'humour grinçant.

David répondit par un rictus plein d'espoir. Mais Marie n'en démordit pas.

— David, je pars pour l'une des destinations que nous avons sur notre liste. Avec toi ou toute seule.

Deux serveurs apportèrent le plat de résistance. Un *red snapper Bora Bora* pour David, une assiette de légumes pour Marie. Ce jour-là, les *world menus* revus par des designers la rasaient, et elle avait encore son petit déjeuner sur l'estomac. Lorsque les serveurs leur eurent souhaité un bon appétit, elle reprit :

— C'est contre nos accords. Tu en as fait ton agent à la condition qu'il ne touche plus à notre vie privée. Maintenant, tu peux le fiche à la porte. Fous-le dehors.

David regarda fixement son assiette, comme s'il se demandait si l'on pouvait aussi en manger les fleurs.

— Ça n'est pas notre vie privée, finit-il par objecter. Une lecture, c'est un rendez-vous professionnel.

Marie, elle non plus, n'avait pas encore touché à son assiette.

— Une lecture en plein milieu de nos vacances communes, c'est une échéance tout ce qu'il y a de plus privée. C'est en opposition complète avec nos conditions, n'importe quel tribunal te donnera raison sur ce point. Tu as ça par écrit ?

— Le contrat avec l'agence ?

— Non, la condition, le fait qu'il n'a pas le droit de déranger notre vie privée.

312

David prit sa fourchette et détacha un morceau de poisson.

— C'était oralement.

Marie poussa son assiette de légumes sur le côté. Cela lui avait coupé le peu d'appétit qui lui restait.

— David, je suis sérieuse : si tu ne décommandes pas, je pars sans toi.

David poussa lui aussi son assiette sur le côté, tendit le bras au-dessus de la table et prit la main récalcitrante de Marie.

— Dans ce cas, je décommande.

— Pour de bon ?

— Pour de bon.

Marie se décontracta et attendit que sa colère se dissipe. David jouait avec ses doigts.

— Tu veux que je te parle de mon nouveau roman ?

C'était Marie qui souriait à présent.

— Oh oui, j'aimerais beaucoup.

— C'est l'histoire d'un fils qui se gave par amour pour sa mère obèse, jusqu'à ce qu'il soit aussi gros qu'elle. Un jour, la mère tombe amoureuse et perd sa graisse.

— Et le fils ?

— Presque désespéré par la jalousie, il n'arrête pas de grossir, jusqu'à ce que la position couchée soit la seule qu'il puisse encore prendre.

— Et ensuite ? demanda Marie sur le ton d'un enfant auquel on raconte une histoire avant de s'endormir.

— Il se laisse rouler sur elle et reste couché jusqu'à ce qu'elle ne bouge plus.

— Oh !

La voix de Marie avait dû paraître effrayée, car David la regarda avec inquiétude.

— Qu'est-ce que tu en dis ?

Marie réfléchit. Elle finit par dire :

— Je crois que ça peut être merveilleux. Un peu triste, mais merveilleux.

42

Un rectangle blanc sur fond bleu brillait sur l'écran. Il portait le titre « Deuxième roman ». En haut à gauche, un curseur noir clignotait. Apparaissait, disparaissait, apparaissait, disparaissait. Écrisdonc, écrisdonc, disait-il.

Marie était allée à l'école à sept heures et demie. La soirée, au Vaisseau Spatial, s'était finalement terminée dans l'harmonie. Parce que David avait promis de décommander Bad Waldbach. Et grâce à l'histoire du gros fils et de sa pauvre mère.

Au fil de la soirée, Marie avait pris goût à cette fable. Elle la trouvait émouvante. Et nouvelle. Elle ne se rappelait pas avoir jamais rien lu de ressemblant.

Ils avaient couché ensemble, et lorsqu'il s'était étendu sur elle, Marie avait tout d'un coup éclaté de rire. Il lui avait demandé de quoi elle riait, et elle avait répondu :

— C'est le gros fils qui m'est revenu à l'esprit.

Mais quelque chose s'était tout de même insinué en eux. Lorsqu'ils eurent éteint la lumière, il resta longtemps éveillé. Il remarqua qu'elle ne dormait pas non plus. Lorsqu'il s'éveilla au cours de la nuit, la place était libre à côté de lui. Il alluma la lumière. Le kimono de Marie n'était pas accroché à la patère, la porte de la chambre était fermée. Il se leva et passa dans le séjour. Elle se trouvait sur le canapé, un livre sur les genoux.

— Tu n'arrives pas à dormir ? demanda-t-il.

— J'ai une interro de physique demain, expliqua-t-elle.

Il voulait dire quelque chose. Qu'il allait décommander Bad Waldbach le lendemain matin. Ou quelques mots sur son projet de roman. Mais il vit qu'elle attendait une seule chose : l'instant où il repartirait. Il se pencha vers elle et lui donna un baiser.

— Ne sois pas trop longue, dit-il, comme dans un film.

Au matin, il lui avait préparé un café, ce qu'il faisait chaque fois qu'il était chez eux. Lorsqu'elle fut partie, il alluma l'ordinateur et créa un document qu'il intitula « Deuxième roman ».

Ecrisdonc, écrisdonc, faisait le curseur en clignotant.

D'où vous viennent toutes ces idées, monsieur Kern ?

Je ne sais pas. Elles viennent comme cela, tout simplement. Ou bien : Les idées ne volent pas à votre rencontre, il faut leur faire la chasse.

Eh bien, pars en chasse, David.

Il se leva et se prépara un espresso. Le troisième déjà depuis le début de la matinée. Il s'installa à la fenêtre et regarda le chantier en bas. Alors seulement, il fit le lien entre le bruit qu'il avait dans la tête et la pelleteuse qui chargeait les gravats quatre étages au-dessous. C'était peut-être pour cela qu'il n'arrivait pas à écrire. À cause du bruit du chantier.

Pouvez-vous écrire dans n'importe quelle situation, monsieur Kern ?

Lorsque j'écris, rien de ce qui se déroule autour de moi ne m'atteint.

Il avala son café et se rassit devant son écran.

Écrisdonc, écrisdonc.

Monsieur Kern, savez-vous comment s'achève une histoire au moment où vous la commencez ?

Je connais le début et la fin. Ce que je ne connais pas, c'est ce qu'il y a entre les deux. Ou plutôt, non : c'est l'histoire qui me conduit à sa fin.

Comment il imaginait le début : voilà une question qui, ce jour-là, l'aurait intéressé. Malheureusement personne ne la lui avait posée.

Vous travaillez sur autre chose, monsieur Kern ?

Un écrivain travaille toujours sur autre chose.

David se leva si brusquement que sa chaise bascula en arrière. Il la laissa au sol et se mit à faire les cent pas dans la pièce. Pourquoi n'abandonnait-il pas tout simplement cette tentative, pourquoi ne se chargeait-il pas de problèmes plus urgents ? Par exemple : comment vais-je décommander Bad Waldbach ?

La mission était tout aussi impossible que celle consistant à écrire un roman.

Il ouvrit en grand un battant de fenêtre. Le fœhn soufflait encore. Le ciel bleu et le soleil criard de l'été donnaient toujours aux grues et aux chantiers l'aspect d'une photo publicitaire pour un jeu de construction.

Quatre étages au-dessous, une voiture jaune s'arrêta. Le facteur descendit et se mit à distribuer un paquet de lettres dans les boîtes.

Quatre étages. C'était aussi à cette hauteur que se trouvait le balcon de Jacky, sur la rambarde duquel le vieil homme s'était adossé sans manifester la moindre trace de vertige. Si David, la veille, avait été un tout petit peu plus impulsif, il n'aurait plus le moindre souci. Jacky avait quelques degrés d'alcool dans le sang. Personne n'aurait mis en doute la thèse de l'accident. David n'aurait pas été soupçonné un seul instant. Pourquoi une jeune star de la littérature aurait-elle précipité son agent depuis un balcon ? Pourquoi quelqu'un aurait-il douté du fait qu'il lui avait déconseillé à plusieurs reprises de s'adosser ainsi à la rambarde ?

On aurait posé quelques questions, la police l'aurait entendu, il aurait dû régler certaines formalités, il aurait peut-être été forcé de décommander le repas au Vaisseau Spatial. Mais Marie aurait certainement pardonné de bon cœur cette ingérence-là dans leur vie privée.

Une nouvelle occasion manquée de faire ce qu'il convenait. Sa vie paraissait être une longue série d'occasions manquées.

Le facteur remonta dans sa voiture et reprit sa tournée. David rassembla sa salive et laissa couler de sa bouche une grosse goutte brunie par le café. Il vit le fil auquel elle était suspendue s'étirer lentement. Puis il se cassa, et la goutte tomba, tomba encore, devint bientôt trop petite pour ses yeux.

Il aurait peut-être une deuxième chance. Ou bien il pourrait s'en créer une. Il prendrait rendez-vous avec Jacky dans la chambre de celui-ci, l'après-midi, lorsque le vieil homme aurait déjà atteint un certain degré d'alcoolémie.

Mais comment l'inciterait-il à s'adosser à la rambarde ? On pourrait peut-être y parvenir une journée comme celle-là. Mais en cette saison, quand vivait-on des journées comme celle-là ?

David referma la fenêtre et s'installa de nouveau face à son écran.

Écrisdonc, écrisdonc, faisait le curseur.

Il quitta le programme. Voulez-vous enregistrer les modifications apportées à « Deuxième roman » ? lui demanda l'ordinateur. David enregistra la page vide.

Il alla au téléphone et composa le numéro de Jacky.

M. Stocker était déjà sorti, l'informa la standardiste. Voulait-il lui laisser un message ?

David demanda que Jacky le rappelle sur son portable s'il rentrait avant trois heures. Puis il passa dans la salle de bains, se rasa, se doucha, se sécha, s'étala du gel après-rasage sur le visage, fit rouler la bille du déodorant sur ses aisselles et s'habilla. Il fit toutes ces choses normales comme s'il ne venait pas de prendre une décision lourde de conséquences.

David passa dans des agences de voyages le temps qui le séparait de l'appel de Jacky. Il rassembla des offres pour toutes les destinations inconnues qu'ils avaient notées sur leur liste.

Vers quatorze heures, il revint chez lui avec deux sacs pleins de dépliants. Jacky n'avait pas encore appelé, ce qui ne signifiait pas qu'il n'était pas revenu à l'hôtel. Il se pouvait aussi qu'il ait reçu le message et qu'il n'ait tout simplement pas envie d'appeler.

Mais un coup de fil à l'hôtel l'informa que Jacky n'était pas encore revenu. Voulait-il laisser un message ? Non, répondit David, le précédent était toujours valable.

C'était toujours une journée pour se tenir au balcon. Mais la météo annonçait un coup de froid pour le lendemain. David n'avait pas entendu combien de temps il devait durer.

À trois heures, David rappela l'hôtel. Il fit savoir que M. Stocker pouvait encore appeler jusqu'à quatre heures.

À cinq heures, Jacky n'avait toujours pas donné de ses nouvelles. David appela l'hôtel et demanda à la réception de détruire les messages de David Kern à M. Stocker. Ils n'avaient plus d'utilité.

David raccrocha et inspira profondément. Alors

seulement, il comprit à quel point il avait été tendu au fil des dernières heures.

Marie arriva à six heures. Elle vit les prospectus dont David avait tapissé la moitié de l'appartement.

— Tu as décommandé?

— Comme promis.

43

Ma Lila,

Cela fait dix-neuf mois, onze jours, neuf heures, trente-deux minutes et quinze, seize, dix-sept secondes que j'ai dû te lâcher la main et te voir te retourner encore une fois à la hauteur du kiosque de la place des Celtes, me faire signe et disparaître pour toujours devant la colonne d'affiches.

Parfois je vais à ce kiosque et j'imagine que tu réapparais derrière la colonne. Que je retrouve devant moi ce sourire que tu gardes en réserve pour les surprises.

Jacky tendit la main pour attraper son verre de vin sur la table de chevet, but et s'étrangla. Lorsqu'il eut cessé de tousser, Tamara ordonna : « Continue. » Elle était allongée nue, sur le ventre, la tête posée sur une main. Dans l'autre, elle tenait une cigarette tachée par du rouge à lèvres. Jacky reposa la main sur l'une de ses grosses fesses et continua à lire.

Parfois je vais au salon de thé Stauber et je commande deux têtes-de-nègre, une pour toi, une pour moi, comme toujours.

— Des têtes en chocolat, corrigea Tamara. Tête-de-nègre, on n'a plus le droit de dire ça.

— Le livre se déroule dans les années cinquante. À l'époque ça s'appelait encore comme ça.

— Ah bon. Continue.

> *Parfois à l'heure du déjeuner je vais au Parc aux Cerfs et je mange un sandwich au jambon sur notre banc. Dimanche dernier je suis revenu au zoo. Ghana, le bébé chimpanzé, a fêté son deuxième anniversaire et te salue. Lui aussi bout d'impatience de te voir revenir à la maison.*

— Mignon.

> *Ah, Lila, des jours comme celui-là je me dis que je ne tiendrai pas.*
> *Je t'aime.*
>
> > *Ton triste Peter*
> *P.-S. : As-tu reçu mes trois dernières lettres ?*

Tamara soupira.

— L'histoire du bébé chimpanzé, c'était le plus beau. Alors, elle les a reçues ?

— Quoi donc ?

— Les trois lettres ?

— Oui. Mais elle n'a pas répondu.

— Pourquoi ?

Tamara écrasa la cigarette dans le cendrier posé sur l'oreiller.

— Elle ne l'aime plus.

— La garce.

Jacky échangea son livre contre son verre de vin et le vida. Il se leva et, en sous-vêtements, alla jusqu'au siège où il avait posé sa robe de chambre. Il la passa,

322

trouva la petite corbeille à vin contenant le bour-
gogne et se resservit.

— Eh, eh, eh ! cria Tamara depuis le lit.

Elle lui tendit sa coupe vide. Il la lui prit, se dirigea
vers le seau à glace et en sortit une demi-bouteille de
Taittinger pour la servir. Une bouteille entière lui
avait paru exagéré, d'autant plus que lui-même était
resté au rouge.

C'était une journée grise et pluvieuse du début du
mois de décembre. L'une de ces journées que, peu de
temps avant, il aurait encore débutée en frissonnant
devant un café-schnaps au café de la gare centrale,
juste après avoir pris son petit déjeuner à Saint-
Joseph.

Le climat et le souvenir de ces journées l'avaient
tellement déprimé qu'après le déjeuner, il avait passé
un coup de téléphone à Tamara. Ça n'était pas une
vraie call-girl, elle possédait un salon, une entreprise
individuelle féminine, comme elle appelait ça, à
proximité de l'hôtel Caravelle. C'est là qu'elle avait
fait sa connaissance, au bar, un jour où les affaires ne
marchaient pas bien. Depuis, il la faisait venir de
temps en temps, lorsqu'il se sentait seul. Elle savait
bien le soigner, et il aimait la regarder faire.

Pendant la journée, il ne quittait pratiquement pas
l'hôtel. C'était la période de l'avent, il y avait trop de
membres de l'Armée du Salut autour de lui. Ces
semaines-là lui rappelaient l'époque où il profitait
encore des services de la banque alimentaire. Sans
même parler du fait que plusieurs d'entre eux étaient
susceptibles de le reconnaître et de l'aborder.

Il tendit son verre à Tamara et trinqua avec elle.

— Celui-là, j'aimerais bien faire sa connaissance
un jour, dit-elle.

— Qui ?

— Celui qui a écrit le livre.

Jacky fut tenté de dire : « Tu le connais déjà. » Cela lui arrivait de plus en plus souvent ces derniers temps. Au lieu de cela, il répondit :

— Ça peut se faire.

— Tu le connais ?

Tamara le regarda de ses grands yeux, par-dessus le rebord de la coupe.

— Je le connais même très très bien.

— Alors fais-nous faire connaissance !

Cette idée plut à Jacky : David et Tamara. Surtout à cause de Marie, cette chèvre. Il allait les mettre en contact, ces deux-là. Il le ferait venir ici, ils régleraient les affaires courantes et, au bout d'une heure, Tamara surgirait. On verrait bien ce qui se passerait.

— D'accord, je vous présenterai.

44

Petit garçon, David avait un ami. Il s'appelait Marc, et ce qu'il y avait de plus fascinant chez lui, c'était son chemin de fer électrique. Il parcourait un paysage de papier mâché et de sciure teinte, on y voyait des gares, des fermes, des châteaux, des voitures arrêtées devant des passages à niveau baissés et un lac avec de la vraie eau.

Marc n'avait pas le droit d'y jouer lorsque son père n'était pas là. Mais un jour, il conduisit David dans le gigantesque grenier où se trouvait toute l'installation. À côté, par terre, Marc avait construit son propre tronçon. Il était constitué d'un seul rail parfaitement droit, qui devait bien mesurer six mètres de long. Une locomotive se trouvait à chaque extrémité.

David s'assit sur le banc de salle d'attente des Chemins de fer suisses que l'on avait posé près des trains électriques, Marc régla le potentiomètre du transformateur au niveau un et s'assit à côté de lui. Ils observèrent les locomotives qui avançaient régulièrement l'une vers l'autre et attendirent, palpitants, l'instant de la collision.

Après chaque télescopage, ils remettaient les locomotives dans leur position initiale, et Marc tournait le potentiomètre vers le cran supérieur. Ils jouaient à ce jeu jusqu'à ce que l'une des locomotives ait rendu

l'âme. Ils la remplaçaient par une autre et continuaient à jouer. Tout le mercredi après-midi, jusqu'à
ce que, sur les vingt-deux locomotives que comptait
le dépôt, on ait établi laquelle était la gagnante toutes
catégories confondues. Une locomotive du Saint-
Gothard portant les armes de la ville de Saint-Gall,
David s'en souvenait encore très bien.

Peu après, les parents de Marc divorcèrent et Marc
partit avec sa mère. David avait oublié pour quelle
destination. Mais ce qu'il se rappelait encore très
précisément, c'était la fascination ressentie en observant les deux motrices qui se fonçaient dessus. Le
caractère inéluctable du choc que Marc, ou même
lui, aurait pu éviter d'un simple geste sur le potentiomètre. Le plaisir de laisser se produire quelque chose
de grave qu'il aurait eu la capacité d'empêcher.

Tel était l'état d'esprit de David au cours de ces
journées-là. Marie et lui avaient choisi les Maldives.
Lotus Island Resort, *beach bungalow*, huit mille
deux cent soixante francs suisses, deux semaines tout
compris, décollage le 20 décembre.

À l'autre bout du rail se trouvait Bad Waldbach,
gala avec lecture et accompagnement musical par le
Quatuor Wolfgang, deux mille francs suisses d'honoraires plus quatre nuits pour deux personnes en pension complète dans une *Junior Suite*, côté parc, arrivée le 26 décembre.

Les deux événements fonçaient inéluctablement
l'un sur l'autre, et David attendait la collision
comme s'il était hypnotisé. Il n'y avait qu'un seul
moyen de l'empêcher.

Il était couché tout habillé sur le lit à fioritures
d'une auberge campagnarde sur le lac de Constance.
La chambre était aménagée avec des meubles rus-
tiques de style ; dans un coin une poupée grandeur
nature occupait un berceau, on avait accroché au mur

une faucille, un râteau en bois et une gerbe de blé sèche et empoussiérée qui semblait très inflammable. Toute la maison sentait l'huile de friture où l'on avait fait cuire d'innombrables portions de frites, des croquettes, des filets de perche panés et des pommes de terre en robe des champs.

Il se trouvait dans l'est de la Suisse pour une lecture à laquelle Karin Kohler avait donné son accord avant le succès de *Lila, Lila*. L'organisateur était une petite librairie de province, et les honoraires, au grand agacement de Jacky, étaient aussi modestes que le lieu en question.

La propriétaire de la librairie Stotzer, Mme Talbach, était passée le prendre à la gare et lui avait raconté, sur place, qu'en raison de l'afflux de réservations, elle avait dû déplacer la manifestation de la librairie vers la salle des fêtes municipale. Devant la gare, son mari l'attendait avec une camionnette de livraison portant l'enseigne « Talbach Télé » et un autocollant rouge « Promotion sur les antennes satellites ! Jusqu'à Noël seulement ! »

— Il a pris sa journée spécialement, expliqua Mme Talbach, je suis trop énervée pour conduire.

Il restait deux heures à David avant qu'elle ne vienne le chercher pour « un petit en-cas et un verre pour les nerfs » au Grill de la Mer, le restaurant de l'établissement.

Dehors, une pluie obstinée tombait sur le parking et sur les arbres fruitiers de basse tige plantés de l'autre côté de la route cantonale. Au léger tambourinement sur le toit oblique s'ajoutait le battement des radiateurs que David avait coupés en entrant dans la pièce surchauffée. David ferma les yeux et sombra dans un sommeil désagréable de fin d'après-midi.

Son portable le réveilla. Il regarda sa montre. Il n'avait même pas dormi un quart d'heure.

— Oui ?

— C'est moi, Jacky. Où es-tu ?

David sursauta comme on le fait lorsque quelqu'un vous rappelle un devoir désagréable.

— À l'hôtel.

David n'en avait pas retenu le nom.

— À quelle heure reviens-tu demain ?

— Un peu avant midi, pourquoi ?

— J'aimerais discuter de quelques bricoles avec toi avant que je ne parte en voyage. Disons à quinze heures au Jardin du Bois ?

— Tu pars en voyage ? demanda David, dans un mélange de panique et de soulagement.

— Oui, Saint-Moritz, *sunshine week*. Il faut que je passe quelques jours au-dessus de la couche de nuages. Demain, à trois heures, ça colle ?

— Ça colle, répondit David en hésitant.

Ce soir-là, il fit encore plus de lapsus que d'habitude

45

Il était un peu plus de cinq heures lorsque Marie rentra à la maison. Le sac de voyage de David était à moitié déballé dans la chambre à coucher, son linge sale était dans la corbeille, sa serviette-éponge était humide.

Dans le réfrigérateur, il manquait une boisson au yoghourt, la machine à café était branchée, et une tasse d'espresso vide se trouvait à côté de l'ordinateur.

Sur la table, elle vit une boîte de truffes achetée au salon de thé Meyer, près de la gare, avec un petit mot de David : « J'ai dû m'absenter un moment, tu sais ce que c'est. Je reviens aux environs de cinq heures et demie. Tu me manques, D. »

Marie soupira, attrapa l'un des chocolats et le glissa dans sa bouche. Bien qu'elle ait acheté une heure plus tôt un bikini qui ne tolérait pas le moindre gramme de graisse.

Lotus Island Resort, une île de quatre cents mètres de long sur cent vingt mètres de large sur l'atoll de l'île de Malé Sud, dans les Maldives. C'était la destination qu'ils avaient choisie après des journées de discussion. À peine David était-il sorti de l'immeuble pour faire la réservation qu'elle avait été prise de doutes. Une île d'un peu moins de quatre cents mètres sur cent, avec cent vingt bungalows de rêve sur la plage, trois restaurants, buffet matin, midi et soir et (« uniquement pour les amoureux ! ») dîners romantiques aux chandelles au bord de l'eau – ne risquait-on pas la claustrophobie ? Et par tous les dieux, que pouvait bien signifier « animation soft » ?

Elle appela David pour lui demander s'il n'aurait pas mieux valu choisir le Mali. Dès qu'elle eut composé le numéro, le portable de David se mit à sonner. Sur son bureau, où il l'avait oublié.

Lorsqu'il revint et lui montra fièrement le bon de commande pour leur voyage, il était trop tard pour exprimer ses doutes. Mais elle continua à les nourrir et ils grandirent au fur et à mesure que le départ approchait. Pouvait-on imaginer plus petit-bourgeois que de rester allongé avec deux ou trois cents compatriotes sur une île-hôtel de l'océan Indien, à côté d'une magnifique piscine avec bassin pour enfants, et le soir, après le barbecue pris au restaurant en plein air (« chef cuisinier suisse ! »), de regarder à la télévision par satellite les nouvelles transmises par la Deutsche Welle, la télévision allemande émettant vers l'étranger ?

Marie se consola en se disant que c'était exactement ce dont elle avait un besoin urgent : ne rien faire d'autre, deux semaines durant, que traîner sur la plage, au lit, au buffet et au bar.

Et puis une autre idée l'aidait à résister : au cours de ces deux semaines, elle pourrait déterminer ce qu'elle ressentait réellement pour David. À quel point elle devait prendre au sérieux les doutes qui revenaient constamment la ronger ces derniers temps. Existait-il un meilleur test de résistance pour une liaison que deux semaines sur une île de quatre cents mètres sur cent vingt ? À part quatre semaines, naturellement.

Ce jour-là, elle n'avait pratiquement plus aucun doute. Après le lycée, elle était allée acheter ses vêtements de vacances, une jupe en coton beige, des shorts dans la même matière, deux corsages blancs, trois hauts, deux sarongs et le bikini déjà cité. Et lorsqu'elle quitta la dernière boutique avec ses sacs, elle constata qu'elle se réjouissait de ces vacances.

Le climat n'y était pas étranger non plus. Dès le lever du jour, il avait cessé de pleuvoir. Au cours de la matinée, la couverture nuageuse se déchira ; à midi, le ciel était d'un bleu presque importun, et le fœhn rapprocha du bord de mer la chaîne alpine enneigée.

Elle ouvrit la fenêtre, mit de la musique, prit une douche et réessaya tranquillement son bikini. Rien à redire, décida-t-elle, hormis la couleur de sa peau et les quelques petits poils dans la région de l'aine. Elle laisserait au soleil des Maldives le soin de résoudre le premier problème ; elle s'attaqua immédiatement au deuxième.

C'est ainsi que Marie se retrouva en bikini sur le canapé, armée d'une pince à épiler et penchée en avant, au moment où David, hors d'haleine et blanc comme un linceul, se précipita dans l'appartement.

— Jacky est tombé du balcon !

Bien plus tard seulement, Marie prit conscience du fait que sa première question avait été :

— De quel étage ?

— Quatrième.

— Mort ?

— Non. Il a atterri sur une marquise. Il est à l'hôpital.

David se trouvait toujours au milieu de la pièce, il avait laissé la porte de l'appartement ouverte. Marie se leva du canapé, ferma la porte et l'embrassa.

— Tu étais là quand ça s'est passé ?

David ne répondit pas. Il la tint solidement enlacée, ses épaules tressaillaient. Il fallut un moment avant qu'elle ne comprenne qu'il pleurait.

Ils restèrent là un bon moment, serrés l'un contre l'autre, lui en manteau d'hiver, elle en bikini. Lui sanglotant sans frein, elle pas très sûre du degré de gravité qu'elle attribuait à l'événement.

46

Jacky n'avait pas mal. Il ne sentait strictement rien. Lorsqu'il ouvrait les yeux, il voyait des médecins et des infirmières, des tuyaux et des lampes. Il ne pouvait pas parler, on lui avait mis quelque chose dans la bouche. Un grand objet long et épais. Un tuyau ?

Il voulut l'enlever, mais il n'y parvint pas. Sa main ne lui obéissait pas. Ni la droite, ni la gauche. Il était trop fatigué.

Il entendit les médecins et les infirmières parler, comme s'ils étaient très loin. Mais il ne comprenait pas ce qu'ils disaient.

La dernière chose dont il se souvenait, c'était la chute. Il se tenait adossé à la rambarde, sur le balcon, avec un verre de meursault, et profitait du soleil qui faisait comme si l'on était à Pâques et pas à Noël.

David devait arriver d'un moment à l'autre, il avait déjà quelques minutes de retard. Jacky n'avait en réalité pas grand-chose à discuter avec lui. C'était plus un prétexte pour le mettre en relation avec Tamara. Il n'était pourtant plus aussi sûr, un peu plus tôt, que ce soit une vraie bonne idée. Mais à présent, après le déjeuner – du rôti de veau qu'il avait déjà arrosé avec une bouteille de meursault –, il la trouvait de nouveau très amusante. On verrait bien ce qui arriverait lorsque Tamara surgirait et se présenterait comme une ardente admiratrice.

Jacky était de très bonne humeur. Le lendemain, il partait pour Saint-Moritz. La première fois en soixante et onze ans. Il avait spontanément réservé une semaine *sunshine*, pension complète, téléphériques, traîneaux à chevaux, concerts thermaux et fondues compris. Il s'était acheté une tenue sportive, des après-ski et un manteau en peau d'agneau. Et pour les soirées à l'hôtel, il avait plié dans sa valise le costume noir brillant à nœud papillon pourpre, celui qu'il avait acheté pour Francfort.

Ce qu'il regrettait le plus, c'était qu'il allait devoir annuler sa *sunshine week*. Mais cela aurait pu être plus grave. Qui donc survit à une chute du quatrième étage ?

Le téléphone avait sonné. Certainement le concierge qui annonçait David. Jacky s'était légèrement appuyé sur la rambarde pour prendre son élan, et elle avait cédé : elle était tombée du balcon, et lui avec.

Il ignorait si toute sa vie avait défilé devant lui. Son mouvement de bascule en arrière était la dernière chose dont il se souvint. La suivante était une mêlée de lumière, de pénombre, de voix et de visages. Et puis tout cela, maintenant. Il était donc réveillé, comme en suspens. Peut-être dans un vaisseau spatial. En apesanteur. Et ceux qui baissaient leur regard vers lui étaient des astronautes.

L'un d'eux avait des yeux comme ceux de David.

47

David était arrivé un peu trop tôt. Il avait demandé au taxi de s'arrêter et avait parcouru en flânant les trois cents mètres qui le séparaient de l'hôtel.

Après des journées de pluie ininterrompue, cette vieille bicoque, soudainement illuminée par le soleil, lui donna l'impression d'avoir été récemment rénovée. David s'était fait à l'idée de prendre tout simplement l'avion avec Marie le 20, d'oublier Bad Waldbach et tout le reste. Peut-être leur liaison, au bout de deux semaines à Lotus Island Resort, serait-elle suffisamment consolidée et approfondie pour que Marie puisse accepter la vérité et continuer à l'aimer tout de même. À moins que Jacky, dans son propre intérêt, ne renonce à informer Marie.

David avait confié son avenir au destin. Et voilà qu'il se retrouvait d'un seul coup face à cette occasion de le reprendre tout de même en mains.

Il s'installa sur un banc du jardin public d'où l'on avait vue sur l'hôtel. Le ferait-il ? Allait-il effectivement tout mettre en œuvre pour attirer Jacky sur le balcon et le pousser par-dessus la rambarde ? Il frissonna.

Puis il se rappela Marie. Marie qu'il pouvait perdre à n'importe quel moment si le vieil homme le voulait ainsi.

Lorsqu'il se dirigea vers l'entrée de l'hôtel – il était à présent un peu en retard –, il s'était décidé. Décidé à laisser la situation trancher.

Il était encore éloigné lorsque le concierge lui adressa un sourire. Quand David arriva au comptoir de la réception, le portier avait déjà le téléphone à l'oreille. Il posa la main sur le micro.

— Vous pouvez monter sans problème, M. Stocker est dans sa chambre.

David le remercia et se dirigea vers l'ascenseur.

Au même instant, il entendit un choc gigantesque du côté du parc, suivi d'un craquement et du fracas de pots de fleurs brisés, puis de quelques cris et appels. Avant que David n'ait choisi de partir ou d'y aller en courant, le concierge était déjà passé devant lui. David le suivit.

Sur le parvis gravillonné reposait une grille en fer forgé garnie des chrysanthèmes de deux décorations florales classiques. Deux vieilles dames assises sur un banc en fer moulé, dans le parc, désignaient le haut de l'immeuble.

Là, au deuxième étage, dans la moitié encore intacte d'une marquise jaune à bandes blanches, pour le reste en lambeaux, reposait quelque chose de lourd. On aurait dit une personne couchée dans un hamac.

C'était une personne. Le bras qui pendait portait la manche de la robe de chambre en soie de Jacky.

Peu après, le parvis était bouclé. Des urgentistes, des pompiers et des policiers se tenaient autour d'une grue de levage et assistaient à la récupération de Jacky.

David les regardait, comme pétrifié, à côté du concierge qui répétait sans arrêt : « Un si gentil monsieur. Un si gentil monsieur. »

Lorsque la civière contenant Jacky toucha enfin le sol et qu'on la porta dans l'ambulance, David vit que Jacky avait été muni d'une sorte de masque à oxygène. Un infirmier ou un médecin tenait en hauteur un flacon de perfusion. Cela signifiait sans doute que Jacky vivait encore.

Il suivit l'ambulance des yeux. Il la vit repartir lentement, mais gyrophare allumé, et revint dans le hall de l'hôtel. Le concierge discutait avec un homme qui prenait des notes. Lorsque David entra, le concierge le désigna. L'homme se dirigea vers lui et se présenta comme le brigadier Weber, de la police urbaine. David tressaillit.

— On me dit que vous connaissez l'accidenté.

— C'est mon agent.

— Vous êtes artiste ?

— Écrivain.

Le policier emmena David dans le bureau de la direction, prit note de son identité et de sa déposition. David lui raconta ce qu'il savait. À la fin, le brigadier Weber demanda :

— M. Stocker a-t-il des parents que vous connaîtriez ?

— Il ne m'a jamais parlé de parents.

Après son audition, David se rendit encore une fois dans le petit parc. La grue avait disparu, mais la rambarde en fer était toujours par terre, décorée avec les chrysanthèmes déjà un peu fanés. Deux hommes avaient déposé des panneaux numérotés sur les lieux et prenaient des photos. Au deuxième étage, les lambeaux de la marquise pendaient tristement sur leur cadre tordu. Sur la tourelle du quatrième étage, l'absence de rambarde évoquait une dent manquante.

David n'eut soudain plus qu'une envie : rentrer chez lui et rejoindre Marie. Il traversa le hall de l'hôtel et tomba droit dans les bras d'une femme fortement maquillée. Elle portait un imperméable ouvert à motifs de léopard sur une robe de cocktail noire largement échancrée. Elle cacha son visage contre l'épaule de David et se mit à sangloter.

Avec l'aide du concierge, il parvint à se débarrasser d'elle. Et en lui dédicaçant son exemplaire de *Lila, Lila*, dans les termes qu'elle lui avait dictés :

> « Pour Tamara
> En mémoire d'un cher ami commun.
> David »

48

L'unique bruit était celui du ressac, aussi régulier que le souffle d'un homme pendant sa sieste. Marie était couchée près de David, sur un transat de plage, sous les rayons qui la réchauffaient, et ne pensait à rien.

— Vous ne pensez à rien, dit une voix masculine indolente. Vous ne pensez à rien. Quand une pensée vient, vous la laissez passer comme un nuage. Rien, rien, rien.

La voix décrut, le bruit du ressac devint plus fort. Chhhhch. Rien. Chhhhch. Rien. Chhhhch. Rien. On entendait désormais de loin le son d'une flûte. Puis celui d'une harpe s'y ajouta. Et un synthétiseur.

— Il ne manquait plus que ça, marmonna Marie. De la musique de méditation *new age*.

David ne répondit pas. Il avait effectivement l'air de méditer.

— Vous sentez la chaleur du soleil sur votre peau, dit la voix, et vous sentez l'odeur du lotus qui pousse entre les cocotiers.

L'odeur commença effectivement à rappeler celle d'un stand ésotérique au marché de Noël. Marie cessa d'essayer de ne pas réfléchir.

Ils se trouvaient au relaxarium du Wellness Club, au Grand Hôtel Fürstenhof de Bad Waldbach. Marie portait son maillot de bain noir une pièce. Avec son bikini neuf destiné aux Maldives, elle aurait suscité trop d'émotion auprès des curistes.

C'était la troisième journée de leur séjour ici. Marie avait l'impression d'y être depuis une éternité. Dès son verre de bienvenue avec l'assistante du directeur, Marie n'eut plus qu'une pensée : ficher le camp, et le plus vite possible. Ils se tenaient au comptoir du bar qui, à cette heure-là, servait aussi du thé et des gâteaux, sirotaient un verre de kir royal et parlaient à mi-voix : avaient-ils fait bon voyage, le temps allait-il s'améliorer, Marie ou David avaient-ils déjà visité Bad Waldbach ? Les clients, aux tables voisines, s'efforçaient de ne pas faire de bruit avec leur tasse pour que pas une syllabe de cette discussion ne leur échappe. La plupart d'entre eux avaient des auxiliaires de marche, depuis la petite canne noire à pommeau d'argent jusqu'au fauteuil roulant électrique, en passant par la béquille et le déambulateur.

Leur chambre était aménagée dans le style kitsch des hôtels standardisés. Les placages en faux bois massif tacheté de rose, assortis à la moquette vieux rose, aux lampes et liseuses en laiton, aux poignées de porte en laiton, aux ferrures en laiton, aux tapis à bandes verticales gris et abricot pastel, aux rideaux de satin pistache pastel, au dessus-de-lit identique, aux reproductions d'artistes faciles à entretenir sur les murs. Trop de coussins sur les fauteuils, trop de marbre dans la salle de bains.

Mais au moins, il y avait de la place. Marie pouvait rester couchée sur le canapé, devant la télévision, et regarder alternativement les rétrospectives de l'année écoulée ou les films sentimentaux diffusés pour Noël.

La chambre était aussi pourvue d'un grand balcon.

Mais le climat, une pluie incessante qui s'échappait de lourds rideaux de brouillard, le rendait inutilisable. À cela s'ajoutait le fait qu'il était pourvu d'une balustrade en fer forgé et que celle-ci rappelait à David le balcon de Jacky.

Le jour où celui-ci avait eu son accident, David avait été pris de ce qui, de l'avis de Marie, s'approchait beaucoup d'une crise de nerfs. Il avait été secoué toute la soirée par des accès de larmes qui cessèrent seulement au moment où elle se rappela l'existence des comprimés de Seresta qu'elle conservait dans sa pharmacie pour lutter contre les nuits blanches avant les examens importants. Une demi-heure après en avoir avalé un, il s'était endormi ; et il n'était toujours pas réveillé lorsqu'elle était revenue de ses courses du samedi.

Il ne sortit pas de son sommeil non plus au moment où quelqu'un de l'hôpital municipal téléphona et demanda que David rappelle.

Au début de l'après-midi, il sortit de la chambre avec un sourire coupable.

— Je ne sais pas ce qui m'a pris. J'étais comme sous le choc.

Il se doucha, mangea quelque chose et eut l'impression d'aller mieux. Jusqu'à ce qu'elle lui dise qu'il fallait rappeler l'hôpital.

— Ils ont dit quelque chose ? demanda-t-il, effrayé.

— Juste qu'il fallait que tu rappelles et que tu demandes le Dr Allemann.

— Ça veut dire qu'il est mort, dit David.

— Pourquoi te préviendraient-ils ? Tu n'as aucun lien familial avec lui. Comme je connais Jacky, je pense plutôt qu'il veut te voir.

Elle avait dit cela pour le tranquilliser, mais elle avait vu juste.

Jacky se trouvait au service des soins intensifs de l'hôpital municipal. Il était paralysé à partir du cou et un tuyau glissé dans ses conduits respiratoires l'empêchait de parler.

Selon le Dr Allemann, il était psychologiquement très important pour le patient, dans cette situation, de voir des parents ou des amis. David était à leur connaissance l'unique personne de confiance disponible. L'autre, une sœur, de deux ans sa cadette, vivait en Basse-Autriche, et l'on n'avait pas encore pu la joindre.

David, livide et contenu, partit pour l'hôpital et revint deux heures plus tard, muet d'effroi. La seule information que Marie avait pu lui arracher était que Jacky était couché, incapable de bouger, relié à toutes sortes de tuyaux, de câbles et canules, la bouche remplie par le tuyau d'un appareil respiratoire. David avait dû passer une blouse et un masque hygiénique, se tenir près du lit et parler. Peu importait de quoi.

— De quoi as-tu parlé ? voulut-elle savoir.

David ne le savait plus.

Il y retourna le lendemain. Le chapitre Jacky n'était pas encore terminé.

Le soir même, David laissa entendre qu'il serait important – selon le Dr Allemann – de continuer les visites et la lecture – David lui avait lu des passages du journal – pendant quelque temps encore.

— Et tu vas le faire ?

— J'y suis pratiquement forcé.

— Pourquoi ?

David haussa les épaules, désemparé.

— Je me sens obligé, d'une certaine façon.

— Pourquoi ? Tu ne l'as pas poussé de son balcon.

Elle vit sur le visage de David qu'il ne pouvait pas, pour l'instant, apprécier ce genre de réconfort moral.

Deux jours plus tard, il revint en lui proposant de prendre sans lui l'avion pour les Maldives.

Elle ne parvenait pas à comprendre précisément comment elle en était venue non seulement à rester, mais aussi à accepter d'aller à Bad Waldbach pour la lecture et de passer quelques jours aux frais du Grand Hôtel. En tout cas, ce n'était pas la première fois, ce jour-là, au relaxarium, sous les feuilles d'un palmier artificiel et au son de la musique de méditation ésotérique, qu'elle regrettait de ne pas être partie toute seule pour le Lotus Island Resort.

— Le soir est revenu, chuchota la voix tandis que les spots qui projetaient leur lumière ensoleillée sur la paroi en préfabriqué se teintaient de rouge. Le soleil descend lentement dans l'océan, et les voix de la jungle saluent la nuit tropicale.

Aux sons cosmiques produits par le synthétiseur se mêlaient pépiements d'oiseaux, cris de singes et crécelles de milliers d'insectes.

— Et une pluie tiède tombe sur la plage surchauffée.

— Et merde ! s'exclama Marie en faisant balancer le transat vers l'avant.

De deux pommeaux de douche, une pluie tropicale pas si tiède que cela s'était mise à lui tomber dessus.

Elle vit David se remettre à rire pour la première fois depuis l'accident de Jacky. Ça n'était pas une grande consolation de se trouver en cure thermale avec un homme sur lequel le relaxarium produisait des effets thérapeutiques.

Le pire, c'était la vision d'avenir que lui réservait Bad Waldbach. Elle se vit dans trente, quarante ou cinquante ans, avec David, blême mais toujours solide, attendre depuis sa table pour deux personnes qu'un serveur remplace le pot de cresson vide, au buffet des salades, par un récipient plein. Elle se vit appuyer sa canne sur le buffet du petit déjeuner pour avoir les deux mains libres et bourrer son sac à main de provisions pour la promenade thérapeutique. Des fruits pour David et pour elle, des petits pains complets pour les canards.

Elle n'avait aucun mal à imaginer David en vieux curiste. Il se tenait, avec le même regard rêveur, devant les jets sous-marins, s'asseyait avec le même plaisir enfantin dans les bulles d'air du bain à remous et se laissait porter dans l'eau thermale tiède comme ses congénères plus âgés.

Marie savait à présent qu'il existait un test de résistance encore plus fiable pour une relation que deux semaines sur une petite île de corail : cinq jours dans une station thermale.

Ce soir-là avait lieu le gala de David. *Candlelight dinner* dans la grande salle à manger, David en costume sombre, elle en petite robe noire. Après la mousse au saumon, le Quatuor Wolfgang joua l'*allegro vivace assai* du « Quatuor à cordes n° 17 en *si* bémol majeur » de Wolfgang Amadeus Mozart, KV 458. Puis David lut un extrait du premier quart de *Lila, Lila*. Le consommé fut servi sans accompagnement musical ou littéraire. Avant le plat de résistance – poitrine de veau glacée ou filet de sandre ou, le cas échéant, menu de régime –, les cordes jouèrent l'*andante con moto* du « Quatuor n° 16 en *mi* bémol majeur » de Wolfgang Amadeus Mozart, KV 428. Entre le plat de résistance et le buffet des desserts, David lut encore un passage, cette fois un extrait du dernier quart. Après le fromage, les musiciens parachevèrent la soirée avec l'*allegro vivace* du même quatuor.

Tout cela donna aussi à Marie un avant-goût du destin auquel était vouée la compagne d'un écrivain d'âge avancé. Chaque fois que David la laissait seule à table pour se préparer à la prestation suivante, la responsable de l'animation la rejoignait pour lui tenir compagnie.

De quoi parle-t-on avec la responsable de l'animation avant que son compagnon lise un extrait de son best-seller ? La première fois, c'est la responsable de l'animation qui fixe le thème. Ce fut : Quel sentiment cela inspire-t-il d'être la compagne d'un homme qui réussit avec un roman d'amour ?

Mais la deuxième fois, ce fut à Marie de dire quelque chose. Elle choisit :

— Vous êtes certainement heureuse que ça ait pu se faire tout de même.

La responsable de l'animation ne comprit pas :

— Tout de même ?

Marie, elle, comprit. David n'avait jamais décommandé.

Elle eut d'abord l'intention de l'entraîner au bar après le repas et de le mettre à la question. Puis elle repoussa cet instant à plus tard, dans la chambre. Puis au lendemain matin, dans la cabine aromatique.

Puis elle décida de laisser tomber.

Ce n'était pas très bon signe.

49

En février, David accomplit à contrecœur la dernière tournée de lectures que Jacky lui avait collée sur le dos : Hanovre, Göttingen, Kassel, Wiesbaden, Würzburg. Il lisait souvent, désormais, des extraits de lettres :

> *Lila, Lila,*
> *Je t'ai vue sur la patinoire. Je l'ai vu te tenir la main. Placer son bras autour de ta taille. J'ai vu comment tu le regardais.*
>
> *Quel homme est-ce ? Est-il la raison pour laquelle je ne peux plus entrer en contact avec toi ? Est-ce à cause de lui que tu n'as plus de temps pour moi ? Depuis combien de temps le connais-tu ?*
>
> *Lila, dis-moi la vérité. Qu'est-ce que cet homme ? C'est pourtant bien moi que tu aimes. Tu me l'as dit mille fois, écrit cent mille fois. Dans ma commode se trouvent cent trente-deux lettres de toi, et ces mots se trouvent dans chacune d'entre elles. Au moins une fois. Tu m'aimes, tu ne supportes plus de vivre sans moi, tu ne penses jamais qu'à moi. Tu ne peux pas vivre sans moi.*
>
> *J'y ai cru, Lila. J'ai réglé toute ma vie sur*

cela. Jamais, jamais je n'ai douté de nous, ne serait-ce qu'une seconde.

Qu'ai-je fait de mal ? Dis-le-moi. Quoi que ce soit, cela n'arrivera jamais, jamais plus.

Lila, Lila, as-tu tout oublié ? Nos projets, nos promesses, notre nuit avant que tu ne sois forcée de partir pour Lausanne ? Les nombreux et longs mois au cours desquels nous nous sommes attendus l'un l'autre ?

Je t'ai vue, Lila, blottir ta tête contre son épaule. Tu m'as vu aussi.

Dis que c'était seulement un jeu. Un jeu cruel pour me mettre à l'épreuve. Pour me rendre jaloux. Si tu savais comme tu y es bien arrivée.

Lila, Lila, dis-moi la vérité, j'ai le droit de la connaître.

Ou plutôt non, ne me la dis pas. Je ne sais pas si j'y survivrais.

Je t'aime.

Peter

Quelqu'un se moucha dans le public. Pour le reste, tout était calme. Tous attendaient que David continue sa lecture.

Mais les lettres s'estompèrent sous ses yeux, et sa voix lui fit défaut. Il ferma le livre, se leva et exécuta une brève révérence. Alors seulement s'éleva un applaudissement indécis.

Lors de la signature, les gens se comportèrent d'une autre manière que d'habitude. Comme s'ils rendaient visite à un malade sans savoir précisément quelle attitude ils devaient adopter envers le patient. Personne ne posa la question de rigueur sur l'autobiographie. Tous paraissaient convaincus que *Lila, Lila* avait été une tentative, apparemment pas très réussie, de surmonter l'histoire d'amour vécue par David lui-même.

Ce n'était pas la première fois que David lisait ce passage en public. Mais les larmes ne lui étaient encore jamais venues aux yeux à cette occasion. Bien qu'il n'ait plus été capable, dès le début de cette tournée, de lire des extraits de *Lila, Lila* sans penser à Marie.

Marie croyait qu'elle ne l'aimait plus.

Il lui avait posé la question avant son départ : il sentait qu'elle prenait de plus en plus de distance avec lui. C'était la réponse qu'elle lui avait donnée. Je crois que je ne t'aime plus.

— Tu le crois ? avait-il demandé, affolé. Mais ces choses-là se savent.

— Je n'en suis pas sûre.

La réponse avait quelque chose d'un peu désespéré. (N'est-ce pas, c'est bien ce qu'elle avait eu ? Quelque chose d'un peu désespéré ?)

— Tu ne comprends pas que l'on puisse ne pas être certaine de ses propres sentiments ?

David ne le comprenait pas. Mais cela l'encouragea. Là où il y avait du doute, il y avait de l'espoir. Il hocha la tête.

— Il y a quelqu'un d'autre ? avait-il demandé avec contenance.

Cela avait incité Marie à se lever et à disparaître dans leur chambre. Lorsqu'il l'avait suivie, un peu plus tard, elle lisait dans son lit. Il s'assit au bord. Elle continua sa lecture.

— Il y a quelqu'un d'autre ?

Elle posa le livre sur la couverture et lui lança un regard ennuyé.

— Tu lis trop David Kern.

Ils ne purent s'empêcher de rire tous les deux, et le sujet fut épuisé pour la soirée. Mais elle ne voulut pas dormir avec lui.

Lorsqu'il prit congé d'elle, le lendemain, il lui posa cette question idiote :

— Je dois me faire du souci ?

Elle haussa les épaules, désemparée.

— Tu m'es juste devenu un peu étranger.

C'est avec les sensations anxieuses de ces adieux qu'il partit en tournée, devant un public qui diminuait un peu, estima-t-il. Les salles étaient toujours bien remplies, mais on n'avait plus l'impression qu'on avait dû y installer des chaises supplémentaires.

Cela tenait peut-être à la saison. Noël était passé depuis longtemps, et le cycle des livres de l'automne touchait lui aussi à sa fin. Sur la liste des best-sellers, *Lila, Lila* perdait du terrain chaque semaine, et les pages littéraires parlaient des nouveautés du printemps.

Cela convenait parfaitement à David. Plus vite l'intérêt qu'on lui portait déclinerait, plus tôt il retrouverait une vie normale. Il aurait du temps. Pour Marie, et pour sa tentative d'écrire quelque chose qui soit vraiment de lui.

Même si sa part des honoraires et de ses avances se trouvait sur le compte de Jacky, il avait suffisamment d'argent pour pouvoir mener une vie modeste pendant un certain temps. Et il était libre.

Le tyran n'était certes pas mort, mais c'était comme si. Il était dans son lit au centre de traitement des tétraplégiques, immobilisé, coupé du monde extérieur en général et de Marie en particulier.

David était son seul visiteur. Mais il ne venait plus que tous les deux ou trois jours, et il avait aussi inventé des dates de lectures qui justifieraient une plus longue absence.

Il continuait à lui lire des passages de journal et posait des questions auxquelles Jacky pouvait répondre par oui (fermer les yeux) ou par non (ouvrir les yeux).

« Les soins te conviennent ? » Yeux ouverts. « Tu as mal ? » Yeux fermés. « Tu aimerais avoir la visite de ta sœur ? » Yeux écarquillés.

Les médecins estimaient que Jacky faisait des progrès. David n'en constatait aucun.

Lors de la lecture à Kassel, Jens Riegler, de Luther & Rosen, avait fait une apparition. Il s'était superficiellement renseigné sur l'état de Jacky, et en détail sur la progression du nouveau roman. Lorsque David l'informa que le projet stagnait, Riegler lui recommanda d'en finir enfin avec cette frénésie de lectures publiques. « Vous aurez tout le temps d'en faire lorsque vous n'aurez plus d'idées. »

David appelait Marie plusieurs fois par jour. Il avait pris avec lui son emploi du temps et tentait de la joindre pendant les pauses, entre midi et deux heures, après la fin des cours et à la maison.

Au début, elle répondait encore de temps en temps. Mais chaque fois, elle avait été un peu plus froide. Elle avait même, un jour, été franchement désagréable. « Mais laisse-moi donc un peu en paix, tu ne fais qu'aggraver les choses », avait-elle dit avant de raccrocher.

Aggraver ? On ne pouvait aggraver quelque chose que si c'était déjà grave.

Il rappela. Qu'est-ce qu'il y a de grave ? voulut-il demander, et : À quel point est-ce grave ? Mais Marie ne répondit pas. Elle ne répondit pas non plus par la suite. La veille, pendant toute la soirée, et toute cette journée-là, il n'était pas parvenu à joindre Marie.

Il cherchait à ne pas penser à elle, mais des images réapparaissaient constamment : Marie dans les bras d'un inconnu. Dans le lit d'un amant phénoménal. Au Volume avec un danseur agile. À l'Esquina avec Ralph Grand.

Il appela la mère de Marie, et s'entendit dire que sa

fille avait peut-être enfin compris qu'ils n'étaient pas faits l'un pour l'autre.

Il appela Tobias, le propriétaire de l'Esquina. Oui, lui dit-il, elle était passée la veille, et si elle se présentait aujourd'hui, il lui dirait que David avait appelé. Et oui, il lui ferait servir une bouteille de cava sur le compte de David.

Pendant le repas, après la lecture, il constata avec surprise que Karin Kohler était assise à sa table. Elle ne parla pas beaucoup, mais lorsque l'assemblée se dispersa, elle l'accompagna à l'hôtel.

C'était une nuit froide, noire comme de la suie. La zone piétonne était déserte, mis à part un sans-abri qui les salua gentiment, assis sur un carton déplié dans une entrée d'immeuble, devant une bougie allumée. Ils répondirent à son salut et reprirent leur marche. Au bout de quelques pas, David s'immobilisa, fit demi-tour et lui donna dix euros.

— Ça vous portera chance, remarqua Karin Kohler.

De la chance, David pourrait en avoir besoin.

Devant l'hôtel, Karin proposa de boire encore quelque chose. David était heureux de ne pas se retrouver seul tout de suite.

Le restaurant avait déjà fermé. Mais le portier de nuit, un Polonais âgé et compréhensif, prit les chaises d'une table et leur apporta deux bouteilles de bière.

— Comment ça va, David ? demanda Karin.

— Bien.

— Je veux dire : pour de vrai.

— Pourquoi demandez-vous cela ?

— Parce que vous avez pleuré pendant la lecture.

— Vous l'avez remarqué ?

Karin sourit.

— Tout le monde l'a remarqué.

David but une grande gorgée dans son verre.

— Il y a quelque chose avec Marie ? demanda prudemment Karin.

Jusqu'à trois heures du matin, David lui parla de manière détaillée de Marie et de lui. Des événements de ces dernières semaines, de ses sentiments, intuitions, espoirs et doutes. Et de la peur qu'il ressentait pour eux deux.

Lorsqu'elle put enfin le convaincre d'aller se coucher, neuf bouteilles de bière vides encombraient la table. La plupart avaient été bues par David.

Devant l'ascenseur, David proposa :

— Et si nous nous tutoyions pour de bon ? Dire « vous » quand on s'appelle par le prénom, ça fait tellement bête.

— Bonne nuit, dors bien.

Karin lui tendit la main. David l'embrassa trois fois sur les joues. Il la suivit du regard lorsqu'elle se dirigea vers la sortie.

— Écoute-moi ! cria-t-il dans son dos. Écoute-moi !

Elle s'arrêta et regarda derrière elle.

— Jacky est paralysé. À partir du cou.

— Je sais.

— Je vais sans doute avoir besoin d'un nouvel agent.

50

Il flottait une odeur de crème solaire, de neige fondue et de cuisine chaude. Marie avait fermé les yeux et appuyait l'arrière de la tête contre le mur de la cabane brûlé par le soleil. Elle avait ôté sa veste de ski et ouvert la fermeture Éclair de son gilet en laine. Il faisait chaud sur la terrasse, une rangée de vitres usées protégeait les clients du vent du nord.

C'était à Sabrina qu'elle devait d'être là, l'unique personne à laquelle elle eût parlé de la crise qu'elle traversait dans son couple. Elle lui avait raconté que David et elle s'éloignaient l'un de l'autre. Ou, surtout, qu'elle s'éloignait de lui. Qu'il lui devenait de plus en plus étranger. Qu'il se laissait manipuler par tout le monde, la maison d'édition, les organisateurs de ses lectures, son agent (même à présent !) et elle-même. Qu'il lui tapait sur les nerfs sans le vouloir. Et qu'elle se faisait des reproches à cause de cela.

Sabrina connaissait les symptômes :

— Tu n'es plus amoureuse de lui, par conséquent tu le regardes avec un peu plus de lucidité, et cela suffit pour qu'il t'énerve. C'est normal. Tu n'as rien à te reprocher.

Mais Marie ne voyait pas les choses aussi simplement que cela.

— C'est bien pour cette raison que je me fais des

reproches. Parce que tout cela est d'une normalité à chier. Je pensais que cette fois, c'était vraiment quelque chose de particulier.

— On se dit ça tout le temps.

— Mais cette fois, il y avait une raison : son livre. Je me disais qu'avec un homme qui écrit avec autant de franchise, de simplicité, et tellement peu de sarcasmes sur l'amour, la passion et la fidélité, ça ne peut pas être d'une normalité de merde. Vraiment, Sabrina, je pensais que c'était pour toujours.

Sabrina posa les bras sur les épaules de Marie, dont les yeux s'étaient remplis de larmes.

— Je ne peux plus me supporter, fit Marie en sanglotant. Je ne vaux pas un clou de plus que Lila.

— Quelle Lila ?

— Celle de *Lila, Lila*. Aussi froide, aussi dépourvue de cœur, aussi conne.

Sabrina la serra contre elle.

— On tombe amoureux, et puis on cesse de l'être, c'est la loi de la nature. C'est plus fort que soi.

Marie sécha ses larmes, se moucha et essaya de sourire.

— OK. Qu'est-ce que tu proposes ?

— Tu viens avec nous à Guntern, ça te fera penser à autre chose.

C'est ainsi que Marie était arrivée ici, au solarium du restaurant Hornblick, en pleine montagne. Elle avait joint David à Würzburg et lui avait annoncé qu'elle partait faire du ski à Guntern avec quelques personnes.

— Quel genre de personnes ? avait demandé David, méfiant.

— Des relations de Sabrina. Dans le chalet des parents de quelqu'un.

— Dans ce cas tu ne seras pas à la maison quand je reviendrai ?

— Non.

Il y eut un long silence.

— Bon, dit Marie pour conclure. On se parlera lundi.

— On se verra lundi. J'espère qu'on se parlera avant. Tu prends ton portable, non ?

— Guntern est très isolé. Je ne sais pas comment fonctionne le réseau là-bas. Ciao, porte-toi bien.

— Ciao, dit David. Je t'aime.

— Oui.

Marie écoutait le brouhaha des voix, les cliquetis des couverts et le tonnerre des lourdes chaussures de ski sur les planches de bois. Même la musique montagnarde lui plaisait. Elle venait tout juste de penser à David, pour la première fois depuis qu'ils étaient arrivés, la veille au soir.

Le chalet s'appelait Bonanza et appartenait aux parents de Reto, un étudiant en médecine, le compagnon actuel de Sabrina. Il comportait un grand séjour, une cuisine, quatre chambres, deux salles de bains et une sorte de campement de matelas au grenier. Il était aménagé avec un mélange de *do-it-yourself* et de meubles patinés au fil d'une longue vie de couple.

Ils étaient neuf, tous à peu près du même âge, tous issus du cercle d'amis de Reto, la plupart étudiants et, au goût de Marie, tous très gentils. Ils passèrent une véritable soirée-chalet, mangèrent de la raclette et jouèrent à des jeux de société. Ils en avaient trouvé les règles dans un vieux livre déniché dans un tiroir, avec les jeux de cartes et les échiquiers.

Après minuit, ils tirèrent les chambres au sort. Marie se vit attribuer un lit dans le campement de matelas.

Ce jour-là, ils s'étaient levés de bonne heure, et Marie avait loué des skis dans l'unique boutique de sport du village. Marco l'avait accompagnée, c'était le seul à ne pas avoir apporté ses skis personnels.

Compte tenu de ce point commun, ils avaient aussi pris ensemble le remonte-pente et il l'avait attendue lorsqu'elle tombait – ce n'était pas une très bonne skieuse. Et à présent, au restaurant, il était assis à côté d'elle.

Marco était lui aussi étudiant en médecine. Il avait quelques années de plus qu'elle, il était très attentif sans être pressant, très amusant, et ça n'était pas du tout son genre. Il était trop beau pour ça. Il deviendrait un jour chirurgien esthétique, supposa-t-elle. Ou gynécologue de la jet-set.

Marie regardait le ciel bleu en clignant des yeux. Quelques choucas volaient devant le Horn, la montagne qui projetait beaucoup trop tôt son ombre sur le village et les pistes, et à laquelle Guntern devait de n'avoir pu profiter d'un véritable tourisme d'hiver. Ce qui, selon Reto, présentait un avantage : ici, on pouvait encore se montrer avec son équipement de la saison précédente, on pouvait encore faire du ski et l'on n'était pas obligé de descendre les pistes sur un *snow-board*.

C'est aussi Reto qui insista pour qu'ils essaient tous la spécialité de la maison, le café Gülleloch. La recette était un secret soigneusement gardé du Hornblick, mais Marie paria sur différents alcools maison, peu de café et beaucoup de sucre. Le Gülleloch était servi dans un verre et portait une petite coiffe de chantilly.

Ils firent suivre le premier Gülleloch d'un deuxième, et ainsi de suite, en sorte qu'ils n'entamèrent la dernière descente qu'au moment où le mât du drapeau ne projetait déjà plus son ombre sur la neige. Les autres se sentirent l'envie de risquer la piste noire. Marie choisit la plus facile. Marco l'accompagna comme si la chose était toute naturelle.

Dans le restaurant surpeuplé, près de la station en vallée, ils burent du vin cuit parce qu'ils avaient eu un peu froid pendant la descente. Il n'aurait pas fallu grand-chose pour que Marie dansât au rythme de l'orchestre montagnard.

Au chalet Bonanza, son portable affichait cinq appels en absence. Tous de David. Marie éteignit le portable.

Le dîner était composé de neuf plats. Chaque invité dut préparer un plat avec les provisions des parents de Reto. Marie fit une salade de riz.

Puis ils jouèrent aux charades. Quelqu'un présentait un dicton, et les autres devaient le deviner. Marie choisit « Là où il y a de la gêne, il n'y a pas de plaisir ». Pour faire comprendre la gêne, Marie mima successivement un personnage qui n'avait plus rien dans les poches, puis qui était trop timide. Pour exprimer le plaisir, Marie simula un orgasme.

C'est Marco qui devina le dicton.

Marco avait tiré une chambre séparée. Après une journée tellement pleine de points communs, il parut tout naturel à Marie qu'ils passent aussi une nuit commune.

51

L'appartement semblait avoir été préparé pour l'arrivée d'un invité. Le lit avait été refait, des serviettes propres étaient accrochées dans la salle de bains, la corbeille à linge était vide et le réfrigérateur rempli d'eau minérale, de bières, de jus de fruits, de yoghourts et de beurre. Le fromage et deux cents grammes de viande sèche des Grisons étaient encore dans leur papier d'emballage.

Le chrome de l'évier resplendissait, un torchon parfaitement sec était accroché au robinet. On avait laissé une notice sur la table. « Je rentre dimanche, peut-être tard. Marie. »

Les croix manquaient. D'habitude Marie inscrivait toujours trois croix sous sa signature. Trois croix pour trois baisers.

David composa le numéro de Marie. Sans grand espoir : il n'était plus arrivé à la joindre depuis son appel de vendredi. Il l'avait d'abord expliqué par le fait que la couverture du réseau ne devait pas être bonne dans ce patelin de montagne isolé. Mais il n'avait pu s'empêcher de se renseigner auprès de l'opérateur téléphonique. On lui avait indiqué que la réception ne posait aucun problème dans le secteur de Guntern.

Il n'avait plus rien mangé depuis son petit déjeuner à Würzburg, mais il n'avait pas faim. Il sortit une

bière du réfrigérateur et l'emporta devant l'ordinateur.

Ce n'était pas sa première bière aujourd'hui. Il en
avait déjà bu quelques-unes dans le train express.
Cela aussi, c'était pour lui une nouvelle expérience :
de l'alcool le matin. Il ne savait pas pourquoi il faisait
cela, il ne s'en portait pas mieux. Au contraire, cela
lui donnait envie de pleurer. Mais il faisait ce que font
les hommes lorsqu'ils ont un chagrin d'amour.

Il alluma l'ordinateur et releva son courrier sur sa
boîte. C'étaient les lettres de fans habituelles, celles
qu'il recevait depuis qu'une librairie sur Internet
avait publié son adresse électronique. Il y répondait
dans la plupart des cas. C'était son unique activité
liée à l'écriture.

Mais cette fois, il repoussa la réponse à un autre
jour. Au lieu de cela, il ouvrit le fichier intitulé
« Deuxième roman ». Il était toujours vide. Mais ce
soir-là, quelle que soit l'heure, il écrirait quelque
chose. Il se l'était promis dans le train. Lorsque
Marie arriverait à la maison, il serait assis devant
l'écran et écrirait. Elle était tombée amoureuse d'un
écrivain. Quand elle reviendrait à la maison, elle y
trouverait un écrivain.

Il n'était pas à son bureau depuis dix minutes
lorsque le téléphone sonna. Il décrocha au deuxième
signal.

— Oui ?

Mais ce n'était pas Marie.

— Centre des tétraplégiques, sœur Erika, puis-je
parler à M. Kern ?

— C'est lui-même.

— Je suis heureuse de vous avoir enfin. Pourriez-
vous faire un saut ? M. Stocker aimerait vous parler.

— Il est capable de parler, maintenant ?

— Un peu. On lui a posé une canule à fenêtre.

David hésita.

— Je vais avoir du mal à m'absenter maintenant.

L'infirmière insista.

— Ça ne durera pas longtemps, il se fatigue vite. Mais c'est très important pour lui.

Au cas où Marie reviendrait avant lui, il lui écrivit un petit mot : il avait dû une fois de plus sortir quelques instants. Il ne mentionna pas Jacky. Il fit des croix devant son prénom. Autant qu'il put en placer sur le morceau de papier.

Le médecin l'accueillit dans le couloir et lui expliqua que Jacky avait toujours besoin d'une assistance respiratoire. Mais pour un bref instant, on pouvait débrancher l'appareil. Jacky respirait alors lui-même et, grâce à une valve phonatoire qui empêchait son souffle de s'échapper par la canule, il pouvait utiliser sa voix.

L'infirmière qui conduisit David dans la chambre annonça d'une voix forte et distincte :

— De la visite, monsieur Stocker !

— Qui ? entendit-on faiblement depuis le lit de Jacky.

— M. Kern.

L'infirmière demanda à David de s'installer aussi près que possible du lit, pour que Jacky puisse le voir et David le comprendre.

— Je vous laisse seuls dix minutes. N'oubliez pas ce que je vous ai dit.

Avant d'entrer dans la chambre, elle lui avait donné ses instructions : il fallait appuyer immédiatement sur la sonnerie s'il avait le sentiment que Jacky était pris de détresse respiratoire ou de panique.

Le cou de Jacky était entouré, sous la gorge, de compresses au centre desquelles émergeait un morceau de tuyau équipé d'une valve. Il était fixé à son cou avec un ruban élastique. Jacky respirait lourdement. À chaque inspiration, à chaque expiration, la valve cliquetait.

— Je ne peux pas parler longtemps, fit-il en cherchant son souffle.

— Je sais.

Jacky respira. Il n'essayait pas du tout de regarder David : il observait fixement un point sur le plafond.

— Le livre.

Inspiration, expiration.

David dut faire un effort pour comprendre sa voix très basse.

— Il n'est pas (inspiration, expiration, inspiration) de moi.

Il fallut un moment pour que David comprenne. Puis il lui posa la première question qui lui passât à l'esprit :

— Dans ce cas, comment as-tu su qu'il n'était pas de moi ?

— Je le connaissais (ins-, ex-, ins-), Peter Weiland.

David serra les paupières et attendit.

— Et elle aussi (---), Sophie (---), cette garce.

David regardait fixement, écœuré, la soupape au cou de Jacky.

— Nous jouions (---) au hockey sur glace ensemble (---), mais quand il a rencontré (---) Sophie, ça a été terminé.

Jacky ferma les yeux et reprit son souffle.

— Quand on l'a envoyée (---) au pensionnat, nous avons (---) cru qu'il allait redevenir (---) normal. (---) Mais ça a été (---) encore pire.

David sentit ses genoux qui flageolaient. Il approcha le siège des visiteurs, tendu de matière plastique verte, et s'installa.

— Et lorsqu'elle l'a quitté (---) tu pouvais (---) le rayer de tes tablettes. (---) J'étais le seul (---) avec lequel il avait encore (---) des contacts.

David se tut. Il n'y avait rien à dire.

— Je suis le seul auquel (---) il ait donné à lire (---) le manuscrit. (---) Il n'était pas (---) encore complètement (---) fini (---), évidemment.

Jacky produisit quelque chose comme un bref éclat de rire.

David sentit sa compassion pour Jacky se dissiper.

— Et pourquoi me racontes-tu ça maintenant ?

— Je me disais que ça (---) pourrait (---) t'intéresser.

La respiration de Jacky s'accéléra.

— Et pourquoi ne m'as-tu pas dit, tout simplement, que tu connaissais l'auteur ? Pourquoi as-tu affirmé que tu l'avais écrit ?

Jacky mit du temps à répondre.

— Un auteur vivant (---) était plus menaçant pour toi (---) qu'un auteur mort.

Sur ce point, David était forcé de lui donner raison.

— Et pourquoi, (---) des deux (---) qui n'avaient pas (---) écrit le livre (---), un seul (---) aurait-il dû (---) y gagner ?

— Et la copie au carbone ?

— Elle (---) n'existe (---) pas.

— Et comment t'es-tu rappelé le pseudonyme ?

— (---) Alfred Duster, (---) Alfred le Sombre (---). Ce nom-là (...), on ne (---) l'oublie pas.

David se leva. La cage thoracique de Jacky se soulevait et s'abaissait de plus en plus vite. Ses yeux inquiets étaient écarquillés.

Pendant un moment, David eut la tentation de rester là, immobile, et d'observer ce qui se passait.

Mais il finit par attraper la sonnette.

Il était une heure à présent. Marie n'était toujours pas revenue. Assis devant l'ordinateur, David n'avait pas encore écrit la moindre ligne. Quatre bouteilles de bière vides étaient alignées devant l'écran.

Sa haine s'était un peu apaisée. Que *Lila, Lila* ne fût pas de Jacky présentait aussi des avantages. Il lui serait peut être plus facile, à l'avenir, de se présenter comme l'auteur du roman.

Marie arriva peu avant deux heures. David avait laissé la clef dans la serrure de l'appartement pour qu'elle soit obligée de sonner. Au cas où il serait endormi : il voulait avoir une discussion avec elle.

Marie avait l'air heureuse. Elle le salua d'un baiser de grande sœur et ne répondit pas à ses questions.

— Allons, David, ça ne sert à rien. Je vais devoir me relever d'ici quelques heures, et tu es ivre.

Elle passa à la salle de bains, puis se coucha, et éteignit la lumière. À toutes ses questions, elle répondit par la même phrase :

— Je suis fatiguée.

Il se déshabilla, se glissa auprès d'elle sous la couverture, et tenta de passer la main sous son T-shirt. À trois reprises, elle lui prit le poignet et repoussa sa main. À la quatrième, elle alluma la lumière, prit son oreiller, alla chercher une couverture dans l'armoire et s'installa à côté, sur le canapé.

David resta couché pendant quelques minutes. Puis, furieux, il se leva, alla chercher la dernière bière dans le réfrigérateur, alluma la lumière et s'assit dans le fauteuil, à côté du canapé. Marie avait tourné le visage vers le dossier du sofa, et faisait semblant de dormir.

— Tu ne trouves pas que nous devrions parler ? demanda-t-il.

— De quoi veux-tu parler ? demanda-t-elle sans se retourner.

— De nous.

— Là-dessus, malheureusement, il n'y a plus grand-chose à dire, David.

52

Lorsqu'il se réveilla, David eut l'impression que la migraine lui martelait la tête. Marie n'était pas couchée à côté de lui. Une mauvaise sensation lui comprimait la poitrine, mais il n'en connaissait pas encore l'origine.

Il se leva et passa dans le salon. Sur le canapé reposaient une couverture et un oreiller. De là la mauvaise sensation.

Marie, manifestement, était partie en hâte. Son sac de voyage était ouvert à côté du canapé, le T-shirt et la culotte qu'elle avait portés pendant la nuit – autrefois, elle dormait nue, comme David – étaient posés sur un fauteuil.

David s'assit sur le canapé et tenta de mettre ses pensées en ordre. Son regard tomba sur le sac de voyage. Quelques Polaroïds surmontaient le tas de vêtements et de linge. David prit celui du dessus. Il montrait Marie, Sabrina et quelques autres qu'il ne connaissait pas, prenant des poses idiotes dans une pièce lambrissée. David alla pêcher la seconde photo dans le sac. On n'y voyait que Marie et un type à belle allure. Il avait passé le bras sur ses épaules, elle rayonnait.

Son battement de cœur diminua un peu lorsqu'il vit la photo suivante : le même type, la même pose, une autre femme.

Il y avait huit photos au total. Les joyeux instantanés habituels, que seuls pouvaient trouver amusants ceux qui y figuraient. Il les déposa. Mais il n'était pas tout à fait tranquillisé.

Il passa dans la salle de bains et fit couler sur sa nuque le jet de la douche, aussi chaud qu'il le supportait, jusqu'à ce qu'il ait le sentiment que la migraine cédait du terrain.

Quand il revint dans le salon, la petite lampe du répondeur clignotait. C'était un message du Centre des tétraplégiques. Un certain Dr Keller demandait que David le rappelle. Il rappela. Le Dr Keller lui dit qu'il était navré de devoir l'informer que M. Jakob Stocker était décédé la nuit précédente.

Jacky était mort d'une défaillance pulmonaire. Une cause fréquente de décès pour les tétraplégiques de l'âge de Jacky, lui avait expliqué le Dr Keller.

David ne savait pas pourquoi il s'était rendu à l'enterrement de Jacky. Peut-être parce qu'il voulait être parfaitement certain qu'il s'en était débarrassé une fois pour toutes. Peut-être aussi parce que les enterrements allaient bien avec son humeur.

Marie était partie. Pas avec ses cliques et ses claques, elle avait laissé quelques affaires, comme pour indiquer que tous les ponts n'étaient pas encore rompus. C'est du moins ainsi que David l'interprétait. Mais s'il avait été sincère, il aurait dû reconnaître que le fait d'avoir laissé ses affaires d'été dans l'armoire n'avait pas beaucoup de signification. On était en février.

Si Marie était partie, il ne pouvait s'en prendre qu'à lui-même, il le comprenait bien. Des nuits entières, il l'avait tenue éveillée sous une douche écossaise de reproches, de supplices, de discussions et de jérémiades, jusqu'à ce qu'elle ne puisse plus le supporter. Cette fois, elle n'était pas allée s'installer chez sa mère, mais chez son amie Sabrina. Il ignorait laquelle des deux exerçait sur elle la plus mauvaise influence.

Une chose le tranquillisait, Marie l'avait assuré que si elle avait besoin de prendre de la distance, c'était à cause de lui et pas d'un autre homme. Il s'efforça de ne pas trop s'interroger sur le sens réel de cette phrase.

Le jour de l'enterrement, le climat s'était réglé sur l'ambiance générale. Il avait neigé pendant la nuit, et vers le matin, la pluie avait commencé à asperger le mince manteau blanc.

Dans la boue neigeuse, devant un petit trou, à côté d'une gigantesque couronne dont le ruban portait les mots « À mon frère Köbi bien-aimé, de la part de sa sœur », était rassemblée la petite communauté venue assister aux funérailles : David, la pastoresse, le jardinier du cimetière qui portait le parapluie, la sœur de Jacky, qui avait tout de même fait le voyage depuis la Basse-Autriche et sanglotait, son fils âgé d'une cinquantaine d'années et un homme vêtu d'un manteau d'hiver élimé, coiffé d'une casquette en laine, portant une barbe blanc jaune ondoyante.

La pastoresse lut un passage de la Bible, puis une biographie très rudimentaire, certainement rédigée par la sœur de Jacky, et qui soulignait tout particulièrement l'amour du défunt pour la littérature.

Après la prière commune, le jardinier fit descendre l'urne dans la flaque, au fond du trou, et jeta dessus une pelletée de terre. La sœur de Jacky et son fils posèrent un bouquet de fleurs à côté. Le barbu laissa lui aussi une rose à longue tige. David était le seul à ne pas avoir de fleurs.

En sortant du cimetière, la sœur de Jacky invita

l'assistance à prendre un petit repas dans le restaurant voisin. La pastoresse demanda qu'on veuille bien l'excuser, mais David et l'homme à la barbe blanche accompagnèrent la mère et le fils.

Ce fut comme après les premières lectures de David : on avait réservé une table pour dix, mais ils n'étaient que quatre.

David s'était attendu à ce qu'on lui serve une assiette de charcuterie et un verre de réserve maison, mais Mme Pichler, ainsi s'appelait la sœur de Jacky, avait bien fait les choses. Il y avait de la soupe aux asperges, du filet de bœuf aux croquettes et aux légumes, du châteauneuf-du-pape et des liqueurs. Et pour le dessert, du gâteau aux cerises de la Forêt-Noire.

— Je n'aurais jamais pu me permettre ça, avoua Rosa – c'était le prénom de Mme Pichler. Mais qui aurait cru que Jakob laisserait tout d'un coup autant d'argent ?

L'homme à la barbe mangeait peu et buvait beaucoup.

— Je m'appelle Walter, expliqua-t-il, mais tout le monde m'appelle Ouate. À cause d'elle.

Il souleva une mèche de sa barbe.

Jacky avait dû parler de David à Ouate, car celui-ci ne cessait de répéter :

— Qu'est-ce que tu vas faire, toi aussi, sans Jacky, petit, qu'est-ce que tu vas faire sans ton vieil ami ?

Et Rosa demanda à son fils, les yeux embués :

— Et *nous*, maintenant, qu'est-ce que nous allons faire ?

Son fils savait très bien ce qu'il allait faire. Il n'avait bu que de l'eau parce qu'il comptait rejoindre Innsbruck le jour même, et la pressait de lever le camp.

Ouate força David à rester boire un dernier verre. David accepta, on ne l'attendait pas.

On était déjà à la fin de l'après-midi lorsque Ouate descendit du taxi de David avec un billet de cent euros.

— Jacky était un *monsieur*, bredouilla-t-il, et tu en es un aussi.

Il baisa la main de David.

Celui-ci rentra dans son appartement sinistre et se coucha sur le canapé. Il ne dormait plus dans le lit depuis longtemps. Trop de souvenirs.

David se réveilla peu avant minuit. Il alluma la lumière et regarda autour de lui. Partout des couverts sales, des bouteilles de bière vides, des pots de yoghourt gagnés par la moisissure. Cette pagaille allait bien avec son état d'âme. Il passa dans la salle de bains et se regarda dans le miroir. Une barbe de trois jours, des cheveux hirsutes et, si l'on y regardait de près, des cernes sous les yeux.

Il fit ce qu'il faisait chaque soir depuis le départ de Marie : une tournée des bars habituels, dans l'espoir que Marie le verrait dans cet état regrettable.

L'Esquina était plein, bien que les milieux branchés aient prophétisé son naufrage depuis des mois. C'était l'une de ces soirées où les clients se bousculaient déjà dans le couloir et où les chances de pouvoir obtenir rapidement un *drink* s'amenuisaient à chaque nouvel arrivant.

David espéra ne pas être forcé de redevenir un jour serveur dans ce lieu.

Il se fraya un chemin dans la foule jusqu'à ce qu'il puisse voir la table habituelle de Ralph. Ils étaient tous là, comme si le temps s'était immobilisé. Ralph devant son verre de rioja, Sergio et Rolli devant leur bière, Silvie et Kelly devant leur cava, Roger devant son mojito, Sandra devant son gin tonic et Bob devant sa bière sans alcool.

Marie n'était pas là, constata David avec plus de soulagement que de déception. Il regarda encore un peu autour de lui et commença à se frayer un chemin vers la sortie. Il voulait rejoindre l'étape suivante, le Volume.

Dans le couloir qui menait à la sortie, il jeta un dernier coup d'œil dans le bouillonnement du bar. C'est alors qu'il la vit.

Marie était au milieu de la mêlée. Elle serrait le bras droit tout près du corps, elle tenait un verre.

Il s'apprêtait à lui faire un signe lorsqu'il vit la main sur son épaule droite. C'était la main d'un homme à demi dissimulé par un autre. Celui-ci se déplaça, et David put voir qui avait posé son bras sur les épaules de Marie.

Le type du Polaroïd.

À cet instant, l'espace d'une seconde, son regard croisa celui de Marie. Elle ne fit pas mine de le reconnaître. Mais ensuite, elle blottit légèrement sa tête contre l'épaule de son accompagnateur. Celui-ci se pencha vers elle et l'embrassa sur la bouche.

Des rafales de vent poussaient la pluie contre les grandes vitres de la chambre. Les lampes, sur les câbles suspendus au-dessus de la chaussée, se balançaient dans la tempête et plongeaient la rue dans une lumière agitée. Une voiture roulait prudemment, feux de route allumés. De petits points brillaient sur les flèches horizontales des grues.

L'unique source de lumière dans la chambre était l'écran de David. Il était assis devant et regardait fixement le petit curseur vertical. Écrisdonc, écrisdonc, faisait-il en clignotant.

David posa le petit coffret au saphir bleu à côté du clavier et se mit à écrire :

C'est l'histoire de David et Marie. Mon Dieu, faites qu'elle ne se termine pas tristement.

Cornelia Eberle, des éditions Diogenes, a vérifié la crédibilité des passages concernant la technique éditoriale ; un officier de l'Armée du Salut, qui souhaite rester anonyme, a répondu aux questions concernant le foyer pour sans-abri. Le professeur de médecine Hans Landolt, de la clinique neurochirurgicale de l'hôpital d'Aarau, a relu les scènes qui se déroulent en milieu hospitalier. Nadia Sambuco, des éditions Diogenes, s'est chargée des tournées de lectures de David Kern. Ma directrice littéraire, Ursula Baumhauer, m'a évité de nombreuses petites erreurs. Et mon épouse, Margrith Nay Suter, m'en a épargné quelques grosses.

À eux et à tous ceux qui m'ont aidé, j'adresse tous mes remerciements.

Martin Suter

RÉALISATION : GRAPHIC HAINAUT
IMPRESSION : S.N. FIRMIN-DIDOT AU MESNIL-SUR-L'ESTRÉE
DÉPÔT LÉGAL : JUIN 2005 - N° 66683 (73941)
IMPRIMÉ EN FRANCE

Collection Points

DERNIERS TITRES PARUS